Caro aluno, seja bem-vindo à sua plataforma do conhecimento!

A partir de agora, está à sua disposição uma plataforma que reúne, em um só lugar, recursos educacionais digitais que complementam os livros impressos e foram desenvolvidos especialmente para auxiliar você em seus estudos. Veja como é fácil e rápido acessar os recursos deste projeto.

1 Faça a ativação dos códigos dos seus livros.

Se você NÃO tem cadastro na plataforma:
- acesse o endereço <login.smaprendizagem.com>;
- na parte inferior da tela, clique em "Registre-se" e depois no botão "Alunos";
- escolha o país;
- preencha o formulário com os dados do tutor, do aluno e de acesso.

O seu tutor receberá um *e-mail* para validação da conta. Atenção: sem essa validação, não é possível acessar a plataforma.

Se você JÁ tem cadastro na plataforma:
- em seu computador, acesse a plataforma pelo endereço <login.smaprendizagem.com>;
- em seguida, você visualizará os livros que já estão ativados em seu perfil. Clique no botão "Códigos ou licenças", insira o código abaixo e clique no botão "Validar".

Este é o seu código de ativação! → **D7GZ4-PCMBR-AYC2P**

2 Acesse os recursos

usando um computador.

No seu navegador de internet, digite o endereço <login.smaprendizagem.com> e acesse sua conta. Você visualizará todos os livros que tem cadastrados. Para escolher um livro, basta clicar na sua capa.

Io um dispositivo móvel.

Instale o aplicativo **SM Aprendizagem**, que está disponível gratuitamente na loja de aplicativos do dispositivo. Utilize o mesmo *login* e a mesma senha que você cadastrou na plataforma.

Importante! Não se esqueça de sempre cadastrar seus livros da SM em seu perfil. Assim, você garante a visualização dos seus conteúdos, seja no computador, seja no dispositivo móvel. Em caso de dúvida, entre em contato com nosso canal de atendimento pelo **telefone 0800 72 54876** ou pelo *e-mail* atendimento@grupo-sm.com.

GERAÇÃO ALPHA

História 6

Débora Yumi Motooka
Bacharela e Licenciada em História pela Faculdade de Filosofia, Letras
e Ciências Humanas (FFLCH) da Universidade de São Paulo (USP).
Professora de História em escolas da rede particular.

São Paulo, 3ª edição, 2019

Geração Alpha História 6
© Edições SM Ltda.
Todos os direitos reservados

Direção editorial	M. Esther Nejm
Gerência editorial	Cláudia Carvalho Neves
Gerência de *design* e produção	André Monteiro
Edição executiva	Valéria Vaz

Colaboração técnico-pedagógica: Mírian Cristina de Moura Garrido

Edição: Celeste Baumann, Gabriel Careta, Isis Ridão Teixeira, Maria Rocha Rodrigues, Rodrigo de Souza

Assistência de edição: Mariana Zanato

Suporte editorial: Fernanda Fortunato

Coordenação de preparação e revisão	Cláudia Rodrigues do Espírito Santo

Preparação e revisão: Ana Paula Migiyama, Joana Junqueira Borges, Renata Tavares, Vera Lúcia Rocha

Apoio de equipe: Beatriz Nascimento

Coordenação de *design*	Gilciane Munhoz

Design: Carla Almeida Freire, Tiago Stéfano, Victor Malta (Interação)

Coordenação de arte	Ulisses Pires

Edição de arte: Angelice Taioque Moreira

Coordenação de iconografia	Josiane Laurentino

Pesquisa iconográfica: Beatriz Micsik
Tratamento de imagem: Marcelo Casaro

Capa	João Brito

Ilustração da capa: Denis Freitas

Projeto gráfico	Rafael Vianna Leal
Editoração eletrônica	Setup Bureal
Infografia	William H. Taciro, Mauro César Brosso, Diego Rezende, Alan Dainovskas Dourado, Wagner Nogueira
Cartografia	João Miguel A. Moreira
Pré-impressão	Américo Jesus
Fabricação	Alexander Maeda
Impressão	A.R.Fernandez

Dados Internacionais de Catalogação na Publicação (CIP)
(Câmara Brasileira do Livro, SP, Brasil)

Motooka, Débora Yumi
   Geração alpha história : ensino fundamental :
anos finais : 6º ano / Débora Yumi Motooka. — 3. ed. —
São Paulo : Edições SM, 2019.

   Componente curricular: História.
   ISBN 978-85-418-2338-8 (aluno)
   ISBN 978-85-418-2342-5 (professor)

   1. História (Ensino fundamental) I. Título.

19-26432   CDD-372.89

Índices para catálogo sistemático:
1. História : Ensino fundamental 372.89

Iolanda Rodrigues Biode - Bibliotecária - CRB-8/10014

3ª edição, 2019
4 Impressão, dezembro 2022

SM Educação
Rua Tenente Lycurgo Lopes da Cruz, 55
Água Branca 05036-120 São Paulo SP Brasil
Tel. 11 2111-7400
atendimento@grupo-sm.com
www.grupo-sm.com/br

Apresentação

Cara aluna, caro aluno,

Ser jovem no século XXI significa estar em contato constante com múltiplas formas de linguagem, uma imensa quantidade de informações e inúmeras ferramentas tecnológicas. Isso ocorre em um cenário mundial que apresenta grandes desafios sociais, econômicos e ambientais.

Diante dessa realidade, esta coleção foi cuidadosamente pensada tendo como principal objetivo ajudar você a enfrentar esses desafios com autonomia e espírito crítico.

Atendendo a esse propósito, os textos, as imagens e as atividades nela propostos oferecem oportunidades para que você reflita sobre o que aprende, expresse suas ideias e desenvolva habilidades de comunicação para as mais diversas situações de interação em sociedade.

Vinculados aos conhecimentos próprios de cada disciplina, são apresentados, em situações e atividades reflexivas, aspectos sobre valores universais como justiça, respeito, solidariedade, responsabilidade, honestidade e criatividade. Esperamos, assim, contribuir para que você compartilhe dos conhecimentos construídos pela **História** e os utilize para fazer escolhas responsáveis e transformadoras em sua vida.

Desejamos, também, que esta coleção contribua para que você se torne um jovem atuante na sociedade do século XXI, que seja capaz de questionar a realidade em que vive e de buscar respostas e soluções para os desafios presentes e para os que estão por vir.

Equipe editorial

Conheça seu livro

ABERTURA DE UNIDADE

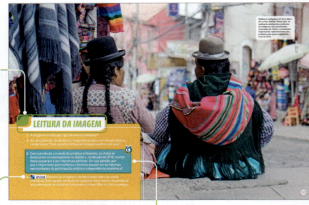

Uma imagem vai instigar sua curiosidade.

Leitura da imagem
As questões orientam a leitura da imagem e permitem estabelecer relações entre o que é mostrado e o que você conhece do assunto.

No início de cada unidade, você é apresentado ao tema que vai estudar.

Primeiras ideias
Algumas questões vão estimular você a contar o que sabe sobre o assunto e a levantar algumas hipóteses sobre ele.

Geração Alpha Digital
O livro digital oferece diversos recursos e atividades interativas para desenvolver habilidades e aprofundar os conteúdos.

Questão de valor
Aqui, você vai refletir sobre valores como respeito, solidariedade, justiça, entre outros.

CAPÍTULOS

Abertura de capítulo
Logo abaixo do título, algumas questões trazem reflexões iniciais. Textos, imagens, mapas e esquemas podem apresentar o conteúdo a ser estudado.

História dinâmica
Nessa seção, você tem contato com textos que apresentam atualização de debates historiográficos ou analisam interpretações e controvérsias em torno de temas do capítulo.

Atividades
As atividades vão ajudar você a desenvolver diferentes habilidades e competências por meio do aprofundamento dos conteúdos do capítulo.

Ampliando horizontes
No final de alguns capítulos, essa seção apresenta temas relacionados à diversidade cultural material e imaterial, para que você reflita sobre a importância da preservação da memória e sobre a valorização das identidades locais.

Arquivo vivo
É um momento para você ler, interpretar e analisar diferentes fontes históricas, lembrando sempre que o olhar do historiador parte do contexto em que ele está inserido.

Boxes

MIGRAÇÃO E REFÚGIO
Assim como os moradores das cidades romanas, nos séculos III e IV, buscaram refúgio contra a crise econômica e as invasões estrangeiras nas áreas rurais,

Valor
Apresenta informações e questões relacionadas a valores universais para você refletir, dialogar com a turma e se posicionar.

TEORIAS CIENTÍFICAS
As teorias científicas são elaboradas com base em métodos científicos de pesquisa. Cada área do conhecimento tem metodologias específicas para

Ampliação
Traz informações complementares sobre os assuntos explorados na página.

PASSAPORTE DIGITAL
Projeto Roma 360
O Laboratório de Arqueologia Romana Provincial da Universidade de São Paulo (Larp/USP) desenvolveu um aplicativo

Indicação
Livro aberto, **Passaporte digital** e **Sétima arte** oferecem sugestões de livros, *sites* e filmes relacionados ao assunto em estudo.

escrita fonética: sistema de escrita que transcreve os sons da fala.
ideograma: símbolo gráfico que representa

Glossário
Expressões e palavras que talvez você não conheça são explicadas nesse quadro.

FECHAMENTO DE UNIDADE

Investigar
Nessa seção, você e os colegas vão experimentar diferentes metodologias de pesquisa, como entrevistas, coleta de dados, etc. Também vão desenvolver diferentes formas de comunicação para compartilhar os resultados de suas investigações.

Atividades integradas
Essas atividades relacionam os assuntos da unidade. Para finalizar, é proposta uma **questão de valor** para que você e os colegas reflitam, conversem e se posicionem.

FINAL DO LIVRO

Ideias em construção
Apresenta questões que ajudam você a fazer uma autoavaliação do seu aprendizado. Com base nessas questões, você vai verificar o que aprendeu e identificar o que precisa ser revisto ou reforçado.

Interação
Essa seção propõe um projeto coletivo que resultará em um produto que pode ser usufruído pela comunidade escolar.

De olho no Enem
Dois blocos de questões com formato semelhante ao do Enem para você testar seus conhecimentos.

GERAÇÃO ALPHA DIGITAL

O livro digital oferece uma série de recursos para interação e aprendizagem. São imagens, atividades interativas, áudios, animações, vídeos, entre outros. Eles estão classificados de acordo com a habilidade que você vai desenvolver. Sempre que aparecer uma chamada como estas, acesse o recurso e faça a atividade que se pede.

 RETOMAR  COMPREENDER APLICAR ANALISAR VERIFICAR CRIAR

Sumário

Unidade 1 — INTRODUÇÃO AOS PRINCIPAIS CONCEITOS 9

1. **A História e o historiador** 12
   - A relação entre o passado e o presente 12
   - O trabalho do historiador 13
   - Diferentes fontes e conceitos da História 14
   - Muitas histórias 16
   - As formas de pensar o tempo 17
   - A contagem dos séculos 18
   - O tempo e a História 19
   - Atividades 20
   - Arquivo vivo: Narrativas indígenas 22

2. **A História em nosso cotidiano** 24
   - Vestígios do passado e do presente 24
   - Todos somos sujeitos da história 25
   - Cultura, memória e narrativas 26
   - História local 27
   - Atividades 28
   - Ampliando horizontes: Patrimônio cultural e história local 29

- ATIVIDADES INTEGRADAS 30
- IDEIAS EM CONSTRUÇÃO 32

Unidade 2 — AS ORIGENS DA HUMANIDADE 33

1. **A origem do ser humano** 36
   - Mitos de origem 36
   - A teoria evolucionista 37
   - Quem pesquisa essa história? 38
   - Periodização da história antes da escrita 39
   - Evolução e expansão dos seres humanos 40
   - Atividades 41
   - História dinâmica: Discussões sobre a origem do gênero *Homo* 42

2. **A vida dos primeiros seres humanos** 44
   - Como se estuda essa história? 44
   - A Idade da Pedra Lascada 45
   - O domínio do fogo 46
   - As expressões religiosas mais antigas 47
   - Os registros rupestres 48
   - Atividades 50
   - Arquivo vivo: O trabalho do arqueólogo 51

3. **O processo de sedentarização** 52
   - Nomadismo e sedentarização 52
   - O desenvolvimento da agricultura 53
   - Novas técnicas e tecnologias 54
   - A especialização do trabalho 55
   - O surgimento das cidades e dos Estados 56
   - O desenvolvimento do comércio 57
   - O surgimento da escrita 57
   - Atividades 58

4. **A chegada do ser humano à América** 60
   - O vestígio mais antigo 60
   - Rotas do povoamento do continente americano 61
   - A vida nas primeiras ocupações americanas 62
   - Atividades 63
   - Ampliando horizontes: A aldeia neolítica de Skara Brae 64

- ATIVIDADES INTEGRADAS 66
- IDEIAS EM CONSTRUÇÃO 68

Unidade 3 — OS POVOS ANTIGOS DO ORIENTE MÉDIO 69

1. **Os mesopotâmicos** 72
   - As sociedades hidráulicas 72
   - Diferentes povos, mesmo território 73
   - Alimentação e tecnologias 74
   - Construção e organização das cidades 75
   - Escrita suméria 76
   - O comércio e os meios de transporte 77
   - As expressões religiosas 77
   - Mulheres poderosas 78
   - Atividades 79

2. **Os fenícios** 80
   - Quem eram os fenícios 80
   - As cidades-Estado 82
   - As colônias fenícias 84
   - Atividades 85

3. **Os persas** 86
   - A formação do Reino Persa 86
   - A diversidade cultural do Império Persa 87
   - Organizando o Império: satrapias e sátrapas 88
   - Arte e religiosidade persa 89
   - Atividades 90
   - Arquivo vivo: O palácio de Persépolis 91

- ATIVIDADES INTEGRADAS 92
- IDEIAS EM CONSTRUÇÃO 94

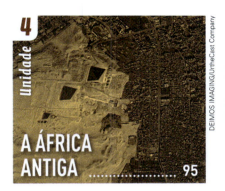

Unidade 4 — A ÁFRICA ANTIGA 95

1. **Culturas ribeirinhas e tradição Nok** 98
   - Mudanças na paisagem 98
   - Vários rios, muitos povos 99
   - Cultura Nok e outras descobertas 100
   - Atividades 102
   - História dinâmica: Transformações na historiografia sobre os povos da África Antiga 103
2. **Povos do Nilo** 104
   - Nilo, o rio deus 104
   - A formação dos primeiros Estados 105
   - A unificação do Egito e o Império faraônico 106
   - Os núbios 110
   - Atividades 112
3. **O Império de Axum** 113
   - O crescimento de Axum 113
   - Potência comercial 114
   - Atividades 115
   - Ampliando horizontes: Os vestígios de Axum: patrimônios da humanidade 116

ATIVIDADES INTEGRADAS 118
IDEIAS EM CONSTRUÇÃO 120

Unidade 5 — A AMÉRICA ANTIGA 121

1. **Povos originários no Brasil** 124
   - Diversidade de regiões, diversidade de tradições 124
   - A formação dos sambaquis 126
   - Agricultores no Brasil 128
   - Os indígenas no Brasil de hoje 130
   - Atividades 132
2. **Povos mesoamericanos e andinos** 133
   - Duas regiões culturais: Mesoamérica e andina 133
   - Os diversos povos antigos da Mesoamérica 134
   - Vivendo nos Andes 137
   - Atividades 139
   - Ampliando horizontes: Patrimônio arqueológico e preservação 140

INVESTIGAR: Geoglifos: mistério arqueológico e desmatamento da floresta Amazônica 142
ATIVIDADES INTEGRADAS 144
IDEIAS EM CONSTRUÇÃO 146

Unidade 6 — O MUNDO GREGO 147

1. **A vida na *pólis*** 150
   - Uma Antiguidade clássica 150
   - As primeiras comunidades gregas 151
   - A *pólis* 152
   - A expansão grega 153
   - A sociedade ateniense 154
   - A democracia ateniense 155
   - Atividades 156
   - História dinâmica: As mulheres na *pólis* grega 157
2. **A cultura grega** 158
   - A arte na Grécia 158
   - As divindades gregas 159
   - Jogos olímpicos 160
   - Filosofia 161
   - Atividades 162
3. **O período helenístico** 164
   - A conquista macedônica 164
   - As conquistas de Alexandre 165
   - A cultura helenística 166
   - Atividades 167

ATIVIDADES INTEGRADAS 168
IDEIAS EM CONSTRUÇÃO 170

Unidade 7 — ROMA: FORMAÇÃO E EXPANSÃO 171

1. As origens de Roma — 174
- A ocupação da península Itálica — 174
- A sociedade romana — 175
- A monarquia — 176
- A instauração da república — 176
- A expansão militar — 177
- As lutas plebeias — 178
- A questão da terra — 179
- Transição para o Império — 180
- Atividades — 181
- Arquivo vivo: O mito de fundação de Roma — 182

2. A consolidação do Império Romano — 184
- O fim da república e o governo imperial — 184
- A *pax* romana — 185
- O apogeu das cidades romanas — 186
- O cristianismo e a origem da Igreja — 187
- Roma se torna cristã — 189
- Atividades — 190
- História dinâmica: As imagens femininas nas catacumbas romanas — 191

INVESTIGAR: Latim e Língua Portuguesa: ditados populares — 192
ATIVIDADES INTEGRADAS — 194
IDEIAS EM CONSTRUÇÃO — 196

Unidade 8 — A FORMAÇÃO DA EUROPA FEUDAL 197

1. A desagregação do Império Romano — 200
- A crise econômica — 200
- Bárbaros em Roma — 201
- Hunos — 202
- Celtas — 202
- Germânicos — 203
- A ruralização do Império — 204
- A fragmentação do Império — 205
- Atividades — 206

2. O mundo feudal — 207
- Idade Média, uma invenção — 207
- Um milênio de transformações na Europa — 208
- A integração de culturas e povos — 209
- As relações feudais — 210
- A sociedade estamental — 211
- A organização do senhorio — 212
- Imaginário e religiosidade — 214
- Hábitos e costumes — 215
- Atividades — 216
- Arquivo vivo: As crianças na Idade Média — 217

ATIVIDADES INTEGRADAS — 218
IDEIAS EM CONSTRUÇÃO — 220

Unidade 9 — TRANSFORMAÇÕES NA EUROPA MEDIEVAL 221

1. As mudanças no campo e a formação dos burgos — 224
- Novas técnicas e instrumentos agrícolas — 224
- Crescimento demográfico — 225
- Aumento das áreas cultivadas — 225
- O desenvolvimento do comércio — 226
- O poder da Igreja e o advento das Cruzadas — 227
- Os interesses que estavam em jogo — 228
- As consequências das Cruzadas — 229
- Atividades — 230

2. A Baixa Idade Média — 232
- Características das cidades medievais — 232
- Corporações e atividades financeiras — 233
- O tempo das catedrais — 234
- A queda da produção agrícola e a fome — 235
- A morte em massa — 236
- Atividades — 238
- Arquivo vivo: A grande fome — 239

ATIVIDADES INTEGRADAS — 240
IDEIAS EM CONSTRUÇÃO — 242

Interação: A história contada pelos objetos — 243
De olho no Enem — 247
Bibliografia — 263

UNIDADE 1

INTRODUÇÃO AOS PRINCIPAIS CONCEITOS

Ao analisarmos os eventos do passado, ficamos mais habilidosos para compreender diferentes aspectos de nossa sociedade no presente. Identificar características dos povos que habitaram o planeta muito tempo antes de nós também é uma forma de investigar as origens do nosso modo de pensar, de falar, de construir casas, de nos vestir, de estudar, etc.
A identificação de permanências e de mudanças ao longo do tempo é um dos objetos de estudo dos profissionais de História.

CAPÍTULO 1
A História e o historiador

CAPÍTULO 2
A História em nosso cotidiano

PRIMEIRAS IDEIAS

1. Em sua opinião, o que é História? Por que é importante estudar essa área do conhecimento? Levante hipóteses.
2. Você conhece algum historiador? Sabe como é o trabalho dele?
3. Como você costuma acompanhar a passagem do tempo em seu dia a dia? Isso é importante em sua rotina?
4. De que modo você registra as mudanças e os principais acontecimentos de sua vida? Você costuma tirar fotos, fazer anotações em um diário ou em uma agenda, publicar em redes sociais ou contar para os amigos?

LEITURA DA IMAGEM

1. Que objetos podem ser observados nessa fotografia?
2. Em sua opinião, o que esses pesquisadores estão procurando?
3. Qual é a relação entre os objetos presentes na imagem e a busca dos pesquisadores?
4. A região onde os pesquisadores fazem a busca é habitada por diferentes seres vivos, como plantas e animais. Em sua opinião, qual deve ser a atitude dos pesquisadores em relação a esses seres vivos?
5. **APLICAR** Conheça o trabalho dos pesquisadores que buscam vestígios subaquáticos e reflita sobre a importância de se preservar esse tipo de patrimônio. Compartilhe sua opinião com os colegas.

Escavação da pesquisadora canadense Eva Koppelhaus, na cidade de Drumheller, Canadá. Foto de 2016.

Capítulo 1
A HISTÓRIA E O HISTORIADOR

A História é a ciência que investiga as experiências humanas ao longo do tempo. Mas o que essas experiências significam para nós, que vivemos no século XXI? Por que é importante estudá-las? Como e por que são realizados os estudos históricos?

A RELAÇÃO ENTRE O PASSADO E O PRESENTE

Você já se perguntou por que estudamos História?

Para conhecer nossas origens – sejam elas pessoais, sejam elas sociais ou culturais –, precisamos observar o passado e identificar as **mudanças** e as **permanências** ocorridas ao longo do tempo. Esse processo nos ajuda a refletir sobre várias questões, como o momento histórico em que vivemos, nossa participação na dinâmica da sociedade e nossas possíveis contribuições para o futuro.

Dessa forma, o estudo da História nos auxilia na compreensão da realidade próxima, enriquece as indagações que fazemos sobre o presente e também nos permite conhecer diferentes povos, sociedades e culturas de outras épocas e de outros lugares.

Ao observarmos as experiências humanas no decorrer do tempo, percebemos que existem muitas culturas e maneiras de viver, de organizar o cotidiano e de ver o mundo. A noção da diversidade cultural nos ajuda a respeitar as singularidades de cada povo, grupo social ou comunidade e as diferenças entre eles.

↓ Vista de Berlim, Alemanha, que evidencia mudanças e permanências históricas. Foto de 2017. Ao centro, Igreja Memorial Imperador Guilherme, do século XIX. Ela foi destruída na Segunda Guerra Mundial (1939-1945) e reconstruída entre 1959 e 1963.

O TRABALHO DO HISTORIADOR

A História nos possibilita compreender a realidade em que vivemos. Uma das maneiras de alcançar essa compreensão é estabelecer um diálogo entre o presente e o passado, e o historiador é o profissional que se dedica a identificar e a analisar aspectos desse diálogo.

Uma das perguntas que ele faz com frequência, quando estuda algum tema que relaciona o presente com o passado, é "por quê?".

Para esse profissional, mais importante que um fato em si é saber por que ele ocorreu e quais são seus desdobramentos. É esse tipo de reflexão que lhe permite conhecer a fundo os modos de vida construídos pelos grupos humanos ao longo do tempo.

Assim, é possível entender as razões que levaram os diferentes povos a viver de uma forma e não de outra. Então, além de "por quê?", o historiador precisa perguntar "como?", "onde?", "quando?" e "quem?". Essas são algumas das perguntas básicas de uma investigação.

Para tentar responder a essas questões, o historiador usa diversos métodos e técnicas de análise de **fontes históricas**. Essa análise o ajuda a compreender, por exemplo, por que alguns povos se estabeleceram em cidades, enquanto outros se mantiveram em áreas rurais; por que uns construíram moradias individuais com determinados materiais, enquanto outros moravam em habitações coletivas e utilizavam materiais diferentes nas construções, etc.

Em muitos momentos, dependendo do enfoque e do tema da pesquisa, o historiador pode recorrer a outras áreas de conhecimento, como as <u>ciências sociais</u>, para compreender melhor os diferentes aspectos da experiência humana em estudo.

 ANALISAR

Saiba mais sobre a forma pela qual os documentos históricos são transformados em fontes a partir das perguntas feitas pelo historiador. Em seguida, selecione um documento e faça uma análise dele, utilizando as perguntas básicas de uma investigação histórica.

<u>ciências sociais</u>: conjunto de disciplinas científicas que estudam os aspectos sociais das diversas comunidades humanas, em diferentes tempos e espaços. Por exemplo, a sociologia, ciência que se propõe a analisar a organização e o funcionamento das sociedades.

DIFERENTES FONTES E CONCEITOS DA HISTÓRIA

Para investigar e compreender a organização social, o modo de vida e as práticas culturais em tempos e lugares específicos, o historiador utiliza fontes históricas, que também são conhecidas como documentos.

Mas, afinal, o que são fontes históricas?

São todos os vestígios deixados por diversos indivíduos, grupos e sociedades ao longo do tempo, como construções, pinturas, lendas, modos de se fazer algo, entre outros. Isso quer dizer que tudo o que as pessoas produzem ou expressam pode ser considerado uma fonte para a construção do conhecimento histórico.

Assim, existem fontes diversas, que podem ser classificadas em:

- **fontes escritas**: registros textuais manuscritos ou impressos, como documentos oficiais, jornais, revistas, livros, diários, anotações, etc.;
- **fontes sonoras**: registros musicais e gravações em discos de vinil, fitas cassete, CDs ou em meios digitais;
- **fontes visuais**: fotografias, pinturas, gravuras, charges, caricaturas, etc.;
- **fontes audiovisuais**: filmes e vídeos;
- **fontes orais**: relatos, depoimentos e entrevistas;
- **fontes materiais**: artesanato, esculturas, construções, ferramentas, armas, roupas, etc.

Essas categorias variam conforme a escola historiográfica e os objetivos de pesquisa do historiador. Observe, nesta e na próxima página, as imagens de diferentes fontes históricas. Já pensou sobre as fontes históricas produzidas por você?

> **A FONTE COMO REPRESENTAÇÃO**
>
> Todo vestígio histórico é uma representação da experiência histórica dos indivíduos ou grupos sociais que o produziram, e não um registro fiel e objetivo da realidade. Isso significa que todas as fontes são representações da realidade e expressam o ponto de vista e as intenções de indivíduos ou de grupos sociais que as produziram.
>
> Nessa perspectiva, ao analisar uma fonte, o historiador deve considerar quem a produziu, a qual grupo social ela pertence, quais são os possíveis interesses desse grupo, suas experiências, seu modo de viver, etc. Além disso, deve estudá-la sob diferentes pontos de vista, com o objetivo de produzir o conhecimento histórico.

historiográfica: relativo à historiografia, que significa, literalmente, a escrita da História. Refere-se ao modo como a História é analisada e descrita pelos historiadores.

↑ Miniatura de loja de açougue, brinquedo de cerca de 1880.

Cerâmicas produzidas por indígenas do povo Kadiwéu, expostas em aldeia localizada em Campo Grande (MS). Foto de 2016.

A RELAÇÃO DO HISTORIADOR COM AS FONTES

O modo como o historiador se relaciona com as fontes históricas também mudou ao longo do tempo.

A História tornou-se uma disciplina escolar e um campo de conhecimento considerado científico há cerca de duzentos anos. Foi quando os historiadores da Escola Metódica, também chamados de positivistas, elaboraram métodos e procedimentos para a condução do trabalho de pesquisa. Para os historiadores dessa corrente, só era possível estudar a História pelos documentos escritos, sobretudo os produzidos por instituições oficiais do Estado, como as certidões, os registros, etc.

Essa concepção mudou com o surgimento, a partir de 1929, de uma nova corrente historiográfica, a Escola dos Annales, que ampliou o conceito de fontes históricas. De acordo com essa corrente, as fontes históricas são diversificadas e dependem do olhar do historiador e das perguntas feitas por esse profissional.

Essa ampliação trouxe uma gama imensa de novos temas, personagens e pontos de vista que enriqueceram o ofício do historiador. Os vestígios humanos não revelam por si mesmos o passado tal como ele aconteceu, mas devem ser pensados como representações que precisam ser interpretadas para que o historiador possa extrair delas todas as informações.

Assim, as profundas mudanças na concepção de conhecimento histórico nos mostram que a **História também tem história** e é pensada de diferentes maneiras com o passar do tempo.

Todas essas transformações no campo do conhecimento histórico estimularam a pesquisa de muitos temas até então pouco estudados, como a história do Brasil na perspectiva dos escravizados e dos indígenas, a história da América Latina pensada segundo os povos nativos, a história da África com base em fontes historiográficas do continente africano, entre outros.

> **PASSAPORTE DIGITAL**
> **Biblioteca Nacional Digital**
> A Biblioteca Digital da Fundação Biblioteca Nacional disponibiliza diversas fontes históricas. São documentos digitalizados, como manuscritos, livros, revistas, jornais, ilustrações, entre outros. Disponível em: <http://linkte.me/n5x03>. Acesso em: 23 abr. 2018.

Da esquerda para a direita: fita cassete, CDs e discos de vinil.

Manuscrito assinado em 1802 por dom João VI, no qual Carlos Frederico Lecor é nomeado sargento-mor da Legião de Tropas Ligeiras.

MUITAS HISTÓRIAS

As histórias dos povos indígenas no Brasil, por exemplo, são casos de experiências humanas que passaram a ser estudados com outro olhar após as transformações historiográficas do século XX. Por um longo tempo, estudou-se a história desses povos somente pela perspectiva dos colonizadores.

Os portugueses que chegaram aqui, em 1500, tinham o objetivo de expandir as terras de Portugal e de levar a fé católica a todos os povos. Ao chegarem à costa do território que hoje constitui o Brasil, esses europeus encontraram povos indígenas que falavam línguas do tronco linguístico tupi e tinham costumes muito diferentes dos europeus. Uma dessas diferenças era a opção dos povos europeus pelos registros escritos.

A maioria dos povos indígenas, por outro lado, não organizava seus conhecimentos por meio da escrita. Por isso, durante muito tempo, os indígenas foram vistos como povos sem história, inaptos para narrar a própria história ou mesmo sistematizar os próprios conhecimentos.

Assim, os séculos de colonização europeia sobre o continente americano e a hegemonia dessa cultura também podem ser verificados nas tentativas de "apagamento" da história dos povos nativos. Atualmente, porém, a historiografia busca reconstruir a história dos povos indígenas estudando as populações que sobreviveram e os vestígios encontrados nas escavações arqueológicas. Essas fontes de informação possibilitam ao historiador compreender os impactos culturais decorrentes do encontro dos povos europeus com os indígenas, assim como as origens das populações indígenas.

tronco linguístico: grupo de línguas que têm origem em comum.

↓ Mulher indígena do povo Guarani Mbya produzindo cestaria na aldeia Kalipety, na capital de São Paulo. Foto de 2017. A cestaria é uma das manifestações da cultura material dos Guarani, por isso é uma das possíveis fontes para o estudo de sua história.

AS FORMAS DE PENSAR O TEMPO

As sociedades humanas desenvolveram, e têm desenvolvido, diversas formas de pensar o tempo.

Podemos perceber a passagem do tempo, por exemplo, pelas transformações ocorridas ao nosso redor, como o florescimento das árvores, ou por coisas que fazemos, como quando terminamos de ler um livro, ou, ainda, por transformações em nosso corpo, como o crescimento das unhas e dos cabelos. Também podemos notar a passagem do tempo pelas alterações na paisagem, quando comparamos imagens atuais e antigas de um mesmo lugar.

Entre as formas de pensar e organizar o tempo estão a observação e a marcação de eventos naturais, como as estações do ano, as fases da lua, a posição das estrelas no céu, a dinâmica de seca e chuva, de cheia e vazante dos rios, de plantio e colheita nos campos, etc. Esse tempo é conhecido como **tempo da natureza**.

Já o tempo linear, que podemos medir e organizar sequencialmente, é conhecido como **tempo cronológico**. Esse tempo é organizado em unidades de medida, como horas, dias, meses, anos, séculos, etc. Para calculá-lo, utilizamos instrumentos de medição de tempo, como o relógio, que assinala as horas, e o calendário, que demarca os dias, as semanas, os meses e os anos.

↑ Relógio de sol de cerca de 1500 a.C. encontrado no vale dos Reis, nas proximidades de Luxor, Egito. O relógio de sol é considerado um dos instrumentos de medição de tempo mais antigos de que se tem conhecimento.

hegírico: relativo à Hégira, a fuga do profeta islâmico Maomé de Meca para Medina. Esse evento é considerado o marco inicial do calendário islâmico.

CALENDÁRIOS

Existem diversos tipos de calendário. Apesar de serem organizados de forma cronológica, eles levam em consideração os ciclos naturais, como o lunar e o solar, e eventos históricos considerados importantes.

O **calendário islâmico** (ou hegírico), por exemplo, é um calendário lunar, pois é feito com base nos movimentos da Lua ao redor da Terra.

Já o calendário utilizado no Brasil e na maior parte do mundo ocidental chama-se **calendário gregoriano** e é considerado um calendário solar por se basear no tempo que a Terra leva para completar seu ciclo ao redor do Sol. O marco para o início da contagem desse calendário, ou seja, o ano 1, é o nascimento de Jesus Cristo. Os períodos anteriores a esse ano são contados de forma decrescente e classificados como a.C. (antes de Cristo), e os posteriores são contados de forma crescente e classificados como d.C. (depois de Cristo).

Também existem os calendários mistos, que levam em conta tanto o ciclo solar quanto o lunar, como é o caso do **calendário chinês**, por exemplo. Esses calendários são chamados lunissolares.

↑ O calendário que se popularizou e vigora até hoje na maioria dos países foi elaborado na Europa, com base nos costumes do cristianismo. Na imagem, calendário medieval de janeiro, presente em um manuscrito francês do século XV.

A CONTAGEM DOS SÉCULOS

Para facilitar o estudo de períodos mais longos da História, utilizamos o **século** e o **milênio** como unidades de medida de tempo. Um século corresponde a cem anos, e dez séculos, isto é, mil anos, compõem um milênio.

É comum adotar algarismos romanos para representar os séculos numericamente. Nesse sistema de numeração, as letras I, V, X, L, C, D e M representam, respectivamente, 1, 5, 10, 50, 100, 500 e 1000. No dia a dia, pode-se observar a utilização de algarismos romanos em inúmeros exemplos, como os que aparecem nas imagens desta página. Observe-os.

O século I corresponde ao período que vai do ano 1 até o ano 100, e o século seguinte, de 101 até 200. O século III começa em 201 e termina em 300 e assim por diante.

Para descobrir a qual século um ano pertence, utilizam-se as regras a seguir.

REGRA 1 → Quando os dois últimos algarismos do ano forem iguais a zero → Exclua os zeros. Os algarismos que restarem indicarão o século. → Exemplos:
ano **3**00   século III
ano **18**00   século XVIII
ano **20**00   século XX

REGRA 2 → Quando os dois últimos algarismos do ano não forem iguais a zero → Exclua os dois últimos algarismos e adicione 1 ao número que restou. → Exemplos:
ano **5**13   5 + 1 = século VI
ano **19**99   19 + 1 = século XX
ano **20**21   20 + 1 = século XXI

Ao lado, relógio e termômetro de rua em Gramado (RS). Foto de 2017. Acima, placas com nomes de ruas em Cascavel (PR). Foto de 2015. Note o uso de algarismos romanos.

O TEMPO E A HISTÓRIA

Todo fato histórico acontece em local e tempo específicos. O **tempo histórico**, no entanto, organiza-se de forma diferente daquela como são estruturados o tempo cronológico e o tempo natural. Isso ocorre porque esse tempo é pensado segundo as experiências dos diversos grupos humanos.

O tempo histórico é assinalado por **rupturas** e **permanências**. As rupturas são as mudanças significativas que afetam uma sociedade ou um grupo inteiro, como o surgimento da internet, por exemplo. Já as permanências são as estruturas que podem ou não sofrer alterações, mas que persistem ao longo do tempo, como a religião católica, por exemplo.

Além disso, o tempo histórico pode ser dividido em temporalidades de **curta**, **média** e **longa duração**. As temporalidades de curta duração referem-se a eventos breves, que podem ocorrer em dias ou meses. Nesse caso, as transformações históricas acontecem mais rapidamente. As temporalidades de média duração referem-se a eventos um pouco mais longos, que acontecem no decorrer de anos ou décadas, mas, ainda assim, podem ser percebidos no curso de uma vida. As temporalidades de longa duração, por outro lado, referem-se a eventos que se estendem por séculos e são caracterizados por lentas transformações.

↑ Fernand Braudel (1902-1985), um dos mais proeminentes historiadores da Escola dos Annales. Na obra *O Mediterrâneo e o mundo mediterrâneo na época de Filipe II,* Braudel propõe a organização do tempo histórico em temporalidades de curta, média e longa duração. Foto de cerca de 1980.

PERIODIZAÇÃO DA HISTÓRIA

Muitos historiadores costumam classificar os períodos da História em idades (**Pré-História**, **Antiga**, **Média**, **Moderna** e **Contemporânea**). Essa periodização, no entanto, é bastante criticada na atualidade, pois toma como referência as experiências de povos europeus e, portanto, desconsidera processos, experiências e acontecimentos importantes vivenciados por povos de outros continentes. Atualmente, esses conceitos de periodização são retomados, porém, ressignificados, buscando contemplar as especificidades de cada povo, em cada época e território. Observe a periodização tradicional na linha do tempo abaixo.

> **LINHA DO TEMPO**
>
> Para organizar e representar fatos históricos em sequência cronológica, é comum o uso de um recurso chamado linha do tempo. Ela pode ser construída com qualquer unidade de medida de tempo (anos, décadas, séculos, milênios, etc.).

A PERIODIZAÇÃO TRADICIONAL DA HISTÓRIA OCIDENTAL

PRÉ-HISTÓRIA	IDADE ANTIGA	IDADE MÉDIA	IDADE MODERNA	IDADE CONTEMPORÂNEA
2 milhões de anos — Aparecimento do gênero *Homo*	cerca de 3500 a.C. — Invenção da escrita	476 — Queda do Império Romano	1453 — Tomada de Constantinopla pelos turcos otomanos	1789 — Revolução Francesa

ano 1 — Nascimento de Cristo
622 — Hégira

↑ Linha do tempo sem escala temporal.

ATIVIDADES

RETOMAR E COMPREENDER

1. O que são fontes históricas? Qual é o papel dessas fontes no trabalho de pesquisa do historiador?
2. Por que a ampliação da noção de fontes contribuiu para que o conhecimento histórico também se tornasse mais abrangente?
3. O que é tempo histórico e como ele é organizado?

APLICAR

4. Leia o texto e observe a fotografia a seguir.

O daguerreótipo não é uma fotografia tal como a entendemos hoje, é uma peça única – sobre base de cobre banhada com prata e polida em seguida – que não possibilita a obtenção de cópias e apresenta uma imagem bastante nítida, embora pequena e de superfície extremamente refletora.

[...]

[...] os daguerreótipos apareceram [...] como mais uma possibilidade de se igualar à nobreza, tradicionalmente retratada por pintores célebres. Objeto luxuoso, único e raro, o daguerreótipo era para o cidadão comum [...] uma espécie de troféu que exibia com orgulho.

[...]

A pose, todo o ritual fotográfico (nos primórdios uma verdadeira tortura para os retratados [...]) e, sobretudo, seu caráter de grande acontecimento faziam com que o modelo fosse posar compenetrado, imbuído da importância daquele momento na história da sua vida. É por isso que nos retratos antigos ninguém sorri [...] e até as crianças têm cara de missa de sétimo dia, obrigadas que eram naqueles tempos a serem meros espelhos dos desejos paternos. [...]

↑ Família João José de Figueiredo, Recife (PE). Foto de cerca de 1900.

Antigamente as pessoas iam ao fotógrafo para adquirirem o *status* e a eternidade [...]. Não havia então espaço para as brincadeiras de botar chifrinho e o empurra-empurra das descontraídas fotos atuais [...].

Pedro Vasquez. Olha o "passarinho"! – Uma pequena história do retrato. Em: Gilberto Freyre; Fernando Ponce de Leon; Pedro Vasquez. *O retrato brasileiro*: fotografias da coleção Francisco Rodrigues, 1840-1920. Rio de Janeiro: Funarte – Núcleo de Fotografia; Recife: Fundação Joaquim Nabuco – Departamento de Iconografia, 1983. p. 27-31.

a) Observe a fotografia acima e identifique informações como: data, local, quem são as pessoas retratadas, suas características físicas, suas vestimentas, sua postura, entre outras.

b) O autor do texto menciona que a fotografia no século XIX, quando a técnica foi desenvolvida, era uma oportunidade rara e custosa de registrar para a posteridade o retrato pessoal ou da família. Nesse período, segundo o autor, qual era a intenção das pessoas que procuravam um fotógrafo para produzir um retrato?

c) Atualmente, como costuma ser o processo de tirar fotos? Quais são as intenções de quem faz isso? Que permanências e rupturas você identifica nesse costume?

5. Observe, a seguir, imagens que retratam diferentes fontes históricas.

↑ Reprodução da primeira página do jornal *Tribuna Negra*, publicado em São Paulo (SP) na década de 1930.

↑ Capa do disco de vinil *Gente da antiga*, lançado pela gravadora Odeon, em 1968, com canções interpretadas por Pixinguinha, Clementina de Jesus e João da Baiana.

↑ Tarsila do Amaral. *Morro da favela*, 1924. Óleo sobre tela.

↑ Conjunto de objetos pessoais do século XIX.

↑ Palácio Rio Negro, em Manaus (AM), construído em 1903. Foto de 2017.

→ Cerimônia de encerramento e premiação da 40ª Mostra Internacional de Cinema de São Paulo, na qual foi exibida uma versão restaurada do clássico de 1926, *A general*, de Buster Keaton e Clyde Bruckman. Foto de 2016.

a) Identifique o tipo de fonte histórica representado em cada foto.

b) Que aspectos sobre as experiências do passado você poderia conhecer tendo como base as fontes históricas retratadas?

6. Se você fosse fazer uma pesquisa e escrever sobre a história de vida de alguém que mora em sua casa, quais fontes históricas utilizaria? Por quê?

ARQUIVO VIVO

Narrativas indígenas

Os relatos orais são fontes históricas que nos ajudam a conhecer as experiências, as memórias, o cotidiano, a cultura e os pontos de vista de diversas pessoas, principalmente daquelas que tiveram pouco espaço nos meios oficiais de registro e de transmissão dos saberes produzidos.

Para conhecer mais profundamente, por exemplo, a história dos indígenas ou dos africanos escravizados no Brasil, temos de empregar recursos variados e utilizar fontes que vão além dos registros escritos, como objetos, materiais arqueológicos, tradições, músicas, festividades, histórias e memórias narradas, etc. Nesta seção, você vai aprender alguns passos necessários para realizar uma pesquisa histórica baseada em fontes audiovisuais.

Vamos trabalhar com relatos registrados por comunidades indígenas em audiovisual. O projeto de registro, intitulado **Vídeo nas Aldeias**, é realizado por cineastas indígenas de diferentes etnias. Ele procura dar voz e visibilidade às experiências desses povos.

Para iniciar a pesquisa e orientar o trabalho a ser realizado, sugerimos alguns filmes do projeto **Vídeo nas Aldeias**, produzidos com o intuito de registrar o modo de ver o mundo e os costumes dos povos indígenas. Esses filmes revelam os pontos de vista dos indígenas sobre história e cultura, sobre as transformações que ocorreram com o passar do tempo e sobre a importância da preservação de suas memórias e de seus costumes.

Indígena com uma câmera filmadora durante atividades do projeto Vídeo nas Aldeias, que busca apoiar a luta dos povos indígenas para fortalecer suas identidades e seus patrimônios territoriais e culturais. Foto de 2008.

Acesse o *site* do projeto Vídeo nas Aldeias, disponível em <http://linkte.me/z2v41> (acesso em: 23 abr. 2018). Depois, escolha um dos filmes sugeridos a seguir e analise-o para conhecer um pouco mais a história dos povos indígenas. Nessa seleção, procure pensar o assunto trabalhado em cada filme, pois essa temática conduzirá a análise dos relatos orais.

- **Filme 1**: *Índios no Brasil 9: do outro lado do céu*. Direção: Vincent Carelli. Brasil, 2000 (18 min). Disponível em: <http://linkte.me/x2474>.

    O filme faz parte da série Índios no Brasil, produzida pela TV Escola. Ele apresenta, por meio de relatos, o universo místico e religioso dos indígenas Yanomami, Pankararu e Maxacali.

- **Filme 2**: *Índios no Brasil 7: nossas terras*. Direção: Vincent Carelli. Brasil, 2000 (20 min). Disponível em: <http://linkte.me/v52b4>.

    Apesar de não ter sido dirigido por um cineasta indígena, o filme traz relatos que apresentam uma visão bastante reflexiva desses povos em relação à própria história e realidade.

- **Filme 3**: *No tempo do verão: um dia na aldeia Ashaninka*. Direção: Wewito Piyãko. Brasil, 2013 (22 min). Disponível em: <http://linkte.me/yxpd2>.

    Esse filme possibilita conhecer como é a vida em uma aldeia dos Ashaninka, localizada no Acre, identificando os costumes dessa etnia e observando o cotidiano de adultos e crianças da comunidade retratada.

    Acessos em: 23 abr. 2018.

Assista ao filme escolhido e registre, no caderno, as informações, palavras, expressões e ideias utilizadas pelas pessoas nos relatos. Selecione um ou mais temas abordados para refletir sobre a visão que os indígenas apresentam a respeito. Você pode escolher, por exemplo, um costume, um objeto, uma forma de falar, entre muitos outros aspectos, de acordo com o seu interesse. Lembre-se sempre de que as fontes expressam perspectivas, pessoais ou de grupos, sobre aspectos da realidade.

Complemente sua análise pesquisando informações sobre a vida do povo indígena que realizou o filme. O *site* Povos Indígenas no Brasil Mirim, disponível em <http://linkte.me/mtad2> (acesso em: 23 abr. 2018), que faz parte do portal do Instituto Socioambiental (ISA), fornece muitas informações sobre os diferentes povos.

Por fim, em sala de aula, compartilhe sua análise com os colegas e compare-a com os trabalhos realizados pelo restante da turma.

Organizar ideias

1. Qual é o nome do povo ao qual o vídeo se refere?
2. Quais aspectos da vida desse povo são apresentados no vídeo?
3. Em sua opinião, por que as narrativas indígenas contribuem para ampliar o conhecimento que temos da história do Brasil?

Capítulo 2
A HISTÓRIA EM NOSSO COTIDIANO

Geralmente, quando pensamos em História, lembramos apenas de datas e nomes de pessoas consideradas ilustres e poderosas em certa época. Mas será que somente essas personagens fazem parte do estudo da História? A escola onde você estuda tem uma história? Que história é essa? Você faz parte dela?

VESTÍGIOS DO PASSADO E DO PRESENTE

Os vestígios das ações que os seres humanos realizaram no passado estão presentes em tudo o que vemos todos os dias. Em muitas casas brasileiras, por exemplo, há objetos de outras épocas (como móveis, louças, roupas, entre outros) que registram experiências e vivências de pessoas daqueles períodos. Da análise desses objetos, é possível inferir o modo de vida dessas pessoas, seus hábitos alimentares, vestuários, gostos, etc.

Os objetos do passado dividem espaço com diversos objetos contemporâneos, como *notebooks*, *smartphones*, *tablets*, etc. Esses objetos também registram nossas experiências e vivências no presente; portanto, são documentos históricos e poderão ser utilizados por pesquisadores para a construção do conhecimento histórico sobre a nossa sociedade.

Tudo aquilo que é produzido por nós é registro de nossas experiências individuais e coletivas e é importante para que possamos compreender a sociedade em que vivemos.

↓ O município de **Porto Alegre (RS)** conserva elementos do passado e do presente, assim como acontece em diversos outros lugares do Brasil e do mundo. Em meio a prédios atuais, encontram-se as construções do cais Mauá, concluídas no início do século XX. Foto de 2018.

TODOS SOMOS SUJEITOS DA HISTÓRIA

Até o século XIX, apenas as pessoas consideradas ilustres ou poderosas despertavam o interesse dos historiadores. Os diversos indivíduos e as coletividades humanas não eram vistos como sujeitos da história, apesar de participarem da vida social e serem capazes de narrar os acontecimentos que vivenciaram ou testemunharam.

Ainda no século XIX, os materialistas históricos introduziram o trabalhador como **agente** e **sujeito** privilegiado das análises históricas. Depois, os historiadores da Escola dos Annales, no final da década de 1920, e da Nova História, na década de 1970, iniciaram o trabalho com a história cultural e a história do cotidiano, buscando o conhecimento sobre os costumes e as ações rotineiras dos indivíduos.

Com essa mudança nos conceitos, os historiadores passaram a questionar seu papel como pesquisadores, atentando para seu ponto de vista sempre **parcial**, já que são eles que constroem uma narrativa sobre as sociedades humanas no decorrer dos anos e, ao mesmo tempo, estão inseridos na história como sujeitos.

A ampliação da noção de sujeitos históricos possibilitou a análise de muitas experiências desconhecidas, inclusive as dos chamados "excluídos" da história, como pessoas pobres, operários, crianças, mulheres, entre outros. Dessa forma, hoje temos a concepção de que todas as pessoas são agentes e sujeitos da história.

Isso significa que todas as pessoas não apenas sofrem interferência dos processos históricos, mas também têm o poder de interferir neles. Assim, todos somos sujeitos e agentes históricos, e não só as pessoas famosas ou que exercem funções de poder político ou econômico em nossas comunidades.

> **PASSAPORTE DIGITAL**
>
> **Museu da Pessoa**
> O acervo do Museu da Pessoa é muito especial: trata-se da história de vida de várias pessoas que, voluntariamente, fazem relatos sobre suas experiências pessoais e coletivas. Esses relatos são registrados em áudios, vídeos e transcrições, e o acervo completo pode ser consultado no *site* desse museu.
> Disponível em: <http://linkte.me/uh08h>. Acesso em: 23 abr. 2018.

CULTURA, MEMÓRIA E NARRATIVAS

A palavra **cultura** pode ter diferentes significados. Geralmente, relacionamos o significado dessa palavra com o universo artístico e intelectual. Alguns estudiosos, no entanto, ressaltam que o termo apresenta sentido mais amplo: o conjunto de conhecimentos, ideias, crenças e também de práticas e valores, que se constituíram ao longo do tempo na vida cotidiana de uma sociedade.

São entendidas como cultura todas as dimensões da experiência humana, como as habilidades, as produções materiais e os modos de compreender o mundo, incorporados socialmente e transmitidos pelas diferentes gerações a seus descendentes.

A **memória** está intimamente ligada às transmissões culturais, já que conserva, seleciona e atualiza as informações do passado, reinterpretando-as no presente. Portanto, a memória não é um apanhado de todas as experiências e de todos os conhecimentos do passado. Ela sempre será estruturada por lembranças e esquecimentos, por recortes, impressões e fragmentos. Além disso, ela se refaz constantemente, restabelecendo com o presente as conexões com o passado e as experiências vividas.

Além da memória individual, existe a memória coletiva. Por isso, as pesquisas de História costumam fazer uso das **narrativas**, para compreender o modo de viver e de ver o mundo, os costumes, as formas de organização e as experiências de um grupo social.

RESPEITO À DIVERSIDADE CULTURAL

Durante muito tempo, a história de várias comunidades foi ignorada. Isso ocorria porque havia a ideia de que determinadas populações eram mais importantes, corretas e interessantes do que outras. Porém, sabemos que cada cultura guarda seu valor, e nenhuma vale mais ou menos que outra. Todas devem ser igualmente respeitadas.

1. Imagine que você vivenciou uma cena de preconceito contra uma cultura. O que você faria? De que modo demonstraria que é importante respeitar as diversas culturas?
2. **COMPREENDER** Conheça alguns locais e manifestações culturais brasileiras que integram o patrimônio cultural nacional. Em seguida, comente com os colegas se você já visitou, conhece ou ouviu falar de alguma dessas manifestações.

Em muitas sociedades africanas, os griôs são responsáveis por transmitir oralmente os saberes, as memórias e as histórias de seu povo, para que essas memórias não sejam esquecidas pelas sucessivas gerações. Na foto, Noura Mint Seymali, griô originária de uma família de griôs da Mauritânia, durante apresentação no Texas, Estados Unidos. Foto de 2016.

HISTÓRIA LOCAL

A história local ou regional passou a ser estudada por muitos historiadores principalmente a partir da década de 1980. O estudo de história local possibilitou a aproximação dessa área do conhecimento com a realidade das pessoas, fazendo com que elas percebessem com mais facilidade a dimensão histórica de suas experiências.

Os estudos de história local partem de um recorte espacial bem delimitado, como um bairro, uma cidade, um município ou uma região. Ao estudar um espaço determinado, o pesquisador pode conhecer as singularidades das experiências, das memórias e das práticas culturais das pessoas que ali vivem e que têm uma identidade em comum.

Geralmente, o que muda nesse tipo de estudo é que o historiador passa a focalizar mais detalhadamente a vida cotidiana e as experiências dos sujeitos históricos, enquanto na história nacional ou universal os acontecimentos, as experiências e os sujeitos são estudados de maneira ampla e distanciada.

Esse tipo de estudo significou a descentralização da história, vista no âmbito global ou nacional. As comunidades começaram a ser observadas em suas particularidades, o que permitiu que diferentes experiências fossem investigadas.

Assim, as comunidades rurais, as periferias urbanas, os bairros, as cidades e as pequenas comunidades passaram a ser estudados com base nas memórias, nos relatos, nas manifestações culturais e em outros registros produzidos por seus habitantes.

SÉTIMA ARTE

Narradores de Javé. Direção: Eliane Caffé. Brasil/França, 2004 (100 min).

O filme mostra a busca dos moradores de Javé, um fictício vilarejo rural, pela história do local onde vivem. A preservação da história do lugar foi a saída encontrada por eles para evitar que Javé desapareça. Porém, como a maioria da população é analfabeta, a história do vilarejo só está registrada na memória de seus moradores.

↓ Muitas vezes, para conhecermos nosso passado, conversamos com as pessoas mais velhas de nossa família. O mesmo vale para conhecermos o passado de nossa comunidade, isto é, nossa história local. Na foto, seu Zé Pedro, importante contador das histórias da comunidade caiçara e quilombola do Núcleo Picinguaba, Ubatuba (SP). Foto de 2014.

ATIVIDADES

RETOMAR E COMPREENDER

1. Os historiadores da Escola dos Annales, no início do século XX, começaram a trabalhar com uma grande diversidade de sujeitos históricos e com as especificidades culturais e cotidianas das pessoas e dos grupos sociais. No caderno, escreva um parágrafo sobre o significado dessa mudança de perspectiva para os estudos históricos.

2. Com base no que você estudou, classifique as afirmativas a seguir em verdadeiras ou falsas. No caderno, reescreva as afirmativas que considerou falsas, corrigindo-as.
   a) Os vestígios dos atos dos seres humanos no passado são importantes para a construção do conhecimento histórico.
   b) O conceito de cultura é bastante restrito. Ele diz respeito apenas à língua, às crenças e às habilidades elaboradas por uma comunidade.
   c) A memória se refaz constantemente. Ela está relacionada tanto com as experiências e os conhecimentos do passado quanto com as experiências vividas no presente.
   d) A investigação da história local ou regional permitiu a aproximação dessa área do conhecimento com a realidade das pessoas.

APLICAR

3. Faça uma linha do tempo de sua vida e registre nela alguns acontecimentos que você gostaria de destacar. Depois, com base nessa reflexão, faça o que se pede a seguir.
   a) Por que você também é um agente e sujeito da história?
   b) Em sua opinião, como seus atos podem interferir na história de outras pessoas com as quais você convive?
   c) Agora, escolha uma pessoa de sua escola, de seu bairro ou de sua família e proponha a ela que complemente a linha do tempo com você. Registrem nessa linha os acontecimentos que essa pessoa gostaria de destacar sobre a vida dela e também algumas experiências que vocês compartilharam em algum momento da vida.

4. O trecho a seguir é parte de um relato concedido por Célia Vanda Alves Marinho para um estudo de história local. Ela narra suas experiências no bairro da Maré, no Rio de Janeiro (RJ).

> Minha mãe veio em 1952 pra aqui. Minha infância lá na Bahia era brincar com as crianças, boneca, comidinha, cozido, coisas de crianças. Minha mãe era doida para conhecer o Rio. E aí, minha mãe veio e nós viemos no Comandante Capela, navio, e levamos quatro dias de viagem, da Bahia para cá. […]
>
> Isso aqui tudo era mangue, maré, ali era mangue… Nessa hora que enchia a maré, a gente lavava barraco com água da maré… A maré ia até quase na Avenida Brasil. […]
>
> A gente carregava água de rola-rola, balança, com lata-d'água na cabeça, amanhecia o dia carregando água […]. […] E não tinha passarela e a gente atravessava as pistas com lata de água na cabeça. Ali tinha uma bica no muro e eram duas latas-d'água pra cada uma pessoa. […]
>
> O que eu tenho a dizer é isso… Tudo isso aqui, aterrei, carreguei muito aterro, sabe? Acordava às três horas da manhã para esperar o caminhão de aterro passar na Avenida Brasil para carregar de carrinho de mão, e de lá, da Avenida Brasil, vir para aterrar aqui, a Maré.
>
> […]
>
> A gente já sofreu muito aqui, mas hoje em dia, quem chegou por último mora numa cidade. […]

Edson Diniz; Marcelo Castro Belfort; Paula Ribeiro [Org.]. *Memória e identidade dos moradores do morro do Timbau e parque proletário da Maré*. Rio de Janeiro: Redes da Maré, 2013. p. 126-127.

a) Onde Célia morava antes de ir para o bairro da Maré?
b) Como Célia e seus familiares foram para o Rio de Janeiro? Em que ano isso ocorreu?
c) Como ela descreve o bairro da Maré no passado e no presente?
d) Elabore um relato sobre suas experiências no bairro em que você mora.

AMPLIANDO HORIZONTES

Patrimônio cultural e história local

O hábito de narrar histórias, transmitindo às pessoas as experiências, as crenças e os conhecimentos acumulados ao longo do tempo por um grupo, faz parte do cotidiano das sociedades do presente e do passado. As transmissões orais auxiliam na preservação cultural, assim como na construção da identidade coletiva, isto é, dos grupos.

O conjunto de ideias, costumes, saberes, jeitos de viver e de fazer, elaborado socialmente por uma comunidade, é chamado de **cultura imaterial**. Todos os povos e grupos sociais têm maneiras de transmitir esses conhecimentos.

Existe uma relação profunda entre cultura material e cultura imaterial. A **cultura material** pode ser definida como os objetos, as construções, os espaços, os móveis, os registros escritos, assim como os acervos, as bibliotecas e os arquivos. As práticas, as expressões e os conhecimentos costumam estar associados aos instrumentos, objetos e artefatos utilizados e aos lugares em que são produzidos e, juntos, eles integram o **patrimônio cultural** de uma coletividade.

Os espaços de convivência também se constituem como lugares de memória e de preservação da história de uma comunidade. Ao caminhar pelas ruas e observar as mudanças nos espaços que as pessoas ocupam e nos quais se relacionam, por exemplo, é possível constituir uma série de lembranças e de elaborações sobre as transformações naquela comunidade.

O tambor de crioula, dança de origem afro--brasileira, é uma manifestação da cultura imaterial típica do Maranhão. Na foto, tambor de crioula em São Luís (MA), em 2016.

Para refletir

1. Identifique um elemento da cultura imaterial presente em seu cotidiano.

2. Forme grupo com dois colegas. Depois, pensem no bairro em que a escola está localizada e identifiquem elementos que ajudem a conhecer melhor a história do local e que estejam relacionados a uma memória coletiva. Se necessário, conversem com outras pessoas da comunidade e ouçam o relato de suas memórias, observando o que é mais significativo do ponto de vista delas. Registrem no caderno as informações coletadas.

3. Em sua opinião, qual é a importância de conhecer a história do local em que você vive? O que é possível fazer para conhecê-la?

ATIVIDADES INTEGRADAS

RETOMAR E COMPREENDER

1. Copie o quadro a seguir no caderno e complete-o com as informações sobre você.

Roupas que mais usa	
Local em que mora	
Aparelhos eletrônicos que mais usa	
Músicas favoritas	
Livros preferidos	

a) Os itens no quadro acima podem ajudar a contar sua história. Que nome um historiador poderia dar a esses itens, caso fosse utilizá-los como vestígios da história vivida por você?

b) Quais outros vestígios de sua vida você acrescentaria ao quadro?

c) Como esse historiador poderia classificar esses vestígios?

APLICAR

2. O texto a seguir aborda a relação entre cultura e memória. Leia-o e, depois, responda às questões.

> A criança recebe do passado não só os dados da história escrita; mergulha suas raízes na história vivida, ou melhor, sobrevivida, das pessoas de idade que tomaram parte na sua socialização. [...]
>
> [...]
>
> É a essência da cultura que atinge a criança através da fidelidade da memória. Ao lado da história escrita, das datas, da descrição de períodos, há correntes do passado que só desapareceram na aparência. E que podem reviver numa rua, numa sala, em certas pessoas, como ilhas [...] de um estilo, de uma maneira de pensar, sentir, falar, que **são resquícios de outras épocas**. Há maneiras de tratar um doente, de arrumar as camas, de cultivar um jardim, de executar um trabalho de agulha, de preparar um alimento que obedecem fielmente aos ditames de outrora.
>
> Ecléa Bosi. *Memória e sociedade*: lembranças de velhos. 3. ed. São Paulo: Companhia das Letras, 1994. p. 73 e 75.

a) Segundo a autora do texto, a criança recebe os dados do passado não apenas por meio da história escrita, mas também da história vivida, que as pessoas mais velhas transmitem em suas relações. Você já passou por uma experiência assim? Explique.

b) Para a autora, qual é a relação entre cultura e memória?

c) Em sua opinião, qual é a importância da memória e dos relatos de histórias vividas para a formação cultural das pessoas em uma sociedade?

3. Para muitos historiadores da Escola dos Annales, a compreensão do passado estaria sempre condicionada às experiências e às necessidades no presente. Dessa forma, ao estudar História, selecionamos os acontecimentos e as questões que nos parecem relevantes na atualidade.

- Observe o sumário do livro e faça uma relação de temas, de períodos ou de acontecimentos que você gostaria de estudar. Registre também algumas perguntas que podem ser feitas a respeito deles. Depois, ao longo do ano, observe se todas as suas perguntas foram respondidas e se outras ainda podem ser feitas para ampliar seus conhecimentos.

ANALISAR E VERIFICAR

4. Observe a imagem a seguir, produzida no século XVIII por Carlos Julião. O artista registrou algumas cenas do cotidiano da América portuguesa nesse período.

↑ Carlos Julião. *Coroação de uma rainha negra na Festa de Reis*, cerca de 1776. Aquarela.

a) Com base nessa representação feita de uma Festa de Reis, descreva como você imagina que era essa manifestação cultural no século XVIII. Comente aspectos visuais, sonoros e outros que você julgar relevantes.

b) Quais aspectos da cultura material e imaterial estão representados nessa obra? Explique.

c) Você já viu em imagens ou presenciou essa manifestação cultural? Em caso afirmativo, compartilhe sua experiência com os colegas e explique-lhes o que você sabe sobre ela.

d) Com a orientação do professor, pesquise na internet imagens e informações dessa manifestação cultural na atualidade. Comente as permanências e as mudanças ocorridas ao longo do tempo.

CRIAR

5. Em uma folha de papel avulsa, desenhe uma cena relacionada a algum tema estudado nesta unidade. Para isso, siga as orientações.
   - Você pode representar no desenho uma cena do passado ou do presente.
   - Na criação dos elementos que compõem a cena, não se esqueça de representar objetos, móveis, utensílios de trabalho, roupas das personagens, etc., de acordo com a época escolhida.
   - Dê um título ao desenho.
   - Apresente sua produção aos colegas e veja os desenhos feitos por eles.

6. No início deste estudo, refletimos sobre a importância da preservação ambiental ao pesquisar os vestígios humanos no passado. Agora, faça uma lista de elementos da cultura imaterial e material do município em que você mora. Em seguida, responda: Se um pesquisador decidisse analisar os vestígios desses elementos culturais, a busca dele poderia trazer impactos para a fauna e a flora da região? Explique.

IDEIAS EM CONSTRUÇÃO - UNIDADE 1

Capítulo 1 – A História e o historiador
- Reconheço a importância da História para a compreensão do meu modo de vida no presente?
- Compreendo o que são fontes históricas?
- Reconheço os diversos tipos de fonte histórica e sua importância para a construção do conhecimento histórico?
- Percebo os vestígios históricos como representações de experiências humanas?
- Compreendo que existem diferentes formas de pensar e de fazer História?
- Compreendo que a interpretação de uma fonte historiográfica dependerá do olhar (parcial) do historiador?
- Reconheço que existem diversas formas de pensar e de organizar o tempo?
- Sei diferenciar o tempo cronológico do tempo histórico?
- Conheço a periodização clássica da História?
- Sei ordenar e representar fatos históricos em sequência cronológica, utilizando uma linha do tempo?

Capítulo 2 – A história em nosso cotidiano
- Reconheço-me como sujeito e agente histórico?
- Compreendo o que é cultura?
- Sei diferenciar cultura material de cultura imaterial?
- Compreendo o que são sujeitos históricos?
- Identifico a relação entre as comunidades e as diferentes formas de registro no fazer histórico?
- Sei reconhecer as fontes históricas produzidas por mim?

VERIFICAR
Confira os conhecimentos adquiridos na unidade organizando suas ideias e resolvendo as atividades propostas.

UNIDADE 2

AS ORIGENS DA HUMANIDADE

Diversos povos criaram mitos para explicar a origem da humanidade. Além disso, com o desenvolvimento do pensamento científico, algumas teorias sobre o surgimento do ser humano foram elaboradas. Baseadas em descobertas arqueológicas e em estudos da biologia, da genética e da paleontologia, as principais teorias científicas não apenas indicam onde o ser humano teria se originado, como também apontam os possíveis percursos para sua ocupação dos continentes.

CAPÍTULO 1
A origem do ser humano

CAPÍTULO 2
A vida dos primeiros seres humanos

CAPÍTULO 3
O processo de sedentarização

CAPÍTULO 4
A chegada do ser humano à América

PRIMEIRAS IDEIAS

1. Você conhece algum mito sobre o surgimento dos seres humanos? Em caso afirmativo, compartilhe com os colegas.
2. Você já ouviu falar de alguma teoria científica a respeito do surgimento da humanidade? Qual?
3. Como você imagina que era a vida dos primeiros seres humanos? Quais atividades eles realizavam? Levante hipóteses.
4. Várias produções cinematográficas retratam a vida dos primeiros humanos. Você já viu alguma delas? Em caso afirmativo, descreva-a para os colegas.

LEITURA DA IMAGEM

1. Quais características mais chamaram sua atenção nessa imagem?
2. Possivelmente, que materiais foram utilizados nessa construção?
3. Em sua opinião, como esse lugar teria sido utilizado pelas comunidades que o construíram?
4. Pesquisas arqueológicas sugerem que, ao longo do tempo, diversos grupos de indivíduos cooperaram para que essa construção fosse feita. Em sua opinião, por que a cooperação é importante para a realização de uma atividade?
5. **ANALISAR** Há no Reino Unido um monumento semelhante a este, conhecido como Stonehenge. Observe-o em diferentes ângulos e aponte semelhanças e diferenças entre eles.

Monumento de pedra feito por volta do século X por antigos habitantes da floresta Amazônica. Ele está em uma área chamada atualmente de Parque Arqueológico do Solstício, em Calçoene (AP). Foto de 2015.

Capítulo 1
A ORIGEM DO SER HUMANO

Os primeiros seres vivos surgiram na Terra há bilhões de anos em forma semelhante à das bactérias. Os ancestrais dos seres humanos, contudo, apareceram há milhões de anos. Como explicar esses fenômenos? Quais teorias e explicações existem acerca desse assunto?

MITOS DE ORIGEM

Os mitos não são apenas uma tentativa de explicar os fenômenos naturais ou histórias fantasiosas inventadas pelos povos. Pelo contrário, os mitos são representações da realidade que, por meio de uma linguagem simbólica, expressam os valores culturais de uma comunidade.

A criação do Universo e dos seres vivos é um tema comum em diversas mitologias, e a análise desses mitos pode revelar importantes informações sobre os valores e as crenças que orientam as ações das pessoas de uma comunidade. Geralmente, os mitos apresentam deuses e heróis que seriam responsáveis pela organização do mundo.

A imagem abaixo, por exemplo, é uma representação da crença do cristianismo sobre a origem dos seres humanos. De acordo com essa tradição, o homem teria sido criado por Deus à sua imagem e semelhança. Dessa crença, surgiu a teoria **criacionista**, que vigorou por séculos, principalmente no Ocidente.

Porém, a partir do século XIX, foram propostas explicações científicas que divergiam das ideias criacionistas. Com o tempo, o pensamento científico se tornou cada vez mais corrente e, atualmente, o criacionismo não é a teoria mais aceita pelos cientistas, apesar de existirem pensadores e religiosos que defendam esse modo de explicar o surgimento da humanidade.

↓ Detalhe de afresco de Michelangelo, do início do século XVI, pintado no teto da capela Sistina, no Vaticano, sede da Igreja católica. Ele retrata a criação de Adão (à esquerda) por Deus (à direita).

A TEORIA EVOLUCIONISTA

O **evolucionismo** é uma das principais teorias científicas desenvolvidas no século XIX.

A base dessa teoria consolidou-se com os estudos do naturalista francês Jean-Baptiste de Lamarck (1744-1829) e do botânico austríaco Gregor Mendel (1822-1884), que realizaram pesquisas sobre hereditariedade e genética. Influenciado por esses estudos e pelas próprias observações, o naturalista inglês Charles Darwin (1809-1882) publicou, em 1859, o livro *A origem das espécies*.

Nessa obra, Darwin propôs uma teoria da evolução dos organismos baseada no conceito da **seleção natural**. De acordo com esse conceito, os indivíduos que estiverem mais adaptados ao ambiente terão mais chances de sobreviver. À medida que os mais aptos sobrevivem, eles se reproduzem e transmitem suas características genéticas aos descendentes, fazendo que elas se perpetuem e, consequentemente, perpetuem sua espécie.

Para Darwin, os seres humanos, assim como os demais seres vivos que existem atualmente, teriam evoluído de outras espécies. Com essa teoria, ele contestou a explicação bíblica da criação do mundo.

Além de Darwin, há outro nome ligado ao desenvolvimento da teoria evolucionista: Alfred Russel Wallace (1823-1913). Wallace propôs teorias que também tinham como princípio o conceito chamado por Darwin de seleção natural. Para alguns historiadores da ciência, trata-se de um caso em que dois cientistas chegaram a conclusões semelhantes sem que um conhecesse profundamente as hipóteses levantadas pelo outro. Por isso, parte da comunidade científica considera que Wallace também teria criado a teoria da evolução.

TEORIAS CIENTÍFICAS

As teorias científicas são elaboradas com base em métodos científicos de pesquisa. Cada área do conhecimento tem metodologias específicas para isso. O ponto de partida para a elaboração de uma teoria científica é uma questão que precisa ser respondida. Isso favorece o levantamento de hipóteses que são testadas e analisadas pela comunidade científica. Essas análises e reflexões podem comprovar uma hipótese, descartá-la ou contribuir para que seja reformulada. Esse processo gera as teorias que são aceitas pela comunidade científica. É comum que, para uma mesma questão, existam diferentes teorias científicas. Elas estão em constante transformação, na medida em que novas pesquisas são realizadas e outras hipóteses são levantadas.

 **COMPREENDER**

Conheça mais a trajetória da vida na Terra. Depois, comente com os colegas o que mais chamou sua atenção.

QUEM PESQUISA ESSA HISTÓRIA?

Como estudamos na unidade anterior, o historiador é o profissional que propõe análises sobre o passado, com base no estudo das fontes históricas. Dependendo do enfoque e do tema da pesquisa, o historiador precisa recorrer a outras áreas de conhecimento científico para compreender melhor os diferentes aspectos da experiência humana em estudo.

No caso da análise sobre os modos de vida dos primeiros grupos de seres humanos, essa relação com as outras áreas de conhecimento é evidente e muito necessária para o andamento das pesquisas. Conheça algumas dessas áreas a seguir.

A PALEONTOLOGIA

A paleontologia é a ciência que estuda os seres vivos que viveram em eras passadas. Para isso, os paleontólogos analisam os **fósseis**. O conceito de fóssil está em constante discussão entre esses estudiosos e, atualmente, a definição mais aceita pela comunidade científica é que os fósseis são vestígios de organismos do passado, conservados pela ação da natureza e não pela ação humana. Veja um exemplo de fóssil nesta página.

O trabalho dos paleontólogos é essencial para o desenvolvimento da teoria da evolução, já que possibilita identificar os ancestrais de diferentes espécies de seres vivos, inclusive os da espécie humana.

↑ O vestígio de uma libélula, encontrado em rocha da região da chapada do Araripe, que fica entre Ceará, Piauí e Pernambuco, é considerado um fóssil. Ele faz parte do acervo do Museu de Paleontologia de Santana do Cariri (CE).

A ARQUEOLOGIA

A arqueologia é a ciência que se dedica ao estudo de grupos humanos que viveram no passado. Esse estudo é feito com base nos materiais encontrados em escavações. O local em que os vestígios são encontrados é chamado de **sítio arqueológico**.

Os materiais descobertos nos sítios permitem desvendar a cultura desses grupos humanos e trazem muitas contribuições para o historiador.

A ANTROPOLOGIA

A antropologia é a ciência que estuda os seres humanos em vários aspectos de seu desenvolvimento, como o biológico, o cultural e o social.

Os conhecimentos produzidos por essa ciência contribuem para o desenvolvimento de muitas pesquisas históricas, já que permitem ao historiador conhecer melhor as técnicas, os costumes, a organização e os modos de vida de diversas sociedades.

↓ Arqueóloga fazendo escavações em sítio arqueológico de São José dos Campos (SP). Foto de 2016.

PERIODIZAÇÃO DA HISTÓRIA ANTES DA ESCRITA

Como abordado na unidade anterior, até o início do século XX, vigorava entre os historiadores a ideia de que o conhecimento histórico só poderia ser construído pela análise de documentos escritos. Para esses profissionais, não poderia haver história sem fontes escritas. Por isso, o período anterior à escrita foi chamado de Pré-História.

Com a ampliação dos registros considerados fontes históricas, passou-se a questionar o uso desse termo, visto que os registros deixados pelos primeiros seres humanos (como objetos de cerâmica e pinturas rupestres) também começaram a ser considerados históricos. Esses questionamentos se refletiram nas propostas de periodização. Até então, a época anterior ao surgimento da escrita era dividida em dois grandes períodos, que se subdividiam: a Idade da Pedra e a Idade dos Metais. A Idade da Pedra compreendia o Paleolítico e o Neolítico. A Idade dos Metais, por sua vez, era subdividida em Idade do Bronze e Idade do Ferro.

Essas periodizações e as datas às quais elas se referiam diziam respeito à história de alguns povos do continente europeu, do norte da África e de parte do Oriente Médio. Essa cronologia desprezava o desenvolvimento tecnológico ocorrido no restante do mundo, em outras temporalidades. Além disso, esse modo de classificar os períodos da história sugeria que havia uma evolução entre os povos, como ocorre na biologia.

Existem sociedades atuais, por exemplo, que não têm sistema de escrita nem vivem em cidades. No entanto, sabemos que isso não significa que elas sejam atrasadas em relação às outras culturas ou mesmo que não tenham história.

Cada grupo apresenta movimentos próprios de desenvolvimento, e isso não os torna superiores ou inferiores. Dessa forma, as periodizações foram sendo adaptadas de acordo com a região abordada, já que, em cada parte do mundo, o desenvolvimento de tecnologias ocorreram em ocasiões diferentes. Assim, evita-se criar um julgamento que conceba a história como um processo evolutivo "rumo ao progresso".

> **PASSAPORTE DIGITAL**
>
> **Museu Nacional de História Natural e da Ciência da Universidade de Lisboa**
> Conheça alguns fósseis analisados pelas equipes de pesquisadores da Universidade de Lisboa, em Portugal, e também os principais equipamentos utilizados por eles, realizando uma visita virtual no *site* do museu.
> Disponível em: <http://linkte.me/r90m1>. Acesso em: 6 jun. 2018.

Artefatos de pedra do período Neolítico encontrados no deserto do Saara, no continente africano. O Neolítico saariano compreende um período estabelecido entre 9 mil e 6 mil anos atrás.

EVOLUÇÃO E EXPANSÃO DOS SERES HUMANOS

Apoiada na análise de fósseis e de outros vestígios e na teoria da evolução por seleção natural, a comunidade científica aponta que as diversas espécies de primatas que existem atualmente, inclusive os seres humanos, apresentam um ancestral em comum, mas não descendem uma da outra. Por isso, é um equívoco pensar, por exemplo, que os seres humanos descendam do macaco.

OS HOMININIOS

Os primatas que, ao longo de milênios, foram se diferenciando daqueles que deram origem aos macacos modernos, e, posteriormente, originaram os seres humanos, são chamados de **hominínios**. Especula-se que eles teriam surgido há aproximadamente 7 milhões de anos, no continente africano. Um dos mais antigos hominínios de que se tem registro são os do gênero *Australopithecus*. Segundo estudos, esse hominínio já tinha algumas características semelhantes às dos seres humanos modernos, como andar apoiado sobre duas pernas.

O GÊNERO *HOMO*

O gênero *Homo*, ao qual pertencemos, surgiu há aproximadamente 2 milhões de anos. No decorrer do tempo, diferentes espécies desse gênero surgiram, algumas até coexistiram e quase todas foram extintas, restando apenas a espécie à qual pertencemos: *Homo sapiens*, que é a espécie mais recente e a única a ocupar os cinco continentes. Além dessa, há muitas outras, como o *Homo habilis* e o *Homo erectus*. Conheça os nomes de outras espécies de hominínios na linha do tempo abaixo.

Detalhes de esculturas representando um *Homo habilis* (**A**) e um *Homo erectus* (**B**). O *Homo habilis* surgiu na África há cerca de 2,4 milhões de anos e foi chamado assim pois confeccionava instrumentos simples de pedra. O *Homo erectus* surgiu há cerca de 1,8 milhão de anos e, provavelmente, foi o primeiro a sair do continente africano e a dominar o fogo.

PROCESSO EVOLUTIVO DOS SERES HUMANOS: PRINCIPAL TEORIA

Entre 7 milhões e 6 milhões de anos – Primeiras espécies de hominínios
- *Sahelanthropus tchadensis*
- *Orrorin tugenensis*
- *Ardipithecus kadabba*
- *Ardipithecus ramidus*

Entre 5 milhões e 4 milhões de anos – Australopitecíneos
- *Australopithecus anamensis*
- *Australopithecus afarensis*
- *Australopithecus africanus*
- *Paranthropus aethiopicus*

Aproximadamente 2 milhões de anos – Primeiros *Homo*
- *Homo habilis*
- *Homo erectus*

Aproximadamente 1 milhão de anos – "Humanos" arcaicos
- *Homo neanderthalensis*
- *Homo floresienses*

Aproximadamente 100 mil anos – Homem moderno
- *Homo sapiens*

7 000 000 a.a.* — 5 000 000 a.a. — 2 000 000 a.a. — 1 000 000 a.a. — 100 000 a.a.

* a.a.: anos atrás.

Fonte de pesquisa: National Museum of Natural History. *What does it mean to be human?* (Tradução nossa: O que significa ser humano?). Disponível em: <http://humanorigins.si.edu/evidence/human-fossils/species>. Acesso em: 20 abr. 2018.

ATIVIDADES

RETOMAR E COMPREENDER

1. Copie o quadro abaixo no caderno e, depois, complete-o de acordo com o que você estudou neste capítulo sobre a origem dos seres humanos.

Nome da teoria ou explicação	Proposta da teoria ou explicação	Tipo de teoria ou explicação
Criacionismo		Religiosa
Evolucionismo		Científica

2. No caderno, escreva um parágrafo explicando por que o tradicional conceito de Pré-História é considerado problemático para o estudo da História.

APLICAR

3. O texto a seguir é uma versão do mito de origem dos chineses antigos. Os registros mais remotos desse mito datam de cerca de 3 mil anos atrás. Leia-o e, depois, faça o que se pede.

> A gigante divindade [Pan Ku] teria crescido e se desenvolvido no interior [...] de um enorme ovo [...], aí permanecendo por cerca de 18 mil anos. Um dia acordou, espreguiçou-se partindo o ovo em dois [...]. Dos pedaços originados pela cisão, aqueles que eram puros, e luziam, rapidamente formaram os céus (Yang), enquanto as partes impuras que caíram formaram a terra (Yin). [...] Pan Ku manteve-se como um pilar sustentando o céu e a terra [...].
>
> Pan Ku, tendo cumprido a sua primeira missão criadora, falece, acontecendo [...] no seu corpo transformações que resultam em criações [...]: a sua respiração transforma-se nos ventos e nas nuvens; [...]; o seu olho esquerdo no Sol e o direito na Lua; os quatro membros e as cinco extremidades nos quatro pontos cardeais e nas cinco montanhas; o seu sangue [...] na água e nos rios [...]. Os diversos insetos (pulgas e piolhos) fixados no seu corpo foram espalhados pelo vento, transformando-se nos diferentes povos do mundo [...].

Fernando Sales Lopes. Os mitos da criação na cultura chinesa. Revista *Macau*, 19 ago. 2015. Disponível em: <http://www.revistamacau.com/2015/08/19/os-mitos-da-criacao-na-cultura-chinesa/>. Acesso em: 20 abr. 2018.

a) De acordo com o mito, como teriam se originado o mundo e os seres humanos?

b) Chinês e China são palavras criadas por estrangeiros para denominar, respectivamente, esse povo e a região que habitam, mas não é desse modo que os chineses chamam a si mesmos. No século III a.C., o antigo Império Chinês foi fundado e chamado de Zhōngguó, que significa país do meio (*guó*: país; *zhōng*: meio). Esse também é o nome como a China atual é chamada por seus habitantes. Como esse nome pode ser relacionado ao mito de Pan Ku? Qual seria a importância do mito de Pan Ku para a cultura chinesa?

4. Observe a imagem a seguir. Apesar de ter se popularizado ao longo dos séculos XIX e XX, esse modelo de explicação sobre a evolução humana não é mais considerado correto. Explique quais são os erros dessa representação.

← Ilustração do século XIX sobre como teria sido o processo evolutivo dos seres humanos.

HISTÓRIA DINÂMICA

Discussões sobre a origem do gênero *Homo*

Entre os cientistas dos diversos ramos do conhecimento, há uma longa discussão sobre a origem do gênero *Homo*. A polêmica gira em torno dos locais onde surgiu a espécie *Homo sapiens*. Embora essa questão pareça ser meramente científica, foi com base em uma dessas explicações que certas teorias racistas foram desenvolvidas, especialmente no século XX. Leia, a seguir, um trecho do texto do biólogo e professor da Universidade Federal de Minas Gerais (UFMG), Fabrício R. Santos, no qual ele apresenta as duas principais teorias científicas sobre os locais de origem da espécie humana.

> [...] a origem do homem moderno, ou seja, a transição de *Homo erectus* para *Homo sapiens*, é questão mais debatida nesses estudos multidisciplinares. Há dois modelos diferentes que interpretam as evidências disponíveis de formas distintas quanto à origem da espécie humana, embora ambas considerem a África o berço da humanidade. O modelo Multirregional (ou fora da África antiga) indica que a espécie *H. sapiens* se originou dos vários *H. erectus* e dos seus descendentes, que já estavam na Ásia e Europa há até 1,8 milhão de anos. O modelo Fora da África Recente (ou da substituição) considera que o homem moderno se originou há apenas 200 mil anos, na África, exclusivamente do *H. erectus* africano [...].
>
> O modelo Multirregional enuncia que esses homens anatomicamente modernos teriam surgido paralelamente em distintos pontos do planeta, originados das populações de *Homo erectus*, que desde 1,8 Maa, teriam dispersado da África para Ásia e Europa [...]. Nesse modelo, a anatomia moderna também surgiu ao redor de 190 Kaa na África, mas isso não marcaria a origem de nossa espécie, que seria mais antiga, ao redor de 1,8 Maa, quando os fósseis desses hominídeos eram conhecidos como *Homo erectus*. [...]
>
> O *Homo sapiens* aparece no registro fóssil ao redor de 190 Kaa na Etiópia, nordeste da África. Esses ossos fósseis, principalmente crânios, são identificados por uma série de características anatômicas que, para a maioria dos paleoantropólogos, indica o aparecimento do homem anatomicamente moderno, e, por isso, nossa espécie é considerada muito recente em termos evolutivos.
>
> Esse modelo enuncia que migrações de homens anatomicamente modernos saídos da África ocorreram a partir de 60 Kaa, culminando com o aparecimento do homem moderno na Europa [...] (homem de Cro-Magnon) ao redor de 40 Kaa, quando foi contemporâneo do homem de Neandertal. Portanto, no modelo "Fora da África Recente", os homens modernos substituem as populações dos descendentes de *H. erectus* que já habitavam também a Europa e a Ásia, tal como o Neandertal.

Fabrício R. Santos. A grande árvore genealógica humana. *Revista UFMG*, Belo Horizonte, v. 21, n. 1/2, p. 100-102, jan./dez. 2014. Disponível em: <https://www.ufmg.br/revistaufmg/downloads/21/05_pag88a113_fabriciosantos_agrandearvore.pdf>. Acesso em: 10 jul. 2017.

gênico: relativo à genética, à transmissão de genes e de características hereditárias das espécies.
Kaa: mil anos atrás.
Maa: milhão de anos atrás.

Como vimos, a ideia de que o ser humano, tal como ele é hoje, surgiu na África não foi muito bem-aceita, especialmente por alguns europeus. Ainda no século XVIII, o naturalista sueco Carl Linnaeus (1707-1778) apresentou uma classificação da espécie humana separada em raças e as qualificou segundo o que alegava ser as características próprias das raças. Leia a seguir um trecho da classificação proposta por Linnaeus, apresentado pelo médico-geneticista e professor da Universidade Federal de Minas Gerais (UFMG), Sergio Danilo Pena.

> [...]
> *Homo sapiens europaeus*: Branco, sério, forte
> *Homo sapiens asiaticus*: Amarelo, melancólico, avaro
> *Homo sapiens afer [africanus]*: Negro, impassível, preguiçoso
> *Homo sapiens americanus*: Vermelho, mal-humorado, violento
> [...]
>
> Sergio Danilo Pena. O DNA do racismo. Revista *Ciência Hoje*. Disponível em: <http://cienciahoje.org.br/coluna/o-dna-do-racismo/>. Acesso em: 23 jul. 2018.

Os argumentos da teoria criada por Linnaeus serviram de base para outras teorias racistas ao longo dos séculos XIX e XX. A ideia de raça serviu de argumento para o extermínio de diversas populações ao longo da história e para a discriminação que ainda persiste, especialmente contra os afrodescendentes. A ciência atual reconhece que não existem raças humanas, já que todos os seres humanos pertencem a uma única espécie: o *Homo sapiens*.

Reconstruções de fósseis de crânios das seguintes espécies do gênero *Homo*: *H. erectus*, de cerca de 1,2 milhão de anos (canto superior esquerdo); *H. heidelbergensis*, de cerca de 300 mil anos (canto superior direito); *H. neanderthalensis*, de cerca de 70 mil anos (canto inferior esquerdo); e *H. sapiens* moderno (canto inferior direito).

Em discussão

1. Converse com os colegas sobre as principais características das duas teorias sobre a origem do gênero *Homo*.
2. Por que a teoria científica que localizou a origem dos seres humanos na África gerou controvérsias entre alguns estudiosos europeus?
3. Você considera correto classificar os seres humanos em raças como fez Linnaeus? Reflita e conte sua opinião aos colegas.

Capítulo 2
A VIDA DOS PRIMEIROS SERES HUMANOS

Os vestígios mais antigos da nossa espécie, Homo sapiens, remontam a cerca de 130 mil anos atrás. Porém, sua existência pode chegar a 200 mil anos. O que você sabe a respeito dos primeiros seres humanos dessa espécie? Quais vestígios nos permitem obter informações sobre essas pessoas que viveram há tanto tempo?

COMO SE ESTUDA ESSA HISTÓRIA?

O estudo dos modos de vida das primeiras comunidades humanas é bastante complexo e trabalhoso. Como vimos no capítulo anterior, os vestígios deixados por esses seres humanos são muito diferentes dos vestígios das sociedades atuais ou mesmo daquelas que viveram há cerca de 3 mil anos. Além disso, como os primeiros seres humanos viveram há milênios, esses vestígios geralmente estão localizados em áreas de difícil acesso, como geleiras e subsolos, demandando esforço de diferentes profissionais para encontrá-los e analisá-los.

As principais fontes históricas são os fósseis e os objetos confeccionados pelos diferentes grupos e utilizados para caça de animais, coleta de alimentos vegetais, armazenamento de água, entre outras atividades. Esses objetos indicam o desenvolvimento de tecnologias que foram muito importantes para a sobrevivência das primeiras comunidades humanas. Neste capítulo, vamos conhecer algumas dessas técnicas e tecnologias. Elas também são utilizadas por muitos historiadores como marcos históricos para a periodização dessa época.

↓ Sítio arqueológico com vestígios do Império Romano e de comunidades paleolíticas que se estabeleceram próximas ao rio Douro, em Portugal. Foto de 2016.

A IDADE DA PEDRA LASCADA

Atribui-se ao *Homo habilis* a elaboração dos primeiros utensílios e ferramentas de pedra, confeccionados pela fricção de uma pedra na outra. Essa técnica dá nome ao período chamado de **Paleolítico**, que significa Idade da Pedra. Dessa época, há também vestígios de objetos feitos de madeira, mas estes são a minoria.

A garantia de sobrevivência no Paleolítico dependia de muito trabalho, e nesse período houve intenso desenvolvimento de grande variedade de objetos. As imagens ao lado mostram as etapas de uma das técnicas que, provavelmente, eram utilizadas na confecção desses objetos de pedra lascada.

Tudo começava com a seleção da melhor pedra: ela deveria ser dura, porém capaz de fragmentar-se em lascas (**1**). O tipo de pedra mais utilizado pelos hominínios era o sílex. Após a escolha, iniciava-se o lascamento, ou seja, a quebra da pedra em fragmentos ou em lascas (**2**). Para isso, eles utilizavam pedras mais pesadas. Por último, era preciso moldar as diversas formas das ferramentas (**3**), que poderiam ser facas, raspadores ou de pontas de flechas e de lanças (**4**). As duas últimas permitiam acertar a caça de uma distância maior e, portanto, mais segura.

VIDA NÔMADE

No Paleolítico, predominava o **nomadismo**, modo de vida que se caracteriza pela constante procura por um novo lugar para habitar; ou seja, os grupos humanos desse período não tinham habitação fixa.

São comuns os vestígios humanos em grutas e cavernas, sugerindo que eram utilizadas como moradias, cemitérios ou locais religiosos. Outros tipos de habitação existentes no período eram cabanas feitas com madeira, folhas e fibras de plantas, peles e ossos de animais.

A alimentação dos diversos grupos humanos era baseada no que estava disponível no local onde viviam. Era comum a coleta de frutos, raízes e plantas, assim como a caça de animais de vários tamanhos. Destes, tudo era aproveitado: couro para vestimentas e abrigo, ossos para ferramentas e objetos, carne para consumo, entre outros usos.

Em lugares onde havia rios e lagos ou no litoral, praticavam-se a pesca e a coleta de moluscos e de outros frutos do mar. Conforme os gêneros alimentícios se extinguiam, era necessário buscar novos lugares onde a comida fosse abundante.

Além disso, os diferentes tipos de clima em nosso planeta apresentavam temperaturas alguns graus mais baixas que as atuais. Isso ocasionava invernos mais rigorosos em diversas regiões, motivando migrações em busca de localidades com temperaturas mais amenas.

↑ Reconstituição experimental de produção de ferramentas de pedra.

O DOMÍNIO DO FOGO

Não há consenso entre os cientistas sobre quando teria se dado o domínio do fogo. Os vestígios e as respectivas análises indicam um período que varia entre 1 milhão e 400 mil anos atrás. Para alguns grupos de pesquisadores, o *Homo erectus* teria sido o primeiro hominínio a dominar o fogo, enquanto para outros grupos esse domínio teria ocorrido pelo *Homo sapiens*.

Uma das dificuldades para identificar com precisão o período em que o fogo foi dominado é que, antes disso, já havia o uso de fogueiras formadas naturalmente de raios que causavam incêndios na vegetação, por exemplo. Parte do trabalho dos cientistas consiste em analisar os vestígios das fogueiras paleolíticas para descobrir se o uso delas era cotidiano (indicando o domínio) ou se foram feitas por determinado período e depois cessaram (indicando o uso do fogo, mas não a maestria para produzi-lo).

Porém, os cientistas concordam e reconhecem que o domínio do fogo é um dos marcos na história da humanidade, relacionado diretamente ao desenvolvimento das primeiras comunidades.

O fogo possibilitou a cocção de alimentos, a iluminação durante a noite e a defesa contra eventuais predadores. O cozimento dos alimentos melhorou a qualidade da alimentação, o que fortaleceu a saúde de nossos ancestrais e, consequentemente, favoreceu o surgimento de grupos maiores. Além disso, vestígios de fogueiras paleolíticas revelaram que os grupos humanos passaram a ter o costume de se reunir à noite, ao redor do fogo. Esse tipo de contato possibilitava o uso de códigos de linguagem cada vez mais elaborados, além de fortalecer os vínculos da comunidade.

O fogo também estimulou o desenvolvimento de técnicas de olaria, que se constitui no cozimento de objetos de barro, conferindo maior durabilidade às peças produzidas.

↓ **Interior da caverna de Wonderwerk, na África do Sul. Foto de 2017.** Nesse sítio arqueológico foi encontrado um dos principais vestígios de fogueiras que teriam sido feitas pelos hominínios há cerca de 300 mil anos. Atualmente, o espaço conta com infraestrutura segura para receber pesquisadores e turistas.

AS EXPRESSÕES RELIGIOSAS MAIS ANTIGAS

As técnicas desenvolvidas na produção de utensílios a partir da pedra lascada e da manipulação da argila não resultaram apenas em armas para a caça ou em ferramentas para a coleta de alimentos vegetais. Essas técnicas também possibilitaram aos primeiros grupos humanos criar objetos que indicam sua relação com aquilo que consideravam sagrado, sendo, portanto, vestígios das expressões religiosas mais antigas da humanidade.

Existem indícios de práticas religiosas de comunidades paleolíticas em várias partes do mundo. Os tipos de vestígio nesse sentido são diversificados: desenhos feitos em rochas (pinturas rupestres), estatuetas e túmulos.

Há pinturas rupestres, por exemplo, que representam caçadas. Para alguns especialistas, isso indica que as caçadas e as representações delas eram um tipo de ritual. O registro dessa atividade não indicaria que ela tinha sido realizada, mas que ainda iria ocorrer. Ao retratar as caçadas, os membros das comunidades paleolíticas acreditavam que elas ocorreriam da maneira como desejavam.

Algumas estatuetas, feitas de cerâmica ou esculpidas em pedra, também representam temas relacionados à alimentação e à proteção. Elas datam de períodos paleolíticos diferentes e têm formas femininas estilizadas, por isso, foram chamadas genericamente de "vênus". No entanto, essa nomenclatura é questionada atualmente por alguns grupos de cientistas, já que, na época em que foram criadas, essas estatuetas não eram assim denominadas.

Nos vestígios paleolíticos que sugerem o sepultamento dos mortos, foram encontrados, com certa constância, diferentes objetos, como colares, urnas funerárias e estatuetas, além de corpos cuidadosamente posicionados. De acordo com os especialistas, esses tipos de vestígio evidenciam a crença de que haveria vida após a morte. Mostram também o desenvolvimento da capacidade humana de conferir significados a objetos, para além de seu uso ou de seu formato. Ou seja, evidenciam a capacidade humana de transcender e de compreender símbolos.

↑ Vênus de Willendorf. Estatueta paleolítica de cerca de 25 mil anos atrás, encontrada na Áustria em 1908. A função dessa escultura permanece desconhecida. Por representar uma figura feminina, é provável que tenha sido utilizada em rituais de fertilidade.

↓ Reconstituição de vestígios de sepultamento de cerca de 5000 a.C., encontrados na ilha Teviec, França. Foto de 2015. Note os colares e a posição dos esqueletos. Essas características podem evidenciar o caráter ritualístico do sepultamento.

OS REGISTROS RUPESTRES

Os registros rupestres estão entre os principais vestígios gráficos das comunidades do Paleolítico e eram utilizados como meio de comunicação e de expressão. Trata-se de imagens gravadas em grandes rochas, em paredões de pedra e nas paredes internas e externas de grutas ou de cavernas. Essas imagens foram encontradas em todos os continentes, exceto na Antártida.

Há várias teorias sobre as funções desses registros. A função religiosa, que você conheceu na página anterior, é uma delas. Outra hipótese é que esses registros possibilitavam trocas culturais, já que foram encontrados em diferentes regiões. Quando passava por determinado local, um grupo de pessoas gravava imagens sobre sua passagem, as quais seriam vistas pelos próximos ocupantes desse lugar. Do mesmo modo, ao chegar a um novo local, esse grupo também poderia encontrar os registros deixados por outros que haviam estado ali antes.

As imagens gravadas representavam cenas de momentos em grupo e do cotidiano, além de caçadas, alimentos vegetais e símbolos que poderiam servir para fazer a contagem de algo, como calendários ou representações astronômicas.

Entre as técnicas utilizadas para fazer as gravuras estavam as de abrasão e as de incisão: primeiro, era feita uma raspagem (abrasão) na superfície rochosa; depois, essa superfície recebia pequenos cortes (incisões) com um instrumento cortante, formando grafismos chamados petróglifos. Também podia ser empregada a técnica da picotagem, que consistia em bater uma pedra sobre a rocha em que se desejava marcar os grafismos.

> **LIVRO ABERTO**
>
> *Arte rupestre*, de Hildegard Feist. São Paulo: Moderna, 2010.
>
> Muitos registros rupestres sobreviveram ao tempo e podem ser vistos em diversas partes do mundo, inclusive no Brasil. Esse livro apresenta alguns desses importantes registros do universo simbólico das primeiras comunidades humanas.

↑ Grafismos em rocha datados de cerca de 77 mil anos atrás. Essa peça foi descoberta em uma caverna na África do Sul.

↑ Gravuras rupestres feita em bloco rochoso em Ingá (PB). As datações podem chegar a 6 mil anos. Foto de 2018.

PRODUÇÃO PICTÓRICA

Há indícios de que as primeiras pinturas rupestres tenham sido feitas há mais de 30 mil anos. Eram figuras simples e representavam animais.

Geralmente, essas pinturas eram produzidas com corantes extraídos de plantas, de carvão vegetal ou de rochas. Muitas vezes, esses corantes eram diluídos ou fixados com uso de água, sangue ou gordura animal ou vegetal. As técnicas de pintura podiam ser realizadas com carimbos das mãos, pincéis feitos com pontas de ossos ou com pedras ou, ainda, com o sopro dos pigmentos (com a ajuda de uma espécie de canudo). As produções incluíam grafismos ou representações de animais e de seres humanos em cenas diárias.

> **PASSAPORTE DIGITAL**
>
> **Parque Nacional da Serra da Capivara**
> Esse parque é um sítio arqueológico localizado no Piauí, no Nordeste brasileiro. No *site* oficial do parque, há fotos de diversas pinturas e gravuras rupestres produzidas pelos primeiros grupos que habitaram a região há milhares de anos.
> Disponível em: <http://linkte.me/fpi26>. Acesso em: 23 abr. 2018.

> **CRIAR**
>
> Conheça uma caverna na França com pinturas produzidas há mais de 30 mil anos. Compare-as com outras pinturas rupestres e aponte diferenças e semelhanças entre elas. Em seguida, em uma folha de papel avulsa, faça sua versão de uma pintura rupestre.

← As pinturas encontradas na gruta de Altamira, na Espanha, podem ter até 16 mil anos e impressionam pelo realismo dos animais representados. As pessoas que os pintaram utilizaram as saliências das rochas para produzir um efeito que dá a impressão de volume. Foto de 2016.

A caverna de Sulawesi, na Indonésia, abriga um dos conjuntos de pinturas rupestres mais antigos do mundo. Os registros que compõem esse conjunto, feitos com corantes extraídos de hematita, podem datar de até 40 mil anos atrás. Para a pintura das mãos, foi aplicada a técnica de pulverização de pigmentos, também realizada em imagens encontradas em várias regiões do mundo. Foto de 2016.

ATIVIDADES

RETOMAR E COMPREENDER

1. O que caracteriza o modo de vida conhecido como nomadismo?

2. Que tipos de vestígio fornecem indícios de práticas religiosas entre os agrupamentos humanos do Paleolítico?

APLICAR

3. O trecho abaixo é sobre um mito que faz parte da tradição oral dos Kaiapó-Gorotire, povo indígena distribuído entre os estados de Mato Grosso e Pará. Leia-o e, depois, faça o que se pede.

> [...] No mito Kaiapó-Gorotire da origem do fogo, um homem é abandonado pelo cunhado no alto de uma rocha porque foram juntos apanhar ninhos de arara, e quando o que subiu atira os ovos ao de baixo, estes se transformam em pedras. O que fica preso passa sede e fome, até ser salvo por uma onça pintada (macho). O onça o leva e lhe serve carne assada, que o homem não conhecia, pois a humanidade não tinha fogo. A mulher do onça, com o tempo, tenta devorar o rapaz, que um dia a mata e foge, levando a carne assada para sua aldeia. Os homens organizam uma expedição à casa das onças para roubar o fogo.
> [...]
>
> Betty Mindlin. O fogo e as chamas dos mitos. *Estudos Avançados*, v. 16, n. 44, p. 153, jan./abr. 2002. Disponível em: <http://dx.doi.org/10.1590/S0103-40142002000100009>. Acesso em: 22 abr. 2018.

a) O mito narra o domínio dos Kaiapó-Gorotire sobre qual elemento da natureza?

b) O mito apresenta qual benefício em relação ao domínio desse elemento natural?

c) Qual foi a importância do domínio do fogo para os povos do Paleolítico? Essa importância pode ser relacionada à mensagem do mito dos Kaiapó-Gorotire? Conte suas hipóteses aos colegas.

4. Observe as imagens abaixo e responda às questões.

↑ Grafite de Luna Buschinelli. A pintura é internacionalmente considerada o maior grafite já feito por uma mulher e está em um prédio na região central do Rio de Janeiro. Foto de 2017.

↑ Detalhe de pinturas rupestres da gruta de Altamira, Espanha, de cerca de 16 mil anos atrás. Por sua grande extensão e seu valor histórico, foi declarada Patrimônio da Humanidade em 1985. Foto de 2016.

a) Quais são as semelhanças e as diferenças entre as duas representações retratadas nas fotos?

b) Que diferenças você consegue identificar entre as sociedades que produziram cada um desses registros?

c) Em sua opinião, por que as pessoas têm necessidade de se expressar por meio de pinturas?

5. Se você tivesse de deixar algo de sua época para a posteridade, quais vestígios seus poderiam se tornar objeto de estudo dos arqueólogos do futuro? Por quê?

ARQUIVO VIVO

O trabalho do arqueólogo

Existem várias maneiras de se estudar os modos de vida dos seres humanos. A arqueologia – palavra de origem grega (*arkhaíos*: antigo; *logia*: conhecimento) – é a ciência que estuda as diversas sociedades por meio da investigação dos vestígios deixados pelas pessoas e que resistem à ação do tempo. Porém, esses vestígios não são apenas artefatos para coleção. Eles pertencem a uma cultura que os produziu. A arqueologia é considerada multidisciplinar, ou seja, para estudá-la conta-se com o conhecimento de outras áreas, como a antropologia, a geografia, a química, a biologia e a história.

Atualmente, as pesquisas se dividem entre áreas geográficas, como a arqueologia do Mediterrâneo, a amazônica, a americana, etc., e áreas temáticas, como a subaquática, a de gênero, a indígena, a lítica (relativa a vestígios feitos de pedra), a do lixo, a religiosa, etc.

A seguir, leia a opinião do pesquisador Pedro Paulo Funari, da Universidade Estadual de Campinas (Unicamp), sobre seu ofício.

↑ Arqueólogo escavando tumba da época da dinastia Zhou (770 a.C.-256 a.C.), uma das primeiras dinastias chinesas. A descoberta foi feita na escavação de uma área na cidade de Zhengzhou, na China. Foto de 2017.

Segundo um ponto de vista tradicional, o objeto de estudo da arqueologia seria apenas as "coisas", particularmente os objetos criados pelo trabalho humano (os "artefatos"), que constituiriam os "fatos" arqueológicos reconstituíveis pelo trabalho de escavação e restauração por parte do arqueólogo. Essa concepção encontra-se ainda muito difundida entre aqueles que consideram ser a tarefa do arqueólogo simplesmente fazer buracos no solo e recuperar objetos antigos. [...]

[...] Seria, entretanto, possível tratar só das coisas, limitar-se a produzir "fatos" objetivos para que sejam "interpretados" por outros estudiosos? Para isso, seria preciso separar os artefatos dos homens que os produzem e os usam, o que não me parece fazer muito sentido. De fato, como a cultura refere-se, a um só tempo, ao mundo material e espiritual, não existe uma oposição entre os dois que justifique o estudo das "coisas".

Pedro Paulo Funari. *Arqueologia*. São Paulo: Contexto, 2010. p. 13.

Organizar ideias

1. O que a arqueologia estuda?
2. É possível tratar artefatos arqueológicos apenas como "coisas"? Explique.
3. Por que a arqueologia é considerada uma ciência multidisciplinar?
4. Em sua opinião, de que modo os estudos arqueológicos e históricos podem contribuir para a construção do conhecimento sobre um povo do passado?

Capítulo 3
O PROCESSO DE SEDENTARIZAÇÃO

Há cerca de 12 mil anos, o planeta Terra passou por muitas transformações físicas. Uma das principais mudanças foi o contínuo aumento da temperatura global. Como você imagina que essa mudança influenciou os modos de vida das comunidades humanas?

NOMADISMO E SEDENTARIZAÇÃO

Para alguns grupos de pesquisadores, com a transformação do modo de vida nômade para o modo de vida **sedentário**, isto é, com a fixação de moradia, a humanidade passou por uma de suas principais revoluções. Isso porque o processo de sedentarização foi acompanhado pelo intenso desenvolvimento de tecnologias de caça, agricultura e pecuária, além do surgimento de expressões religiosas e artísticas particulares.

No entanto, esse processo não foi uniforme. Diferentes povos, espalhados pelos continentes, se tornaram sedentários em temporalidades também distintas, e há ainda aqueles que atualmente são nômades ou seminômades, sendo este um aspecto cultural. Ou seja, a transformação de uma sociedade nômade em sedentária não indica sua evolução de um modo de vida inferior para outro superior, porque cada uma tem uma forma de expressar seu modo de organização social.

Neste capítulo, vamos analisar essa transformação, mas sem perder de vista que este é um processo histórico que ocorreu em grupos específicos, em temporalidades distintas.

↓ Pedras de Callanish, sítio arqueológico da ilha de Lewis, na Escócia. Estima-se que os blocos de pedra foram erguidos no local por volta de 2000 a.C. Eles estão dispostos de modo a formar uma cruz. Por suas dimensões e formato, o monumento é considerado uma das principais construções do Neolítico europeu. Foto de 2017.

O DESENVOLVIMENTO DA AGRICULTURA

Em várias partes do mundo, em diferentes momentos, os seres humanos desenvolveram técnicas e atividades para garantir a alimentação mesmo em condições climáticas adversas. Uma dessas atividades é a **agricultura**.

Uma das hipóteses para o desenvolvimento das práticas agrícolas é a de que elas tenham sido criadas por mulheres, que eram responsáveis pela coleta de frutos, sementes e raízes. Possivelmente, as mulheres observaram que novas plantas germinavam no local em que sementes caíam na terra, dando início às atividades agrícolas.

Aliado a essas percepções, um fator climático contribuiu para o avanço do cultivo de alimentos: o aumento da temperatura do planeta, que acabava de sair da última glaciação, há cerca de 10 mil anos. Os invernos mais amenos facilitavam a manutenção das plantações e propiciavam a existência de vegetação em diferentes regiões do planeta durante a maior parte do ano.

Uma das principais regiões em que a agricultura prosperou foi a do chamado **Crescente Fértil**, localizado entre o norte da África e o Oriente Médio. Apesar do clima desértico, nessa região correm três grandes rios que nunca secam: o Nilo, na África, e o Tigre e o Eufrates, no atual Iraque. Observe o mapa abaixo.

Acredita-se que as primeiras plantações tenham sido de cereais, como linho, trigo e cevada. Posteriormente, foram cultivados tubérculos, frutas e hortaliças.

A **domesticação de animais**, iniciada também há cerca de 10 mil anos, proporcionou aos grupos humanos fonte regular de carne e leite, além de couro e peles, utilizados na confecção de vestimentas.

↗ O linho foi uma das primeiras espécies vegetais domesticadas pela humanidade no Crescente Fértil, há cerca de 8 500 anos. Dessa planta, aproveitam-se as fibras, das quais se faz o tecido também conhecido como linho, e a semente, chamada de linhaça.

glaciação: também conhecido como Era do Gelo, é o período em que a Terra sofreu uma diminuição extrema da temperatura.

África e Ásia: Área do Crescente Fértil

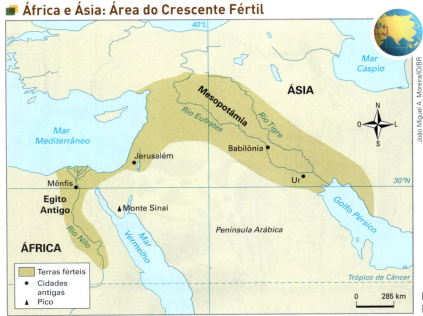

Fonte de pesquisa: *Atlas histórico escolar*. Rio de Janeiro: FAE, 1991. p. 82-83.

53

O SER HUMANO E A NATUREZA

Ao longo do tempo, o ser humano desenvolveu habilidades físicas e intelectuais que lhe permitiram criar formas de extrair recursos da natureza e viver no mundo de modo seguro e planejado.

Porém, depois de tanto tempo de exploração da natureza, são muitos os problemas ambientais, como a destruição das florestas e a poluição do ar e da água, que representam uma ameaça real à vida humana na Terra.

1. Em sua opinião, é possível melhorar ou reverter essa situação? Converse com os colegas sobre possíveis medidas.
2. **ANALISAR** Veja quando e onde alguns alimentos foram cultivados e alguns animais foram domesticados durante o período Neolítico. Em seguida, comente com os colegas sobre o que mais chamou sua atenção.

NOVAS TÉCNICAS E TECNOLOGIAS

Por centenas de anos, houve o aperfeiçoamento da produção de ferramentas, que passaram a ser feitas de pedras polidas e, mais tarde, de metais, tornando-se mais úteis e resistentes. Em algumas cronologias mais tradicionais, o desenvolvimento das técnicas de confecção de utensílios de metal, isto é, a **metalurgia**, marca o início da Idade dos Metais.

Esse marco corresponde a uma grande transformação no uso de metais para a elaboração de ferramentas, armas e outros objetos. Há evidências do uso do cobre de cerca de 8 mil anos e do uso do bronze de cerca de 6 mil anos, em regiões da África Central e da Ásia. Na Europa, a metalurgia só começou a ser desenvolvida há aproximadamente 4,5 mil anos.

A **olaria**, que consiste em técnicas de confecção de objetos de argila, também continuou a se desenvolver e, indiretamente, passou a ser uma prática importante para a alimentação das comunidades, pois com essa técnica eram fabricados utensílios para armazenar gêneros alimentícios e água. Ao longo dos milênios de Neolítico, foram desenvolvidos diferentes tipos de vaso, com vários tipos de ornamento e significado.

A olaria também servia para a construção de moradias, que eram feitas de estruturas de madeira, pedra e argila, colocadas para secar ao sol. Essas técnicas rudimentares se transformaram até os atuais tijolos de cerâmica, utilizados na construção de diversos tipos de prédio.

A técnica de **tecelagem**, ou trançamento de fios, foi desenvolvida, primeiro, com fios de fibras vegetais, como cipó e ervas secas. Depois, começaram a ser utilizados algodão e lã. Até então, as vestimentas eram feitas do couro e da pele de animais.

Arado com tração animal pintado na parede da tumba de um artesão egípcio, Sennedjem. Essa pintura remonta à época de Ramsés II, faraó egípcio que reinou entre aproximadamente 1279 a.C. e 1213 a.C. Os arados revolviam o solo e abriam buracos onde as sementes seriam lançadas.

De Agostini/Getty Images

A ESPECIALIZAÇÃO DO TRABALHO

As mudanças climáticas e o desenvolvimento de técnicas que dependiam da presença constante de pessoas na produção de alimentos foram processos que, ao longo de milênios, levaram à sedentarização.

O crescimento das populações foi favorecido pela facilidade de acesso aos alimentos, acesso esse que se intensificou conforme se desenvolviam as técnicas de fabricação de utensílios e ferramentas de metal e de cerâmica, além das técnicas de tecelagem, as quais possibilitaram diversificar as vestimentas para o abrigo do frio.

Tal crescimento resultava, por exemplo, na ampliação da quantidade de pessoas disponíveis para a produção de mais alimentos e utensílios. Dessa forma, com o passar do tempo, em diferentes comunidades, surgiram especialistas em cada função, isto é, pessoas que realizavam determinadas atividades durante muito tempo, aprimorando-se nelas.

Geralmente, a divisão do trabalho nas comunidades neolíticas levava em consideração o gênero e a idade de seus integrantes. No começo, as mulheres, por exemplo, eram responsáveis pela agricultura, pelo preparo dos alimentos e pelo cuidado com as crianças, mas também teciam roupas e faziam cestos e objetos de cerâmica. Os homens, por sua vez, caçavam, cuidavam dos rebanhos e eram responsáveis pela segurança das aldeias, além de construir ferramentas, moradias, cercas, etc.

A invenção de ferramentas, como o arado, e de técnicas agrícolas, como os canais de irrigação, provocou grande aumento na produção de alimentos, que, por sua vez, facilitou o surgimento de novas ocupações, já que não era mais necessário que toda a mão de obra da comunidade fosse empregada no campo. Assim, algumas pessoas tornaram-se artesãs, outras passaram a servir aos deuses que protegiam a todos, tornando-se sacerdotes, etc.

A divisão do trabalho permitiu maior especialização, pois as pessoas responsáveis por determinada tarefa, com o tempo, se aprimoravam em seus ofícios e, dessa forma, promoviam melhorias e faziam novas descobertas.

O CONCEITO DE NEOLÍTICO

Neolítico é uma palavra de origem grega que significa pedra nova. Esse período, que se seguiu ao Paleolítico, foi assim denominado porque no decorrer dele ocorreram importantes mudanças tecnológicas, como a forma de produzir utensílios e instrumentos de pedra, que passou a ser polida, em vez de lascada.

↑ Vestígios funerários de cerca de 6 mil anos atrás encontrados na Dinamarca. Os instrumentos foram feitos de pedra e de ossos de animais. Todos esses objetos são fontes históricas do Neolítico europeu.

← Vasos de cerâmica com idade aproximada entre 9 e 5 mil anos. Eles foram encontrados, respectivamente, na Macedônia e na Suécia e também são fontes históricas do Neolítico europeu.

O SURGIMENTO DAS CIDADES E DOS ESTADOS

A sedentarização das populações ocasionou o surgimento de pequenas aldeias, isto é, aglomerações de pessoas que se organizavam para produzir os alimentos e os objetos de que necessitavam para viver. Normalmente, eram formadas por indivíduos com algum grau de parentesco.

Por centenas de anos, algumas aldeias vizinhas foram se unindo, o que tornou possível a realização de atividades que beneficiavam a comunidade, como a construção de diques e de canais de irrigação.

Esse tipo de obra requeria o trabalho de grandes grupos de pessoas. Conforme as comunidades cresciam, era possível preparar terrenos cada vez maiores para a plantação, e a colheita ficava cada vez mais eficiente. Simultaneamente, outros aspectos do cotidiano foram se transformando, com a edificação de moradias, o surgimento dos primeiros templos e modos de realizar os cultos, a organização das formas de distribuir alimentos e a criação de poderes políticos, representados pelas lideranças das comunidades. Surgem, assim, as primeiras cidades.

Para muitos especialistas, a organização na produção de alimentos e na administração das cidades e a formação de conselhos para definir as obras públicas e planejar a defesa das regiões contra os ataques de outras populações foram marcos importantes para o estabelecimento das primeiras cidades do mundo.

Com essas atividades, surgiram também as hierarquias sociais, ou seja, algumas funções passaram a deter mais poderes do que outras. Os setores mais altos dessas hierarquias começaram a controlar as atividades da população e a cobrar tributos, dando origem, assim, ao Estado. As cidades mais antigas de que se tem registro são **Jericó**, na atual Palestina, e **Çatalhöyük**, na atual Turquia. Estima-se que essas cidades tenham surgido há cerca de 10 mil e 8 mil anos, respectivamente.

← Ilustração da antiga cidade de Çatalhöyük feita com base nos vestígios arqueológicos. Representação em cores-fantasia e sem proporção de escala.

O DESENVOLVIMENTO DO COMÉRCIO

As novas técnicas agrícolas e de organização da distribuição de alimentos permitiram que se produzisse mais do que o necessário para o consumo interno das cidades, levando ao surgimento de **excedentes**. Ao mesmo tempo, alguns setores da população, especializados em atividades como a produção de ferramentas de pedra, madeira e metais ou de objetos de cerâmica, também passaram a produzir excedentes, que eram usados na troca por alimentos com os agricultores, por exemplo. Assim, essa troca de excedentes entre os diversos setores deu origem à prática do **comércio**.

Inicialmente, o comércio ocorria dentro de uma mesma cidade, mas, com o tempo, as atividades comerciais foram se expandindo, e as trocas podiam ser realizadas entre comunidades muito distantes. Esse processo se intensificava também pelo fato de algumas regiões produzirem gêneros que não eram produzidos em outras, tanto em função de diferenças climáticas quanto em função de costumes locais.

> **LIVRO ABERTO**
>
> *Pequena história da escrita*, de Sylvie Baussier. São Paulo: SM, 2005.
>
> Por meio dos registros escritos, conhecemos a história de antigas sociedades, o modo de vida dos nossos antepassados, os aspectos culturais de um povo, etc. Esse livro mostra a importância da escrita para a história da humanidade, abordando desde os hieróglifos até as formas atuais de comunicação escrita.

O SURGIMENTO DA ESCRITA

A escrita surgiu devido a uma conjunção de fatores ligados ao desenvolvimento das sociedades. Entre os motivos principais para seu surgimento, podemos citar a necessidade administrativa dos Estados de controlar a produção e a sociedade e a necessidade do comércio de contabilizar e registrar suas atividades.

Diversos sistemas de escrita surgiram em diferentes partes do mundo, em temporalidades também variadas. Estima-se que um dos primeiros vestígios da escrita, encontrados na região do Oriente Médio, seja do ano 6 mil a.C.

Os primeiros registros não eram como a escrita atual, mas feitos com ideogramas, que simbolizavam coisas, não palavras. Por volta de 3200 a.C., apareceram os sistemas de escrita fonética – relacionada aos sumérios. Em aproximadamente 3150 a.C., surgiram os hieróglifos egípcios, que, no começo, misturavam os ideogramas e os sons fonéticos das sílabas. Em um processo que se estendeu por milênios, chegamos ao alfabeto latino, utilizado pela maioria dos países ocidentais, como o Brasil. Porém, ele não é o único: há muitos outros alfabetos em uso atualmente.

↑ Escritos cuneiformes, datados do ano 2500 a.C., aproximadamente, e esculpidos em um mural de pedra encontrado no palácio da sociedade aquemênida Apadana em Takhte Jamshid, também conhecida como Persépolis, onde hoje se localiza o Irã.

escrita fonética: sistema de escrita que transcreve os sons da fala.

ideograma: símbolo gráfico que representa objetos, ideias e, até mesmo, conceitos.

ATIVIDADES

RETOMAR E COMPREENDER

1. "Os períodos denominados Paleolítico e Neolítico apresentam datações fixas no tempo, sem levar em consideração as diferentes comunidades e os diferentes locais habitados por elas." Essa afirmação contém informações incorretas. Reescreva-a de modo que ela se torne correta, de acordo com o que você estudou sobre como os historiadores contemporâneos compreendem esses dois períodos históricos.

2. No caderno, classifique as frases abaixo em verdadeiras ou falsas. Em seguida, corrija as frases que você classificou como falsas.
   a) A agricultura proporcionou o aumento da produção de alimentos e, como consequência, o aumento da população.
   b) A cerâmica foi descoberta e utilizada apenas para permitir a manifestação artística das sociedades do período Neolítico.
   c) A água era fundamental para a agricultura; por isso, a região formada pelos rios Nilo, Jordão, Tigre e Eufrates, conhecida como Crescente Fértil, foi uma das que mais prosperou no Neolítico.
   d) A divisão do trabalho nas aldeias e cidades do Neolítico impediu a especialização e o desenvolvimento de atividades como o artesanato.
   e) A prática do comércio se iniciou primeiro dentro de uma mesma cidade, mas, com o tempo, foi se expandindo e atingindo regiões cada vez mais distantes.
   f) No processo de aperfeiçoamento das técnicas agrícolas, passaram a ser utilizados alguns metais, como o cobre, que era muito resistente.

3. Retome o mapa da página 53 e faça o que se pede.
   a) Identifique as regiões onde estão localizados os principais rios.
   b) Responda: Qual foi a importância do Crescente Fértil para o desenvolvimento agrícola e para a formação das primeiras aldeias e cidades do mundo?

APLICAR

4. Leia o texto abaixo e, depois, responda às questões.

> A transição do homem caçador para o homem agricultor pode não ter sido tão abrupta e rápida quanto acreditavam os arqueólogos. É o que mostra a análise de resquícios de comida em panelas e potes de cerâmica encontrados no mar Báltico, no norte da Europa, datados de 6 mil anos, quando a agricultura já tinha começado a ser praticada.
>
> A análise química de 133 potes recuperados em 15 sítios arqueológicos da região, entre Dinamarca e Alemanha, revelou que metade dos potes encontrados era usada para cozinhar frutos do mar e peixes de água doce e salgada, mesmo quando já existiam as plantações e a criação de animais.
>
> O resultado do estudo, conduzido por pesquisadores de universidades dinamarquesas e inglesas [...], vai contra as teorias mais aceitas sobre o surgimento e a expansão da agricultura. Segundo a ideia dominante, depois que o homem aprendeu a plantar e a domesticar animais, há cerca de 10 mil anos, teria rapidamente abandonado suas práticas alimentares anteriores, baseadas na caça, na pesca e na coleta.
>
> [...]
>
> No entanto, os pesquisadores não sabem dizer quem eram os donos dos utensílios encontrados. Tanto podiam ser agricultores do interior que migraram para as regiões mais próximas à costa e começaram a explorar os recursos marinhos quanto ser moradores do litoral adeptos da pesca, mas que, pelo contato com produtores, começaram a domesticar plantas e animais.
>
> Sofia Moutinho. Transição gradual. *Ciência Hoje On-Line*, 25 out. 2011. Disponível em: <http://cienciahoje.org.br/transicao-gradual>. Acesso em: 16 jul. 2018.

a) Por que os cientistas que fizeram esse estudo acreditam que a mudança do ser humano de caçador e coletor para agricultor não foi abrupta?

b) Encontre no texto indícios de que nem todos os grupos humanos do Neolítico praticavam a agricultura.

5. Observe abaixo duas imagens de registros escritos do período Neolítico. Depois, **responda às questões**.

↑ Tábua de argila com escritos pictográficos arcaicos. Essa foi uma das primeiras formas de escrita. A tábua, originária da Mesopotâmia, é de cerca de 4000 a.C.

← Tábua de argila em que está gravado um alfabeto. Essa peça pertence à cultura fenícia e data do século XIV a.C.

a) Quando surgiram os primeiros registros escritos?

b) Qual é a principal diferença entre os sinais gráficos que aparecem nas imagens?

c) Qual dessas imagens representa sinais gráficos mais próximos dos nossos? Justifique sua resposta.

d) Atualmente, há diversos sistemas de escrita. Entre eles o mais utilizado pelos povos ocidentais é o alfabético. Contudo, há povos que vivem no Oriente e na África, por exemplo, que adotam outro sistema de escrita. Utilizando publicações digitais ou impressas, pesquise sobre esses povos que adotam um sistema de escrita diferente do alfabético. Depois, escolha um deles e anote no caderno as seguintes informações: o nome do povo, o nome do sistema de escrita utilizado e quando esse sistema surgiu. Por fim, apresente suas descobertas aos colegas e veja as deles.

6. Em dupla, conversem sobre os motivos que teriam levado os grupos humanos do passado a se instalar em áreas próximas aos rios. Em seguida, respondam às questões no caderno.

a) Que vantagens a proximidade de um rio pode trazer para as pessoas?

b) Será que, nos dias atuais, as cidades também estão próximas de rios?

c) Há rios próximos ao lugar onde se encontra a escola em que vocês estudam? Em caso afirmativo, em que condições esses rios estão?

7. Ainda em dupla, levantem hipóteses sobre o surgimento das primeiras cidades do período Neolítico. Para isso, tentem responder às questões a seguir. Depois, compartilhem as hipóteses de vocês com os colegas.

a) Qual seria a relação entre o surgimento desses primeiros aglomerados urbanos e a criação dos primeiros sistemas de escrita?

b) Por que essa nova organização social exigiu mudanças como a formação de exércitos?

Capítulo 4
A CHEGADA DO SER HUMANO À AMÉRICA

Embora não haja consenso sobre quando e como os primeiros grupos humanos chegaram ao continente americano, muitos pesquisadores afirmam que ele foi o último continente a ser povoado. Como você imagina que os primeiros humanos a ocupar a América chegaram a esse continente?

O VESTÍGIO MAIS ANTIGO

O estudo sobre os modos de vida das primeiras comunidades humanas envolve a realização de pesquisas por diversos profissionais que, com base nelas, elaboram teorias científicas. A chegada da espécie humana ao continente americano é uma das questões científicas que continua em debate entre os especialistas. Há diversas teorias sobre isso e, a cada descoberta arqueológica, elas podem ser revistas, reelaboradas, corrigidas e até mesmo abandonadas.

O vestígio humano mais antigo encontrado no continente americano foi descoberto no Brasil, em Lagoa Santa, Minas Gerais, em 1975. Trata-se de um crânio feminino que data de mais de 11 mil anos; a mulher a que esse crânio correspondia foi nomeada **Luzia** pelos cientistas.

Em 1998, pesquisadores de uma universidade inglesa fizeram a reconstituição da cabeça de Luzia a partir do crânio encontrado. A reconstrução mostrou feições que lembram as de povos originários da Austrália, chamados atualmente de aborígines, e as de povos originários do continente africano: lábios grossos e nariz largo. Portanto, ela tinha traços bem diferentes das feições dos indígenas encontrados no continente americano no século XV. Assim, concluiu-se que Luzia não teria parentesco com os ancestrais das populações nativas brasileiras. Dessa percepção, surgiram teorias sobre o povoamento da América com a vinda de diferentes fluxos populacionais, de diversas origens e em épocas distintas.

↓ Ilustração artística feita com base em imagem de satélite fornecida pela Nasa (sigla, em inglês, para Administração Nacional da Aeronáutica e Espaço, agência espacial estadunidense), mostrando o estreito de Bering. À esquerda, vê-se parte do território da Rússia; à direita, visualiza-se parte do Alasca (Estados Unidos).

Anton Balazh/Shutterstock.com/ID/BR

ROTAS DO POVOAMENTO DO CONTINENTE AMERICANO

A teoria mais aceita sobre a chegada de grupos humanos à América é a de que grupos vindos do continente asiático teriam atravessado o **estreito de Bering**, entre os atuais territórios da Rússia e do Alasca (Estados Unidos), como mostra a ilustração da página anterior.

Nos períodos em que fizeram essa travessia, devido à glaciação, havia grandes blocos de gelo na região, formando uma plataforma sobre o oceano e permitindo a passagem de diversos grupos da Ásia para a América. Eles teriam originado as primeiras comunidades americanas e isso poderia ser justificado pelas semelhanças entre as feições dos povos asiáticos e as dos povos indígenas na América. Porém, a análise de novos vestígios, como o fóssil de Luzia, e os estudos genéticos mostraram que os primeiros ancestrais dos nativos americanos não têm apenas uma origem. Assim, acredita-se que houve outras ondas migratórias, compostas de grupos com traços físicos semelhantes aos dos aborígines australianos e aos dos africanos.

Com base nessas descobertas, surgiram teorias sobre as rotas desses outros grupos. Uma delas é de que grupos vindos da Oceania e da Polinésia teriam navegado pelo **oceano Pacífico** até a América do Sul. A migração desses povos teria sido gradativa, há cerca de 50 mil anos. Os críticos dessa teoria ressaltam que não há vestígios materiais que comprovem esse tipo de viagem, como meios de transporte marítimos. Veja, abaixo, as possíveis rotas de acordo com essas teorias.

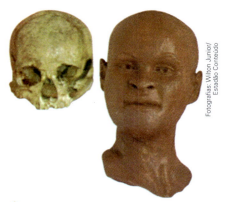

↑ Crânio e rosto reconstituído de Luzia. Esse crânio é o fóssil humano mais antigo já encontrado no continente americano.

Possíveis rotas de ocupação da América

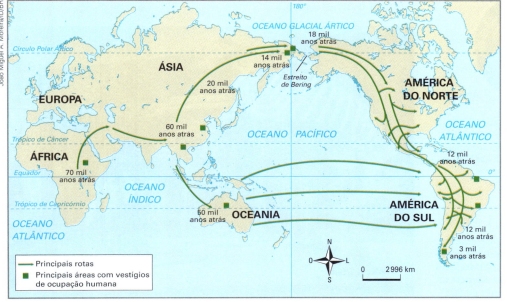

Fontes de pesquisa: Walter Neves; Mark Hubbe. Os primeiros das Américas. Revista *Nossa História*, Rio de Janeiro, n. 22, ago. 2005; Marcos Pivetta. Como os nossos pais. Revista *Pesquisa Fapesp*, São Paulo, n. 182, abr. 2011; Pierre Vidal-Naquet; Jacques Bertin. *Atlas histórico*: da Pré-História aos nossos dias. Lisboa: Círculo de Leitores, 1987. p. 18; *Atlas histórico escolar*. Rio de Janeiro: FAE, 1991. p. 50.

A VIDA NAS PRIMEIRAS OCUPAÇÕES AMERICANAS

De acordo com os vestígios analisados, os primeiros seres humanos que chegaram à América encontraram um continente muito diferente desse em que vivemos. Por exemplo, antes do período de aumento da temperatura do planeta, processo iniciado há cerca de 10 mil anos, a atual região Amazônica apresentava poucas áreas de floresta e era ocupada por vegetação rasteira e árvores pequenas, de tronco retorcido e cascas grossas, semelhantes às atuais áreas de Cerrado no Brasil atual.

Esse era um ambiente bastante favorável para a existência de grandes mamíferos, muito maiores do que aqueles que conhecemos hoje. Devido às grandes proporções desses animais, o conjunto deles é chamado de **megafauna**. Em algumas pinturas rupestres, é possível identificar registros desses animais sendo caçados por grupos humanos.

O aumento gradual da temperatura do planeta favoreceu os seres humanos. O frio deixou de ser um fator que forçava as migrações constantes em busca de territórios mais quentes. As chances de sobreviver aumentaram; portanto, a população humana também cresceu e, em grupos maiores, passou a ser mais fácil caçar os grandes animais.

Esta seria uma das hipóteses para explicar a extinção da megafauna: os grupos humanos teriam caçado quase todos esses animais. Outra hipótese é a de que o aumento da umidade e da temperatura modificou as paisagens, tornando inviável a sobrevivência da megafauna.

Essas transformações também favoreceram o aumento das populações americanas e o povoamento do continente, originando os antigos povos indígenas desses territórios. Veja, no esquema ao lado, os principais vegetais domesticados durante o Neolítico americano.

PRÁTICAS AGRÍCOLAS DO NEOLÍTICO AMERICANO

América Central

↖ Milho.

Teve início no sul do México atual, entre os anos 9000 a.C. e 4000 a.C. Os principais alimentos cultivados eram: milho, abóbora, abobrinha e, posteriormente, feijão.

América do Sul

↖ Feijão-de-lima.

Teve início nos Andes do Peru ou do Equador atuais, em aproximadamente 5000 a.C. Os principais alimentos cultivados eram: feijão-de-lima, quinoa e tremoço.

América do Norte

↖ Abóbora.

Teve início na bacia do rio Mississípi, nos Estados Unidos atuais, entre os anos 4000 a.C. e 3000 a.C. Os principais alimentos cultivados eram: abóbora, sabugueiro-dos-pântanos, girassol e cevadilha.

→ Esqueleto de uma preguiça-gigante, animal extinto que fazia parte da megafauna. O fóssil pertence ao acervo do Museu de Artes e Ciência da Flórida, Estados Unidos. Foto de 2017.

ATIVIDADES

RETOMAR E COMPREENDER

1. As pesquisas arqueológicas sobre a chegada dos primeiros seres humanos à América apontam para duas teorias científicas principais. Quais são essas teorias?

APLICAR

2. Leia o texto abaixo e responda às questões.

Walter Neves: O pai de Luzia

Ele é o pai de Luzia, um crânio humano de 11 mil anos, o mais antigo até agora encontrado nas Américas [...]. O arqueólogo e antropólogo Walter Neves, coordenador do Laboratório de Estudos Evolutivos Humanos do Instituto de Biociências da Universidade de São Paulo (USP), não foi o responsável por ter resgatado esse antigo esqueleto de um sítio pré-histórico, mas foi graças a seus estudos que Luzia, assim batizada por ele, tornou-se o símbolo de sua polêmica teoria de povoamento das Américas: o modelo dos dois componentes biológicos.

Formulada há mais de duas décadas, a teoria advoga que nosso continente foi colonizado por duas levas de *Homo sapiens* vindas da Ásia. [...]

Marcos Pivetta; Ricardo Zorzetto. Revista *Pesquisa Fapesp*, São Paulo, n. 195, maio 2012. Disponível em: <http://revistapesquisa.fapesp.br/2012/05/11/walter-neves-o-pai-de-luzia/>. Acesso em: 16 maio 2017.

a) Quem é Luzia?
b) Por que o pesquisador Walter Neves é considerado o "pai de Luzia"?
c) Qual é o impacto da descoberta e do estudo do fóssil de Luzia para as teorias de povoamento do continente americano?

3. Observe a imagem abaixo e, depois, responda às questões a seguir.

← Variedades coloridas de milho cultivadas no estado de Nova York, Estados Unidos. O milho é considerado um alimento típico da América e faz parte da culinária de diversos povos. A diversidade de cores é decorrente de estudos genéticos.

a) Que relação pode ser estabelecida entre o alimento retratado na foto e os primeiros habitantes do continente americano?
b) Você já experimentou esse alimento? Em caso afirmativo, conte à turma como foi sua experiência, informando o modo como esse alimento foi preparado e se você gostou.

AMPLIANDO HORIZONTES

A aldeia neolítica de Skara Brae

A aldeia do período Neolítico chamada Skara Brae, localizada na baía de Skaill, no arquipélago de Orkney, no norte da Escócia, foi descoberta em cerca de 1850, após uma tempestade que expôs uma parte das edificações. A partir de 1868, foram iniciadas as escavações, acompanhadas por arqueólogos e historiadores. Devido ao trabalho minucioso, os trabalhos foram concluídos apenas em 1920. Em 1999, a aldeia foi classificada como Patrimônio da Humanidade pela Unesco e, depois de restaurada, foi aberta à visitação de turistas.

Skara Brae é uma pequena aldeia formada entre aproximadamente 3100 a.C. e 2500 a.C. As oito casas existentes no local foram construídas nas depressões da ilha e eram ligadas umas às outras por túneis. Por ocupar uma região com características climáticas muito severas, quase não tinha árvores, e o único recurso disponível para a construção das moradias eram placas de rochas.

Os moradores da ilha viviam da pesca e da agricultura. Há indícios de que tenham abandonado o local por volta de 2500 a.C., pois o clima havia se tornado muito mais frio e úmido, fazendo que a sobrevivência na região não fosse mais possível.

O arquipélago onde se localiza a aldeia de Skara Brae abriga vários outros sítios arqueológicos. A descoberta e o estudo desses sítios contribuíram para que os historiadores revissem sua opinião sobre o período Neolítico, pois esses estudiosos perceberam que as sociedades que habitaram essas regiões conheciam técnicas e tinham um modo de vida mais sofisticado do que se pensava até então.

Vista aérea de parte da aldeia de Skara Brae, na Escócia. Foto de 2014.

As casas da aldeia de Skara Brae

Como se pode observar nas imagens, as rochas foram utilizadas não apenas para construir as paredes das casas, mas também para fazer camas, armários, lareiras e fogões. Algumas casas apresentavam uma espécie de cômodo, que os arqueólogos acreditam serem versões rudimentares de banheiros.

Especialistas acreditam que as camas de pedra eram forradas com plantas e peles de animais e que as estruturas dos telhados eram feitas de ossadas de baleias e cobertas também com peles de animais e, por cima, com vegetação. A utilização das peles de animais e da vegetação criava uma espécie de isolamento térmico, pois a região apresentava um clima bastante inóspito, com frio, chuvas e ventos muito fortes, e era preciso que os moradores se protegessem.

← Vestígios do interior de uma casa da aldeia de Skara Brae, na Escócia. Foto de 2014.

Para refletir

1. Após a descoberta de alguns sítios arqueológicos, historiadores e arqueólogos passaram a rever a opinião que tinham sobre as comunidades do Neolítico, pois perceberam que o modo de vida das populações de algumas regiões era mais sofisticado do que se pensava até então. Observe novamente a imagem do interior de uma casa da aldeia de Skara Brae e procure elementos que possam confirmar essa informação.

2. Faça uma pesquisa na internet sobre os outros sítios arqueológicos existentes no arquipélago de Orkney, na Escócia. Escolha um deles e escreva um pequeno texto sobre os costumes das sociedades neolíticas que habitaram a região.

3. Você conhece algum desenho animado ou uma história em quadrinhos que retrate o período Neolítico? Caso não conheça, faça uma pesquisa na internet e depois responda: Quais são as semelhanças e as diferenças entre o modo de vida retratado na ficção e o modo de vida destacado pelos estudiosos e arqueólogos que exploraram a aldeia de Skara Brae?

ATIVIDADES INTEGRADAS

RETOMAR E COMPREENDER

1. Explique, com suas palavras, as diferenças entre criacionismo e evolucionismo.

2. No caderno, classifique as frases abaixo em verdadeiras ou falsas. Depois, reescreva as frases que você classificou como falsas, tornando-as verdadeiras.

   a) O *Australopithecus* era bípede e se alimentava de vegetais e carne.

   b) O primeiro humano do gênero *Homo* foi o *Homo neanderthalensis*.

   c) O *Homo habilis* surgiu na Europa e depois se espalhou pela África e pela Ásia.

   d) O *Homo sapiens* foi a única espécie do gênero *Homo* que sobreviveu até os dias atuais.

APLICAR

3. O texto e a imagem a seguir abordam vestígios sobre os modos de vida dos seres humanos e de outros animais que habitaram o continente americano há mais de 10 mil anos.

   > Vale dos Gigantes é como o paleontólogo e oceanógrafo Francisco Buchmann chama um trecho de 250 metros (m) de extensão do rio Esmeril, na zona rural de Rio Pardo de Minas, município com 30 mil moradores no norte de Minas Gerais. Ali, [...] um mato alto e cerrado [...] esconde a entrada de seis grutas de porte admirável: elas têm até 40 m de extensão e quase sempre terminam em uma câmara ampla, com 5 a 10 m de largura e até 4 m de altura. O mais impressionante é que possivelmente foram escavadas por mamíferos de grande porte, como os tatus gigantes e as preguiças-terrícolas, que viveram até cerca de 10 mil anos atrás onde hoje é o Brasil [...].
   >
   > [...]
   >
   > Os túneis com paredes e teto em forma de arco e os sulcos nas rochas, compatíveis com arranhões feitos por garras fortes, levaram os pesquisadores a concluir que as grutas do Vale dos Gigantes devem ter sido escavadas por animais de grande porte [...]. Em artigo publicado em maio de 2016 na *Revista Brasileira de Paleontologia*, o grupo afirma que essas grutas [...] seriam enormes paleotocas, [...] talvez as maiores que já foram descobertas no mundo.
   >
   > [...]
   >
   > Igor Zolnerkevic. Abrigo de gigantes. Revista *Pesquisa Fapesp*, fev. 2017. Disponível em: <http://revistapesquisa.fapesp.br/2017/02/13/abrigo-de-gigantes/>. Acesso em: 24 abr. 2018.

↑ Paleotoca Solano Ferreira, a primeira encontrada em Pelotas (RS). Foto de 2014.

   a) Da descrição das dimensões dos animais que construíram as paleotocas, é possível inferir que eles fizeram parte de qual tipo de fauna do continente americano?

   b) Observe a imagem. O que essa paleotoca pode indicar sobre esses animais?

   c) Quais razões poderiam levar humanos a habitar essas paleotocas? Segundo o texto, onde é possível encontrá-las?

   d) Na região onde você mora, há vestígios desse tipo de fauna, como as paleotocas?

4. O texto abaixo é sobre a descoberta de uma fonte arqueológica. Identifique-a e, depois, liste no caderno as informações que esse vestígio pode indicar sobre a vida das comunidades do Neolítico armênio.

   > Ele tem 5 500 anos de idade [...]. É feito a partir de um pedaço inteiro de couro bovino cru, costurado sobre o pé com uma

66

tira de couro, e calçou um pé direito de cerca de 24,5 cm de comprimento nos anos de 3500 a.C.

[...] o "sapato de couro mais velho do mundo" foi encontrado perto da província Vayotz Dzor, na Armênia [...].

[...]

O objeto foi encontrado de cabeça para baixo sob restos de um recipiente de cerâmica quebrado. Estava cheio de grama, o que, segundo estudos etnográficos, costumava ser usado como forro para proteger e esquentar os pés.

[...]

De acordo com o [arqueólogo Ron] Pinhasi, a descoberta lembra o quão pouco se sabe sobre o cotidiano das pessoas de sociedades passadas. "[...] Não deixa de ser um lembrete de que a grande maioria de objetos e características do passado foram destruídos e estão perdidos", diz [...].

Júlia Dias Carneiro. Tamanho 35, couro bovino, 5500 anos. *Ciência Hoje On-Line*. Disponível em: <http://www.cienciahoje.org.br/noticia/v/ler/id/1370/n/tamanho_35,_couro_bovino,_5.500_anos>. Acesso em: 24 abr. 2018.

ANALISAR E VERIFICAR

5. Forme dupla com um colega. Observem os dois conjuntos de artefatos de pedra e, depois, respondam às questões.

↑ **Cabeças de machados e martelos.**

↑ **Flechas, pontas de lança e uma faca.**

a) Associem os conjuntos de artefatos aos períodos Paleolítico ou Neolítico e justifiquem a resposta de vocês com base nas características dos objetos.

b) Qual técnica permitiu a mudança nas características desses objetos entre um período e outro?

CRIAR

6. Construa, no caderno, um quadro com as principais informações sobre os primeiros humanos, como a espécie a que pertenceram, o período em que surgiram e a região que habitaram. Com base nessas informações, crie uma tira sobre a evolução da humanidade. Você pode abordar a questão com base nas teorias científicas ou nas perspectivas mitológicas. Ao final, mostre sua produção aos colegas.

7. Releia a atividade 4 da abertura da unidade. Vimos que os grupos humanos trabalharam em cooperação, ou em equipe, para construir a sociedade na qual viviam. Cite exemplos de trabalhos ou de atividades que são atualmente realizados por meio da cooperação.

IDEIAS EM CONSTRUÇÃO - UNIDADE 2

Capítulo 1 – A origem do ser humano
- Identifico as principais teorias científicas sobre a origem do ser humano e a evolução das espécies?
- Percebo que essas teorias remetem aos momentos históricos em que foram desenvolvidas e estão em constante transformação, na medida em que as pesquisas científicas trazem novas descobertas?
- Reconheço a importância das mitologias como fontes históricas sobre os povos a que se referem e como característica da identidade deles?

Capítulo 2 – A vida dos primeiros seres humanos
- Identifico que as periodizações da história dos primeiros grupos de seres humanos se transformaram com o tempo (Pré-História ou Idade da Pedra, por exemplo, passaram a ser problematizadas), na medida em que o modo de pensar de nossa sociedade também se transformou?
- Percebo que as periodizações estão atreladas ao desenvolvimento de técnicas e tecnologias?
- Reconheço aspectos sobre os modos de vida no Paleolítico, como o nomadismo e a confecção de instrumentos de pedra lascada?

Capítulo 3 – O processo de sedentarização
- Identifico que o desenvolvimento de técnicas de agricultura e de domesticação de animais foi importante para o processo de sedentarização de diversas comunidades humanas?
- Identifico o papel das técnicas e das tecnologias na alteração dos modos de vida dos grupos?
- Estabeleço relações entre o processo de sedentarização e o surgimento do comércio e das primeiras formas de Estado?
- Reconheço que nem todas as comunidades se desenvolveram da mesma forma e que houve muitos povos que permaneceram nômades e que isso não os torna inferiores ou superiores?

Capítulo 4 – A chegada do ser humano à América
- Conheço as principais teorias científicas sobre as rotas de povoamento do território americano?
- Identifico aspectos dos modos de vida dos primeiros grupos a habitar o continente americano, como formas de registro e outras técnicas e tecnologias desenvolvidas por eles?
- Analiso, em meu cotidiano, a existência de algumas permanências em relação ao modo de vida desses povos, como no consumo de alguns alimentos típicos em minha comunidade que foram domesticados nos períodos estudados?

VERIFICAR
Confira os conhecimentos adquiridos na unidade organizando suas ideias e resolvendo as atividades propostas.

UNIDADE 3

OS POVOS ANTIGOS DO ORIENTE MÉDIO

A partir de 4000 a.C., diversas sociedades que ocupavam o Oriente Médio – região formada atualmente por Afeganistão, Arábia Saudita, Barein, Catar, Emirados Árabes Unidos, Iêmen, Irã, Iraque, Israel, Jordânia, Kuwait, Líbano, Líbia, Omã, Palestina, Síria e Turquia – iniciaram o processo de sedentarização, com a formação de cidades e a instituição de Estados. Essa organização proporcionou o desenvolvimento das atividades comerciais e de estruturas sociais hierarquizadas.

CAPÍTULO 1
Os mesopotâmicos

CAPÍTULO 2
Os fenícios

CAPÍTULO 3
Os persas

PRIMEIRAS IDEIAS

1. Em sua opinião, quais aspectos de um território podem favorecer o estabelecimento de uma comunidade?
2. Pense nas cidades que você conhece. O que há de semelhante entre elas?
3. Que diferenças você identifica entre a área urbana e a área rural do município em que mora?
4. Como você imagina o aspecto das primeiras cidades do mundo?

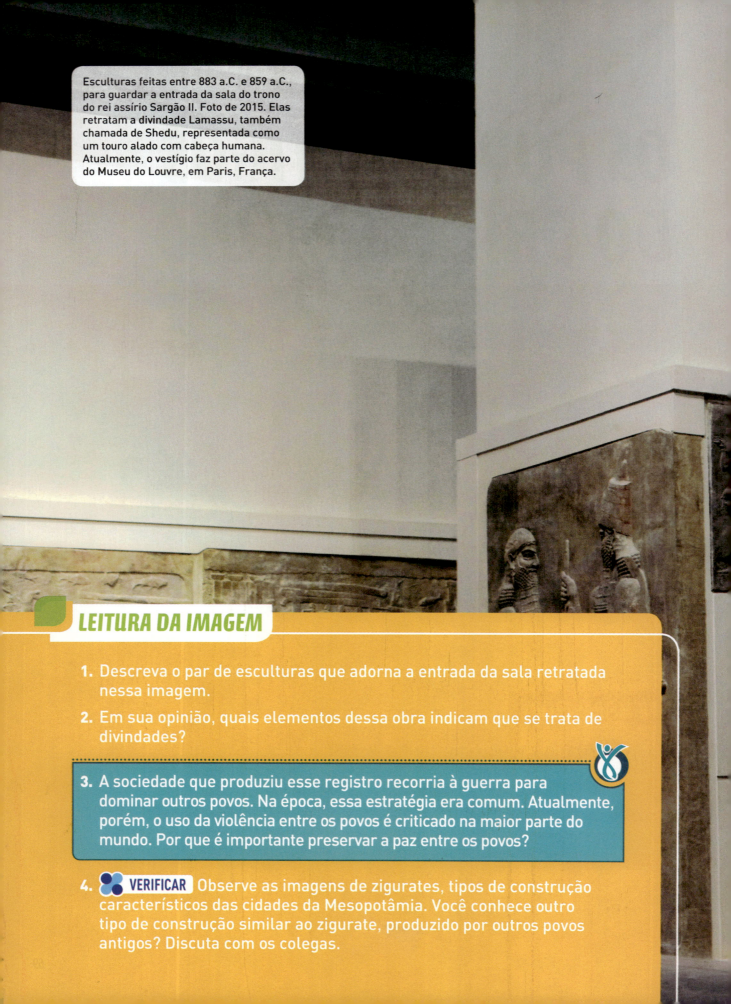

Esculturas feitas entre 883 a.C. e 859 a.C., para guardar a entrada da sala do trono do rei assírio Sargão II. Foto de 2015. Elas retratam a divindade Lamassu, também chamada de Shedu, representada como um touro alado com cabeça humana. Atualmente, o vestígio faz parte do acervo do Museu do Louvre, em Paris, França.

LEITURA DA IMAGEM

1. Descreva o par de esculturas que adorna a entrada da sala retratada nessa imagem.

2. Em sua opinião, quais elementos dessa obra indicam que se trata de divindades?

3. A sociedade que produziu esse registro recorria à guerra para dominar outros povos. Na época, essa estratégia era comum. Atualmente, porém, o uso da violência entre os povos é criticado na maior parte do mundo. Por que é importante preservar a paz entre os povos?

4. **VERIFICAR** Observe as imagens de zigurates, tipos de construção característicos das cidades da Mesopotâmia. Você conhece outro tipo de construção similar ao zigurate, produzido por outros povos antigos? Discuta com os colegas.

Capítulo 1

OS MESOPOTÂMICOS

A palavra mesopotâmia tem origem grega e significa entre rios. Na região mesopotâmica, que corresponde atualmente ao Iraque, à Síria, à Turquia e ao Kuwait, foram construídas as primeiras cidades do Oriente Médio. Você sabe dizer quais fatores contribuíram para o desenvolvimento dessas cidades?

AS SOCIEDADES HIDRÁULICAS

Como estudamos, o domínio sobre o fogo e a domesticação de plantas e animais, além da invenção de utensílios de pedra, cerâmica e metais, favoreceram a sedentarização de diversas comunidades, em diferentes momentos da História.

Um dos lugares em que esses grupos se fixaram, por volta de 4000 a.C., foi a região da Mesopotâmia – localizada na Ásia, mas bastante próxima da África e da Europa –, considerada um importante entreposto de contato entre as culturas desses continentes. As primeiras cidades se desenvolveram próximas aos **rios Tigre** e **Eufrates**, que fertilizavam as terras entre eles.

É possível identificar a região da Mesopotâmia, parte da área chamada de Crescente Fértil, no mapa da página 53. Durante muito tempo, a historiografia tradicional considerou apenas a Mesopotâmia parte do Crescente Fértil, pois acreditava-se que ali teriam surgido as primeiras cidades. Atualmente, porém, no contexto histórico dessa região, é possível aproximar o desenvolvimento dos povos mesopotâmicos ao dos povos do norte da África, ao longo do rio Nilo. As sociedades dessas duas áreas integram, portanto, o Crescente Fértil, caracterizando-se como **sociedades hidráulicas**, ou seja, povos que surgiram e se desenvolveram em áreas próximas de rios.

↓ Vista do rio Tigre na cidade de Hasankeyf, na Turquia. Há vestígios de que a ocupação humana nessa região começou por volta de 8000 a.C. Foto de 2018.

DIFERENTES POVOS, MESMO TERRITÓRIO

Sumérios, acádios, babilônicos, assírios e caldeus foram os principais povos a se estabelecer na região da Mesopotâmia. Durante séculos, eles ocuparam sucessivamente o território e alguns deles chegaram a conviver.

O contato entre os povos mesopotâmicos nem sempre foi pacífico, mas marcado por guerras cujo objetivo principal era obter a hegemonia sobre as áreas férteis e os pontos estratégicos para o comércio. Apesar disso, os contatos favoreceram tanto as trocas culturais – entre elas, de costumes e expressões religiosas – como as de conhecimentos técnicos.

Esses povos tinham em comum, por exemplo, a economia com base na produção agrícola e pecuária, possibilitada, em grande medida, pelas técnicas de irrigação com as águas do Tigre e Eufrates, e o desenvolvimento de estruturas de Estado. Além disso, os mesopotâmicos utilizavam utensílios e ferramentas criados ao longo dos séculos e se caracterizavam pelo politeísmo, isto é, a crença na existência de diversas deidades. Também foram um dos primeiros a desenvolver sistemas de escrita.

A linha do tempo a seguir apresenta a época de hegemonia de alguns dos principais povos mesopotâmicos. Observe-a.

↑ Detalhe de estela de basalto (rocha vulcânica), do século XVIII a.C., na qual se pode observar a representação de Hamurábi, à esquerda, recebendo o código de leis de Shamash, deus da justiça, à direita.

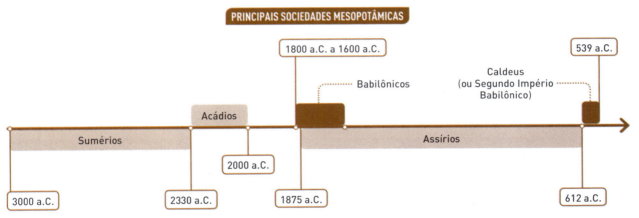

PRINCIPAIS SOCIEDADES MESOPOTÂMICAS

- Sumérios: 3000 a.C.
- Acádios: 2330 a.C. – 2000 a.C.
- Babilônicos: 1875 a.C. – 1800 a.C. a 1600 a.C.
- Assírios: 612 a.C.
- Caldeus (ou Segundo Império Babilônico): 539 a.C.

Os sumérios foram os primeiros a usar as águas dos rios para irrigação, construindo, para isso, diques e canais. Os acádios eram especializados nas atividades de pastoreio de carneiros e de bois. Os babilônicos criaram o primeiro conjunto de leis escritas, chamado Código de Hamurábi, em referência ao governante que o organizou. Os assírios desenvolveram estratégias de guerra e, desse modo, conseguiram alcançar e dominar regiões do Mediterrâneo. Já os caldeus se tornaram exímios construtores, criando tecnologias de engenharia e arquitetura. Ao longo deste capítulo, vamos conhecer melhor os aspectos culturais desses povos, que, apesar de guardar especificidades, tinham muitos aspectos em comum e compartilhavam conhecimentos e tecnologias.

ALIMENTAÇÃO E TECNOLOGIAS

A alimentação dos povos da Mesopotâmia tinha como base o trigo e a cevada. Com o trigo, faziam pão e o *bulgur*, que consistia no cozimento dos grãos desse cereal e era utilizado na alimentação cotidiana. Com a cevada, fabricavam uma bebida fermentada que deu origem à cerveja. Tanto a produção dessa bebida quanto a dos pães evidenciavam o domínio desses povos sobre os processos de fermentação, indicando conhecimentos sobre essa técnica utilizada até hoje na produção de alimentos.

Lentilha, grão-de-bico, feijão, cebola, alface, tâmara e uva também faziam parte da alimentação mesopotâmica e até hoje são importantes para as comunidades do Oriente Médio, caracterizando-se como típicos dessa região. Ao longo de milênios, diversos e complexos fluxos migratórios popularizaram a produção e o consumo desses alimentos, que também são apreciados por muitos brasileiros.

A construção de diques que levavam as águas dos grandes rios para as áreas mais secas possibilitou a fertilização de extensos territórios. Com mais áreas férteis, os povos mesopotâmicos puderam cultivar mais alimentos, tendo excedentes com os quais começaram a realizar trocas.

Na pecuária, destacava-se a criação de cabras, ovelhas, bois e carneiros, que forneciam carne e leite, além de lã e couro. Parte do leite era transformada em queijo e iogurte por processos de fermentação.

A olaria e a produção de cerâmica estavam muito ligadas aos costumes alimentares. Do barro das áreas alagadas, os mesopotâmicos produziam variadas peças de cerâmica e fornos.

> **OS DEUSES E A FARTURA**
>
> O poema babilônico "Enouma Elish" (Poema da Criação), uma das principais fontes históricas sobre os mesopotâmicos, narra o mito da origem desses povos. Nele, é possível destacar os banquetes em que os deuses conversavam sobre alianças, guerras e a criação do mundo e de seus elementos. Durante a refeição, eram servidas carnes e cerveja. Anshar, um dos deuses mais importantes para os sumérios, aparece na obra como o organizador de vários desses banquetes divinos. Com base na análise dessa mitologia, alguns pesquisadores defendem que os mesopotâmicos, especialmente os babilônicos, buscavam a abundância em festas e alimentos para ter uma vida tal como a dos deuses, representada nos mitos.

↓ Detalhe de relevo assírio, feito por volta de 645 a.C., representando a conquista de povos que teriam fugido pelas plantações às margens dos rios mesopotâmicos e seus afluentes. A imagem traz importantes símbolos da fertilidade da região, como as plantações e os peixes no rio.

CONSTRUÇÃO E ORGANIZAÇÃO DAS CIDADES

Na Mesopotâmia desenvolveram-se diversas **cidades-Estado**, assim como ocorreu em outros lugares do mundo na Antiguidade. Cada cidade-Estado tinha autonomia sobre a administração, o governo, as expressões religiosas, etc., porém o conjunto delas apresentava semelhanças culturais, como os deuses cultuados e os idiomas. Ou seja, não havia um governo que centralizasse o poder sobre todas as cidades-Estado, mas relações horizontais entre elas.

Os saberes adquiridos na construção de diques e de canais foram aproveitados para a construção das cidades. Por exemplo, devido à disputa pela região, muitas cidades eram muradas e tinham torres de observação. Essas construções serviam para proteger a população de ataques inimigos e controlar a entrada de estrangeiros.

Os edifícios dedicados aos líderes políticos e aos deuses, como templos, palácios e **zigurates**, eram diversificados e, muitas vezes, suntuosos. Os caldeus foram engenheiros e arquitetos muito habilidosos e acredita-se que tenham sido responsáveis pela construção dos **Jardins da Babilônia**. Não há vestígios materiais dessa construção, mas há referência a ela em fontes escritas de diversos povos antigos, como hebreus e gregos.

Nas cidades, residiam os governantes, chefes religiosos, artesãos, comerciantes e escravos. Estes, geralmente, eram prisioneiros de guerra. Nos espaços urbanos, ocorriam as expressões religiosas, as atividades comerciais e as tomadas de decisões políticas. Devido à estrutura urbana e à localização geográfica estratégica, várias cidades da Mesopotâmia se tornaram grandes centros comerciais, atraindo comerciantes de vários lugares da Ásia, da África e da Europa.

> **PRINCIPAIS CENTROS URBANOS**
>
> As cidades mesopotâmicas que mais deixaram vestígios (como construções, esculturas, cerâmicas com escrita cuneiforme, vasos, etc.) foram Ur, dos sumérios; Babilônia, dos babilônicos; e Nínive, dos assírios. O nome dessa cidade, inclusive, significa cidade muito grande. Muitos dos vestígios das construções dessas cidades antigas podem ser vistos no Iraque atual.

↓ Fachada de zigurate construído por volta do século XV a.C. pela dinastia Cassita, que governou a Babilônia após a queda do governo de Hamurábi. Foto de 2016.

ESCRITA SUMÉRIA

Vários povos ao redor do mundo inventaram formas de comunicação escrita. Os historiadores reconhecem que o desenvolvimento da tecnologia da escrita ocorreu em diversos locais, em momentos mais ou menos simultâneos.

Na Mesopotâmia, os sumérios foram, possivelmente, os primeiros a produzir registros escritos, por volta de 3500 a.C. Os caracteres eram gravados em tabletes de argila úmida com ferramentas de ferro ou de madeira pontiagudas em forma de cunha, por isso o uso da expressão **cuneiforme** para nomear esse sistema de escrita. Posteriormente, essa invenção dos sumérios foi adotada por outros povos mesopotâmicos. Veja, no esquema abaixo, como a maioria dos pesquisadores supõe que essa escrita era produzida.

Ilustração de possível técnica de escrita cuneiforme suméria. Imagem em cores-fantasia.

A porção de argila crua era extraída da margem dos rios e preparada para receber as inscrições. Nesse preparo, ela recebia a forma com a qual ficaria após secar.

Após o preparo, as inscrições na argila eram feitas com utensílios pontiagudos, garantindo mais clareza às formas dos caracteres do que se fossem feitas, por exemplo, com o dedo.

Uma das principais funções da escrita era controlar as trocas comerciais. Os mesopotâmicos produziam tecidos, armas, objetos de cerâmica e excedentes agrícolas que eram trocados por produtos que eles não tinham, como madeira, estanho, cobre, marfim e pedras preciosas, vindos, principalmente do Cáucaso, do Egito, da Pérsia e do Chipre. A maioria desses materiais era utilizada para fabricar objetos que seriam usados pelas elites das cidades-Estado ou exportados para outras regiões do mundo antigo, em troca de mais recursos, de tréguas em conflitos ou de acordos diplomáticos.

As trocas comerciais entre os mesopotâmicos e outros povos deram origem a rotas de comércio que ligavam o Oriente Médio a regiões distantes. Esse comércio se tornou tão complexo que, com o tempo, esses povos passaram a usar cartas de crédito, recibos, escrituras e empréstimos como formas de pagamento. De modo geral, as trocas eram amonetárias, ou seja, não usavam moedas, e o peso dos metais preciosos, como o ouro, servia de base para calcular os preços.

Além do comércio, os povos da Mesopotâmia entraram em contato com os costumes de outras sociedades, trocando e conhecendo práticas e saberes. A escrita suméria, por exemplo, passou a ser utilizada e difundida pelos comerciantes e, dessa forma, foi adotada por outros povos que a adaptaram de acordo com as próprias necessidades.

↑ Pregos de barro adornados com escrita cuneiforme, feitos por volta de 3400 a.C.

O COMÉRCIO E OS MEIOS DE TRANSPORTE

O comércio de longa distância com outros povos só pôde se consolidar entre os mesopotâmicos com o desenvolvimento e o aprimoramento dos meios de transporte. A roda, que já era utilizada nos teares para a produção de tecidos de lã e nas olarias, começou a ser empregada em carroças. O aprimoramento do uso da roda possibilitou maior rapidez e o transporte de mercadorias pesadas tanto para exportação quanto para importação, diminuindo o tempo gasto nos deslocamentos nas rotas comerciais.

O aproveitamento dos rios Tigre e Eufrates para navegação levou ao desenvolvimento de meios de transporte como embarcações, nas quais, com o passar do tempo, foram introduzidos remos e velas feitos de vegetais ou de peles de animais.

Assim como outros povos da Antiguidade, os mesopotâmicos desenvolveram importantes conhecimentos ligados à engenharia, à matemática e à astronomia, entre outros campos do saber. Os caldeus, por exemplo, dominavam conhecimentos de matemática (álgebra e geometria), fundamentais para a construção e o comércio. Em relação à astronomia, construíram torres nos templos para melhor observar os astros. Essas observações permitiam-lhes prever o movimento dos corpos celestes e, assim, identificar as estações do ano e a ocorrência de eclipses, entre outros fenômenos naturais. Isso também possibilitou a esse povo criar calendários, especialmente os lunares, com a divisão da semana em sete dias e do ano em doze meses.

↑ Detalhe de relevo assírio feito no século VIII a.C. Ele mostra uma embarcação típica sendo guiada por um assírio (de pé, à direita). Há destaque para os escravos que possivelmente seriam comercializados, representados sentados ou em menor estatura que o assírio.

AS EXPRESSÕES RELIGIOSAS

Os povos da Mesopotâmia tinham em comum o politeísmo, ou seja, o culto a vários deuses aos quais faziam oferendas. Os deuses mesopotâmicos eram ligados a elementos e fenômenos naturais, como Shamash (o Sol), Anu (o céu) e Sin (a Lua). Os deuses dos povos mesopotâmicos são considerados **antropozoomórficos** pelos pesquisadores atuais.

Geralmente, cada cidade cultuava um deus específico, tido como protetor. Com as sucessivas conquistas de um povo por outro, era comum que o culto ao deus da comunidade derrotada fosse abandonado e substituído pelo culto ao panteão de deuses do grupo conquistador.

Por exemplo, a unificação política e econômica feita pelos babilônicos sobre a Mesopotâmia resultou no aumento do culto ao deus Marduk, considerado protetor da cidade da Babilônia.

↓ Detalhe de relevo babilônico do século X a.C. representando o deus Marduk (à direita) concedendo armas e proteção a um dos líderes da Babilônia.

> ### IGUALDADE NA PARTICIPAÇÃO POLÍTICA
>
> No Brasil atual, a quantidade de mulheres em cargos políticos ainda é baixa. Em 2009, para reverter esse quadro, foi aprovada uma lei que garante que cada gênero represente no mínimo 30% e no máximo 70% das candidaturas nas eleições. A lei gerou o aumento das candidaturas femininas, porém a chegada delas ao poder ainda enfrenta preconceitos.
>
> 1. **COMPREENDER** Observe os dados apresentados pelos gráficos e responda: No Brasil atual, há igualdade na participação política?
> 2. Em sua opinião, por que é importante garantir a igualdade entre homens e mulheres na participação política?
> 3. Por que as mulheres ainda são a minoria na ocupação de cargos políticos? Levante hipóteses e discuta com os colegas.

MULHERES PODEROSAS

Em geral, os pesquisadores afirmam que as sociedades mesopotâmicas eram patriarcais, isto é, sociedades nas quais os homens ocupavam as posições de poder. Porém, o papel das mulheres mesopotâmicas variava de acordo com o grupo social, a cidade e o povo da qual faziam parte. Por exemplo, as mulheres que integravam as famílias das elites das cidades-Estado tinham mais liberdade e possibilidade de exercer o poder do que as camponesas e as artesãs.

A rainha Zenóbia, da cidade de Palmira, na Síria atual, foi uma dessas mulheres. Ela assumiu o governo da cidade no ano 260 d.C., após a morte do marido. Sob seu reinado, Palmira se tornou um império. Em 270 d.C., as tropas de Zenóbia conquistaram toda a Síria, parte do Egito Antigo, chegando até a Ásia Menor. O domínio de Palmira só cessou quando Zenóbia foi derrotada e sequestrada pelos romanos antigos.

No Código de Hamurábi, dos babilônicos, há trechos que indicam que as mulheres dessa sociedade estavam em pé de igualdade com os homens e eram reconhecidas praticamente como iguais nas relações matrimoniais, com direito a se divorciar e a receber heranças.

A posição de sacerdotisa também garantia às mulheres mesopotâmicas mais influência política. Aquelas que conquistavam essa posição podiam aprender a escrita cuneiforme e os conhecimentos de astronomia e matemática, além de se reunir com os governantes para deliberar os rumos políticos. A princesa acádia Enheduanna, filha do rei Sargão I, é um exemplo disso: desempenhou importante papel diplomático durante o governo de seu pai e foi considerada a principal liderança religiosa no período.

↗ Moeda de bronze cunhada no século 3 d.C. com a representação de Zenóbia. Sob o governo dela, a cidade de Palmira ficou conhecida como "pérola do deserto", devido à riqueza de seu reino.

Detalhe de relevo acadiano em calcita branca feito entre 2350 a.C. e 2300 a.C. Ao centro, a princesa Enheduanna liderando cerimônia religiosa. →

ATIVIDADES

RETOMAR E COMPREENDER

1. Sobre a escrita cuneiforme, responda:
   a) Por que ficou conhecida dessa forma?
   b) Com qual finalidade era utilizada?

2. Retome o texto da página 78 e escreva um parágrafo sobre os papéis sociais de destaque desempenhados pelas mulheres da Mesopotâmia.

APLICAR

3. Leia o trecho abaixo e, depois, responda às questões.

> [...] O Eufrates não é um rio manso e amistoso como o Nilo, com uma inundação de fim de verão, regular como um relógio, que prepara a terra para o plantio do trigo no inverno. Os sumérios o chamavam de Buranun, possivelmente "grande inundação impetuosa". Ele transborda de suas margens, de forma errática e imprevisível, durante a primavera, quando a semente já no chão tem de ser protegida [...].
>
> Paul Kriwaczek. *Babilônia*: a Mesopotâmia e o nascimento da civilização. Tradução de Vera Ribeiro. Rio de Janeiro: Zahar, 2018. p. 33.

   a) Como o rio Eufrates é descrito no texto?
   b) Qual é a relação entre o rio Eufrates e o desenvolvimento das cidades mesopotâmicas?

4. Leia o texto, observe a imagem abaixo e, depois, faça o que se pede.

> Susa, a grande cidade sagrada, morada dos deuses deles, sede de seus mistérios, eu a conquistei. Adentrei seus palácios, abri seus tesouros, onde se acumulavam prata e ouro, bens e riqueza... Destruí o zigurate de Susa. Destroei seus reluzentes chifres de cobre. Reduzi a nada os templos de Elam; ao vento dispersei seus deuses e deusas. As tumbas de seus soberanos antigos e recentes eu devastei, e expus ao sol e levei embora seus ossos para a terra de Assur. Devastei as províncias de Elam e em suas terras semeei sal.
>
> Relato do rei Assurbanípal sobre a conquista da cidade de Susa, capital de Elam, em 647 a.C. Em: Paul Kriwaczek. *Babilônia*: a Mesopotâmia e o nascimento da civilização. Tradução de Vera Ribeiro. Rio de Janeiro: Zahar, 2018. p. 18.

↑ **Campanha de Assurbanípal, o último rei da Assíria, contra Susa.** A conquista de Susa é representada de forma gloriosa nesse baixo-relevo, mostrando o saque efetuado na cidade em 647 a.C.

   a) Qual é a relação entre a imagem e o texto?
   b) O que o texto mostra sobre o comportamento dos assírios em relação aos deuses da cidade de Susa?
   c) Em publicações impressas ou digitais, faça uma pesquisa sobre os deuses e as deusas de Elam. O que eles representavam?

5. Leia o trecho abaixo e, com base nele e em seus conhecimentos sobre os povos mesopotâmicos, responda às questões a seguir.

> A situação muda quando Hamurábi assume o trono. O deus supremo passa a ser Marduk, uma versão melhorada de Enlil e Bel, respondendo assim a uma necessidade de Estado e governabilidade do próprio Hamurábi.
>
> Marco A. Stanojev Pereira; Antonio Pacheco Pereira. *Dos deuses sanguinários ao deus do amor*. São Paulo: Masp, 2014. p. 30.

   a) A qual povo os autores se referem quando dizem que o deus supremo cultuado passou a ser Marduk?
   b) Retome a linha do tempo da página 73 e levante hipóteses sobre esta questão: A quais culturas, possivelmente, pertenciam os deuses Enlil e Bel?
   c) Em sua opinião, o que os autores querem dizer ao afirmar que a supremacia religiosa do deus Marduk respondia "a uma necessidade de Estado e governabilidade do próprio Hamurábi"?

79

Capítulo 2
OS FENÍCIOS

Em cerca de 3200 a.C., no litoral leste do mar Mediterrâneo, os fenícios se estabeleceram em uma estreita faixa de terra, nos atuais territórios do Líbano e de Israel. Você sabe que características desse local favoreceram a organização política e as atividades econômicas desse povo?

QUEM ERAM OS FENÍCIOS

Os gregos antigos denominavam as terras situadas a leste do mar Mediterrâneo de Fenícia. Por isso, os habitantes dessas terras passaram a ser conhecidos como fenícios.

No entanto, sabe-se que esse povo tinha outra forma de se autodenominar. Provavelmente, considerava-se cananeu e Canaã seria sua terra natal, assim como para os hebreus. Em hebraico, *kena'ni* – termo do qual provavelmente se originam as expressões Canaã e cananeu – significa **mercador**.

As habilidades comerciais dos fenícios ficaram famosas sobretudo a partir de 1200 a.C., época em que houve a derrocada de impérios como o egípcio e o hitita, permitindo aos fenícios a expansão de seus domínios sobre o litoral do mar Mediterrâneo e o controle das principais rotas comerciais. As características físicas da região favoreciam a navegação. O litoral fenício tinha portos naturais e havia abundância de madeira das florestas. Uma dessas madeiras, o cedro, impulsionou a construção dos navios fenícios.

▼ Vestígios de Baalbek, antiga cidade fenícia, no atual Líbano, em meio a ruínas de construções medievais. Foto de 2016.

A ESCRITA FENÍCIA

Diversos povos antigos da região do Crescente Fértil desenvolveram sistemas de escrita. Mas não foi apenas nessa região que sistemas de escrita foram inventados. Há registros de populações nativas do continente americano que, antes da chegada dos europeus, já tinham conhecimentos de escrita e de registro de numerais. Para alguns pesquisadores, alguns tipos de pintura corporal, por exemplo, também podem ser identificados como inscrições, caracterizando-se como uma forma de escrita diferente da que conhecemos hoje.

O sistema usado pelos fenícios, porém, faz parte da história da escrita utilizada atualmente na maior parte do mundo. Por volta de 3 mil anos atrás, a partir de alguns hieróglifos egípcios, os fenícios desenvolveram uma escrita constituída de 22 símbolos que representavam sons consoantes. Isso significa que cada símbolo representava um som. Por isso, esse sistema de escrita é chamado **fonético** e é semelhante ao sistema de escrita usado atualmente no Brasil e em boa parte do mundo.

A escrita fonética fenícia era mais simples que a escrita de hieróglifos do Egito ou a cuneiforme da Mesopotâmia, nas quais cada símbolo representava uma ideia, uma palavra – o que dificultava o processo de escrita, pois era necessário decorar muitos símbolos para escrever.

A escrita utilizada pelos comerciantes fenícios foi sendo disseminada por meio do contato deles com outros povos do Mediterrâneo e resultou na difusão desse conjunto de símbolos, principalmente entre os gregos e, posteriormente, entre os romanos.

Os contatos comerciais também favoreceram a difusão de outros conhecimentos, como técnicas de navegação e de construção de embarcações, além de saberes relacionados à matemática e à astronomia, importantes para as atividades náuticas.

Detalhe de inscrição fenícia em um sarcófago datado do século V a.C. A palavra alfabeto corresponde à junção das duas primeiras letras do alfabeto fenício, que também iniciam o alfabeto grego: *aleph* e *beth*.

Fenícia Antiga

Fonte de pesquisa: Patrick K. O'Brien (Ed.). *Philip's atlas of world history*. London: Institute of Historical Research, University of London, 2007. p. 38.

Detalhe de relevo fenício, de cerca de 1250 a.C. Há vestígios de representações da Senhora dos Animais em vários sítios arqueológicos do Mediterrâneo.

AS CIDADES-ESTADO

Os fenícios não centralizaram o poder político em um governante. Para muitos pesquisadores, as montanhas que separavam os vales onde esse povo se estabeleceu e os rios que cortavam os territórios fenícios favoreceram a organização em **cidades-Estado** independentes umas das outras. Dessa forma, cada cidade tinha o próprio governante, que poderia ser um rei, uma elite de comerciantes ou uma família influente, de acordo com o costume de cada núcleo fenício. O mesmo ocorria na religião: cada cidade cultuava uma divindade ou um conjunto delas.

Havia, porém, elementos comuns às cidades fenícias, como a língua, o costume de fazer registros escritos, as tecnologias náuticas, o controle de determinadas rotas comerciais e o politeísmo.

O período de 1200 a.C. a 800 a.C. é considerado o auge da cultura fenícia. O desenvolvimento das cidades-Estado era referência para outros povos da época, como gregos e persas.

Veja, no mapa ao lado, a localização da Fenícia e das principais cidades-Estado, como Biblos, Tiro e Sídon. Conheça, a seguir, algumas características dessas cidades.

BIBLOS: A CIDADE DOS PAPIROS

Correspondente à atual cidade de Jubeil, no Líbano, Biblos é considerada a mais antiga cidade não só da Fenícia, mas também do mundo. De acordo com pesquisadores, há vestígios da ocupação de Biblos que datam do ano 5000 a.C.

A elite comerciante dessa cidade exportava principalmente o cedro, usado na construção de embarcações. Em troca, importava bens de variadas culturas e os comercializava com povos do Mediterrâneo. Dessa forma, o comércio fenício foi essencial para as trocas culturais entre os povos dessa região.

Por exemplo: o comércio do **papiro**. Os fenícios compravam esse produto dos egípcios e o revendiam aos gregos. Com o tempo, passaram a ser os principais comerciantes de papiro na Grécia. Por isso, a cidade era chamada pelos gregos de Biblos, cujo significado está ligado ao papiro e à escrita. Esse nome deu origem a termos usados ainda hoje, como biblioteca.

Na verdade, Biblos era conhecida como **Gubal** pelos fenícios, e a divindade adorada era Baalat Gubal, a Senhora de Biblos, considerada a deusa da fertilidade e da maternidade.

TIRO

Tiro ocupava a atual cidade de mesmo nome, no Líbano, e dividia-se em duas regiões: uma mais antiga e pouco habitada, no continente, e outra em uma ilha posicionada em local estratégico, na qual funcionava a vida urbana. Entre 1200 a.C. e 1000 d.C., a cidade tornou-se o maior centro comercial do Mediterrâneo, atraindo o interesse de diversas potências do mundo antigo. Como veremos, Tiro chegou a formar colônias ao longo do Mediterrâneo e, ao longo do tempo, foi dominada por assírios, babilônicos, persas, macedônios e romanos.

Durante o domínio romano, ficou conhecida pela produção e exportação de uma tinta vermelha denominada **púrpura de Tiro**. O pigmento, extraído de uma glândula do molusco múrex, era usado para tingir tecidos, resultando em tonalidades entre as cores rosa e vermelho-escuro. Usar vestes com essas tonalidades se tornou símbolo de poder no mundo antigo. Assim, a cor púrpura passou a fazer parte da identidade dos fenícios. A palavra **fenícia** deriva do grego *phoeínikes*, que significa vermelho.

A divindade cultuada em Tiro era Baal Melcarte, considerado o deus da morte e da ressurreição, fundador de Tiro e o criador da púrpura de Tiro e da navegação para o oeste.

↗ Conchas do molusco *Bolinus brandaris*, uma das espécies utilizadas pelos fenícios para extrair a púrpura de Tiro. Como eram necessários muitos moluscos para produzir uma pequena quantidade do corante, este era um produto muito valioso.

SÍDON

Na atual cidade de Sídon, no Líbano, há vestígios da Sídon antiga, de origem fenícia. O núcleo urbano tornou-se comercialmente próspero em 2000 a.C.

Assim como Tiro, Sídon foi dominada por vários povos, inclusive macedônios e romanos. Durante o domínio romano, iniciou-se nessa cidade a produção de outro tipo de púrpura e de vidro. Não há consenso entre os historiadores se a tecnologia do vidro foi desenvolvida por fenícios ou por egípcios. Sabe-se, porém, que os fenícios de Sídon foram importantes produtores e exportadores de objetos feitos desse material.

↘ Vista da atual cidade de Sídon, no Líbano. Foto de 2017.

AS COLÔNIAS FENÍCIAS

A expansão fenícia a oeste ocorreu não apenas pela navegação, mas também pela fundação de entrepostos comerciais nos diferentes litorais do Mediterrâneo. Por esses entrepostos, era possível alcançar destinos mais distantes. Com o tempo, comunidades fenícias começaram a habitá-los iniciando a colonização. A partir de 2000 a.C., os fenícios fundaram colônias no norte da África, no sul da península Ibérica, nas ilhas Baleares, na Sardenha e na Sicília, como mostra o mapa abaixo. Nessas colônias, eram comercializados todos os produtos cujas rotas de transporte estavam sob o domínio fenício.

Expansão dos fenícios no mar Mediterrâneo

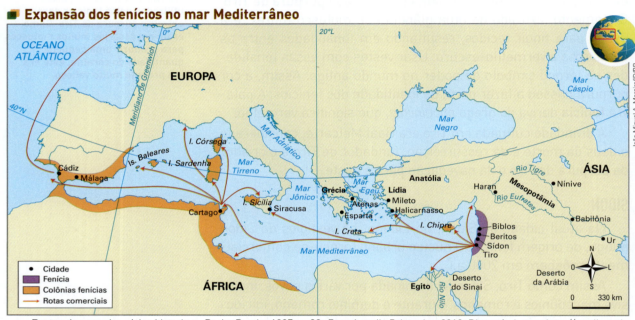

Fontes de pesquisa: *Atlas historique*. Paris: Perrin, 1987. p. 32; *Encyclopedia Britannica*, 2012. Disponível em: <http://media.web.britannica.com/eb-media/99/129199-004-7C458BB3.jpg>. Acesso em: 16 jul. 2018.

 ANALISAR

Veja os principais produtos que circulavam pelas rotas comerciais fenícias. Observe a origem desses produtos e anote suas conclusões sobre o assunto no caderno.

CARTAGO

A colônia fenícia mais bem-sucedida foi Cartago, localizada na atual Tunísia, país do norte da África. Ela foi fundada por comerciantes de Tiro e ocupou territórios estratégicos do Mediterrâneo, a partir dos quais os fenícios puderam controlar o comércio marítimo e dominar o norte da África e o sul da península Ibérica. Em pouco tempo, Cartago deixou a condição de colônia e passou a ser considerada cidade-Estado, na qual cultuavam-se deuses que descendiam das divindades de Tiro: Tanit e Baal Hammon, o casal do qual, segundo a mitologia, Cartago teria se originado.

Seu declínio ocorreu ao longo do século III a.C., quando enfrentou o poderio de Roma e foi derrotada. Os cartagineses eram chamados pelos romanos de punas. Por isso, o conflito entre Roma e Cartago ficou conhecido como Guerras Púnicas.

ATIVIDADES

RETOMAR E COMPREENDER

1. Como a Fenícia estava organizada politicamente? Quais fatores naturais favoreceram essa organização?

2. Quais eram as principais atividades desenvolvidas pelos fenícios? Quais condições geográficas favoreceram essas atividades?

3. Caracterize a religião fenícia de acordo com os elementos apresentados ao longo do capítulo.

APLICAR

4. O texto a seguir refere-se a uma cidade fenícia. Leia-o e responda às questões.

> [...] nessa interminável sequência de conturbações existia um oásis construído sobre rochedos, os quais serviam de proteção natural contra os invasores [...]. Essa condição privilegiada ajudou seus cidadãos a iniciar uma corrida sem paralelo na história antiga. Por onde [seus] navegantes [...] passavam, construíam aldeias, mais parecidas com grandes mercados. Chegaram a alcançar até a região da atual Espanha, onde por volta de 1100 a.C. fundaram a cidade portuária de Gadir – hoje Cádiz – na costa atlântica. [...]
>
> Comércio dos fenícios. Revista *Superinteressante*, 31 out. 2016. Disponível em: <http://super.abril.com.br/historia/comercio-dos-fenicios/>. Acesso em: 16 jul. 2018.

a) O texto se refere a qual cidade fenícia? Que elementos ajudaram você a chegar a essa conclusão?

b) Com base no que você estudou neste capítulo, cite outras características dessa cidade.

5. Os objetos retratados nas imagens abaixo são atuais, mas algumas características deles podem ser relacionadas tanto à cultura fenícia antiga quanto ao nosso cotidiano atual. Considere essa afirmação e observe as fotos. Em seguida, faça o que se pede.

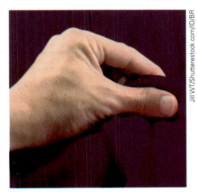
↑ Tecido de cor púrpura.

↑ Vaso de vidro.

↑ Mensagem de texto em *smartphone*.

• Escreva um parágrafo sobre cada um dos objetos acima, explicando de que forma essa relação entre o passado e o presente, afirmada no início desta atividade, pode ser estabelecida com a observação dessas imagens.

6. Além de importadores e exportadores, os fenícios produziam diversos tipos de objeto. Em grupo, pesquisem um país da atualidade que seja importador e exportador de produtos. Busquem informações sobre os principais produtos de importação e de exportação do país selecionado. Em seguida, escrevam um texto, com até três parágrafos, sintetizando as conclusões do grupo sobre essa pesquisa, e apresentem-no à turma.

Capítulo 3 OS PERSAS

O planalto do atual Irã, uma região montanhosa e de poucas planícies, foi o local de origem de um dos maiores impérios da Antiguidade, o Império Persa. Mas, afinal, o que é um império? Você sabe o que caracteriza esse tipo de organização política?

A FORMAÇÃO DO REINO PERSA

Os medos e os persas habitavam regiões próximas e havia trocas comerciais e culturais entre eles. Permaneceram independentes até 550 a.C. Nesse ano, um nobre persa chamado **Ciro**, que descendia dos medos, destronou o rei dos medos e unificou os reinos. Surgia, assim, o Reino Persa, com capital em Pasárgada. Iniciava-se, também, a **dinastia Aquemênida**.

Os principais feitos dos persas estão narrados nos escritos do historiador grego Heródoto. Por meio dessa fonte foi possível aos historiadores buscar outros vestígios sobre o rei Ciro. Há inscrições persas, egípcias e babilônicas que, ao abordar o governo desse rei, indicam que ele se aliou à nobreza persa para iniciar a expansão territorial do reino. Com um exército eficaz, formado por mais de 300 mil soldados, Ciro ampliou as fronteiras persas, dominando povos vizinhos e acumulando riquezas. Durante seu governo, conquistou importantes reinos, como os da Lídia e da Babilônia.

Após a morte de Ciro, em 530 a.C., seu filho Cambises assumiu o trono e prosseguiu com a expansão do reino, que passou a ser chamado de Império após a conquista do Egito.

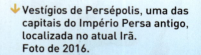
↓ **Vestígios de Persépolis, uma das capitais do Império Persa antigo,** localizada no atual Irã. Foto de 2016.

A DIVERSIDADE CULTURAL DO IMPÉRIO PERSA

Uma das marcas do governo Aquemênida foi a relativa liberdade cultural concedida aos povos conquistados. A estes era permitido manter o idioma, a religião e os costumes locais após o domínio persa, desde que não se insurgissem contra o Império e pagassem corretamente os tributos. Muitas vezes, os governantes locais eram mantidos no poder como representantes do governo persa. Por suas proporções e por permitir a manutenção das tradições locais dos povos conquistados, o Império Persa se caracterizou pelo **multiculturalismo**. Muitos historiadores usam o adjetivo multiétnico para se referir a esse período da história persa.

Em seu auge, o Império governou povos da península Arábica e dos litorais do golfo Pérsico, do mar Cáspio, do mar Negro e do mar Mediterrâneo. O domínio sobre essa vasta região garantia aos persas o controle comercial e militar, já que o trânsito terrestre e marítimo entre a Ásia, a África e a Europa passava por seus territórios.

Porém, para que esse controle fosse efetivo, era necessário ter aliados locais, que acabavam conquistados pela estratégia da preservação de suas culturas no interior do Império. Portanto, havia no mundo persa uma profusão de línguas, religiões e costumes de diferentes povos, e a aproximação entre eles permitiu que se influenciassem mutuamente.

Há registros de que Cambises, após conquistar o Egito, teria se caracterizado como faraó egípcio (e não como imperador persa) para ser reconhecido pelo povo egípcio como legítimo governante da região após as vitórias militares.

Essa estratégia indica que as trocas culturais não apenas favoreciam os povos conquistados, mas também facilitavam o controle por parte do Império e a aceitação do governo persa pelos povos locais.

O IDIOMA PERSA HOJE

No Império Persa, conviviam cananeus, babilônicos, hebreus, egípcios e muitos outros povos de origem semita, embora a origem dos persas não seja essa. Eles fazem parte do grupo chamado **indo-europeu** e compartilham raízes culturais com os gregos, principalmente linguísticas e religiosas: tanto um como o outro eram politeístas e o idioma persa tem semelhanças com o grego antigo.

A população do Irã atual se considera descendente direta dos persas antigos. Apesar de o islamismo ser a religião de mais de 90% dos iranianos e de os cultos dessa religião no país serem ministrados em árabe, este não é o idioma oficial do Irã, mas, sim, o persa.

semita: termo que designa um conjunto de povos antigos do Oriente (como sumérios, babilônios, hebreus, cananeus, amoritas, entre outros) que compartilhavam algumas semelhanças culturais, como idiomas, alfabetos e expressões religiosas. O termo é referente a Shem, que, de acordo com a mitologia dos hebreus, seria o filho de Noé, ancestral dos povos que ficaram conhecidos como semitas.

ORGANIZANDO O IMPÉRIO: SATRAPIAS E SÁTRAPAS

Cambises morreu sem deixar descendentes e o trono do Império foi ocupado por Dario I, seu sobrinho, em 522 a.C. Dario I foi um grande estadista e durante seu governo o Império Persa viveu seu apogeu.

Para governar um Império tão extenso e atender aos interesses da elite política, Dario I lançou mão de duas estratégias: promover a reorganização político-administrativa e adotar um sistema eficiente de administração pública.

Para viabilizar essa estruturação, o Império Persa foi dividido em províncias, chamadas **satrapias**. Elas eram governadas pelos **sátrapas**, líderes que exerciam o poder local. Parte das atividades dos sátrapas era recolher os tributos e entregá-los ao governo central. Os tributos eram proporcionais à riqueza de cada satrapia; por isso, essa riqueza devia ser declarada pelos sátrapas. Para fiscalizar os sátrapas e os demais súditos do Império, foi criado um serviço de informações e espionagem, composto de funcionários de sua confiança.

Para interligar as satrapias e facilitar a comunicação e o comércio entre os diferentes pontos do Império, bem como o envio de tributos à capital, uma ampla rede de estradas foi construída e pavimentada. A principal delas era a Estrada Real, que unia as cidades de Susa e Sardes. Essa estrada tinha cerca de 2 400 quilômetros de extensão, e os súditos demoravam cerca de oito dias para percorrê-la a cavalo. A segurança nos deslocamentos era garantida por patrulhas com mais de cem postos de controle.

↑ Moeda de dárico cunhada em ouro no século V a.C. Moedas como essa eram usadas, principalmente, no pagamento de tributos ao Império Persa. O dárico foi a primeira unidade monetária a ser adotada por diferentes povos.

ANALISAR

Observe o sistema de comunicação desenvolvido pelos persas para a administração de seu império. Depois, compare-o com outros sistemas de comunicação disponíveis na atualidade e escreva no caderno suas conclusões.

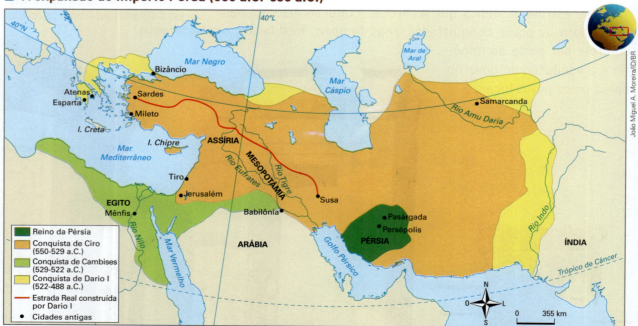

A expansão do Império Persa (550 a.C.-330 a.C.)

Fonte de pesquisa: Jeremy Black (Org.). *World history atlas*. London: DK Publishing, 2005. p. 7.

ARTE E RELIGIOSIDADE PERSA

Os monumentos, os palácios e as obras de arte persas demonstram traços das sociedades egípcias, babilônicas e de vários outros povos. A tapeçaria, uma das expressões clássicas da arte persa, adaptou elementos dessas culturas diversas, mas permaneceu como arte acessível apenas à elite dos povos, para ser apreciada no interior de cômodos particulares.

O principal registro dos feitos de Dario I foi encontrado no monte Behistun, na província de Kermanshah, no atual Irã. Escritas em primeira pessoa, as declarações foram grafadas em três idiomas: persa antigo, elamita e babilônico. Nelas, Dario I registrou suas ações, reafirmando seu poderio sobre diferentes povos. Nessas declarações, a religião do Império Persa se destaca: o **zoroastrismo**.

ZOROASTRISMO

Em suas origens, os persas eram **zoomorfistas**, cultuando deuses representados com formas animais. Também se caracterizavam pela **crença totêmica**, isto é, consideravam símbolos sagrados ou totens determinados elementos da natureza, como o Sol, a Lua, a terra, a água e os ventos, e lhes ofereciam sacrifícios.

Nos séculos VII a.C. e VI a.C, o **zoroastrismo**, religião professada por Zoroastro (628 a.C.-551 a.C.), também conhecido como Zaratustra, começou a se expandir entre os persas, e Dario I foi um dos principais devotos, como afirmam as inscrições de Behistun. Zoroastro negou a adoração de várias divindades e a realização de sacrifícios para homenageá-las. De acordo com os relatos tradicionais, o profeta teria vivido na Ásia Central, em território que corresponde atualmente ao leste do Irã e à região ocidental do Afeganistão.

A nova religião tinha como princípio o **dualismo divino**, ou seja, a luta incessante entre o bem e o mal.

> **LIVRO ABERTO**
>
> *Persépolis completo*, de Marjane Satrapi. São Paulo: Companhia das Letras, 2007.
>
> Nessa história em quadrinhos, conheça a trajetória de uma adolescente iraniana que tenta lidar com a identidade cultural persa e o controle islâmico imposto no Irã em 1979. O enredo, com elementos autobiográficos, também originou um filme lançado em 2008 no Brasil.

> **O BEM E O MAL**
>
> Na mitologia zoroastriana, Ahura-Mazda (ou Sábio Senhor) era considerado a deidade suprema e representava o Bem. Arimã correspondia ao princípio destrutivo, ou seja, o Mal. Os dois deuses estavam em permanente conflito e cabia aos homens praticar boas ações para que Ahura-Mazda prevalecesse.
>
> De acordo com especialistas em história das religiões, o zoroastrismo é considerado uma das primeiras religiões a exigir de seus seguidores uma conduta moral.

← Detalhe de inscrições do monte Behistun, no Irã, com a imagem de Zoroastro. Na parte superior, foram registrados o símbolo do profeta e as declarações, em três idiomas – persa antigo, elamita e babilônico –, sobre os feitos de Dario I. Foto de 2017.

ATIVIDADES

RETOMAR E COMPREENDER

1. Identifique a alternativa que apresenta uma informação incorreta sobre o Império Persa e reescreva-a no caderno, corrigindo-a.
   a) Durante o Império Persa, houve a criação de uma rede monetária unificada, o dárico.
   b) Nessa época, houve a divisão do Império em províncias, chamadas satrapias.
   c) Houve também a construção de estradas e a abertura da Estrada Real.
   d) A vitória dos medos sobre os persas marca a origem do Império Persa.
   e) O zoroastrismo influenciou as grandes religiões monoteístas atuais.

2. Sobre a estratégia política empregada pelo Império Persa para dominar os diferentes povos, responda:
   a) Em quais práticas essa estratégia se baseava?
   b) Houve resistência por parte dos povos conquistados? Explique.

3. Explique com suas palavras o princípio do dualismo divino no zoroastrismo.

4. Retome o mapa da página 88 e responda às questões.
   a) A qual país da atualidade corresponde o território onde se iniciou a sociedade persa?
   b) Que rei persa foi responsável pelo maior número de conquistas territoriais?
   c) Sob qual reinado o Império Persa atingiu sua máxima extensão?
   d) A que corresponde a linha que liga as cidades de Susa e Sardes? Qual é a importância dela?

APLICAR

5. Observe o objeto retratado nesta foto e, depois, responda às questões.

← Objeto persa feito no século XVI d.C.

   a) O objeto acima representa que tipo de expressão cultural persa?
   b) Você conhece objetos como esse? Em caso afirmativo, conte como eles são utilizados e onde você costuma encontrá-los.

ARQUIVO VIVO

O palácio de Persépolis

A família do rei Dario I e de seu filho Xerxes I pertencia à dinastia Aquemênida, que iniciou a notável expansão do Império Persa, a partir do século VI a.C. Para demonstrar poder, os governantes aquemênidas ergueram palácios monumentais em Pasárgada, Persépolis e Susa, as três capitais do Império. Para isso, os persas buscaram inspiração nos povos dominados da Mesopotâmia e também trouxeram artesãos da Grécia. No entanto, o que marcou a beleza das cidades persas foi a habilidade artística e a originalidade dos próprios artesãos persas.

O terraço do palácio de Persépolis tinha cerca de 150 mil metros quadrados e suas paredes chegavam a atingir 13 metros de altura. As paredes externas eram decoradas com baixos-relevos de soldados alinhados, servos, heróis lutando contra leões e outros detalhes. Os vários elementos do palácio revelam a influência de diversas culturas: colunas caneladas à moda grega, baixos-relevos e esculturas inspirados na arte dos assírios, motivos florais à maneira do Egito e painéis de tijolos esmaltados que lembram os palácios da Babilônia.

↑ Detalhe de relevo nas paredes do palácio de Persépolis, no Irã atual. Foto de 2017.

Organizar ideias

1. Identifique na imagem os elementos de origem mesopotâmica e explique as relações entre os persas e esse povo.
2. O palácio de Persépolis não servia apenas como moradia dos governantes e suas famílias. Quais eram os objetivos do governo Aquemênida ao realizar obras como essa?
3. Quais construções na atualidade podem ser comparadas com os palácios persas? O que elas simbolizam?

ATIVIDADES INTEGRADAS

RETOMAR E COMPREENDER

1. Explique a relação entre o nome Mesopotâmia e as características dessa região.

2. De que forma organizavam-se as cidades da Mesopotâmia? Quais são as principais características desse tipo de organização?

APLICAR

3. Observe o mapa abaixo e, depois, faça o que se pede.

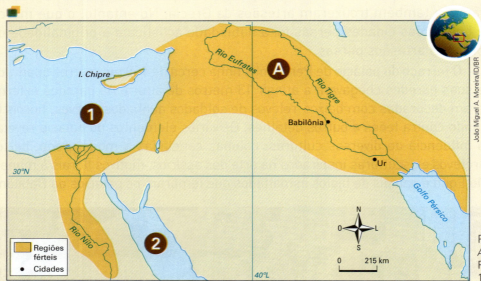

Fonte de pesquisa: *Atlas histórico escolar*. Rio de Janeiro: FAE, 1991. p. 82-83.

a) Com base no que você estudou nesta unidade, que título você daria a esse mapa?

b) Identifique o nome dos lugares correspondentes à letra **A** e aos números **1** e **2**.

c) Vários povos antigos habitaram as áreas indicadas no mapa. Escolha um deles e escreva um parágrafo com as principais características culturais do povo que selecionou.

d) Com base no mapa e nos parágrafos elaborados, formule com a turma um novo parágrafo, relacionando os povos antigos do Oriente Médio que vocês estudaram nesta unidade. No texto, indiquem as características culturais dos povos, os territórios ocupados por eles e as temporalidades em que viveram.

ANALISAR E VERIFICAR

4. O texto abaixo aborda o surgimento dos primeiros sistemas de escrita. Leia-o e faça o que se pede a seguir.

> No começo, eram os pictogramas. A escrita era feita com desenho das coisas, representando as palavras usadas para designar essas coisas.
>
> [...]
>
> Os nomes dos caracteres eram os nomes das próprias coisas. Essa escrita, chamada ideográfica, era fácil de ser entendida em muitas línguas. Com o passar do tempo, [...] viu-se que havia um grande problema: os símbolos eram muito numerosos, assim como a relação de coisas a serem representadas [...]. Os pictogramas cederam lugar, então, aos silabários, sinais representando sons de sílabas. [...]
>
> Com isso, houve uma redução enorme no número de caracteres necessários à composição de palavras.
>
> Luiz Carlos Cagliari. *A origem do alfabeto*. Disponível em: <http://dalete.com.br/saber/origem.pdf>. Acesso em: 16 jul. 2018.

a) Copie o quadro abaixo no caderno e complete-o com as informações que faltam sobre os primeiros sistemas de escrita da Antiguidade.

Sistema de escrita	Característica
Escrita pictórica	
Escrita ideográfica	
	Cada símbolo representa um som (no início, eram os sons das sílabas).

b) O alfabeto com reduzido número de caracteres foi difundido no Mediterrâneo por qual povo da Antiguidade? Que atividade exercida por esse povo favoreceu essa difusão?

5. Observe a imagem abaixo. Depois, responda às questões a seguir.

↑ Detalhe de mosaico do Palácio de Persépolis, em Susa, atual Irã.

a) A qual povo antigo pertence essa manifestação cultural?
b) Como as personagens foram representadas (quais objetos carregam, como são as vestes, que características físicas apresentam, etc.)?
c) Essa forma de representação se parece com as formas de representação de outro povo antigo que você estudou? Em caso afirmativo, de qual povo? Quais seriam as semelhanças?

CRIAR

6. Forme dupla com um colega. Revejam as imagens de abertura dos capítulos desta unidade. Escolham uma das imagens e criem uma peça de propaganda para promover a visita turística ao vestígio arqueológico retratado. A peça pode ser um vídeo, um áudio ou um folheto, e a pesquisa sobre o vestígio arqueológico pode ser feita em publicações impressas ou digitais. Ao final, lembrem-se de informar as fontes pesquisadas. Na data combinada, apresentem a produção à turma.

7. Na atividade 3 da abertura desta unidade, você refletiu sobre a cultura de paz entre os povos. No cotidiano, essa cultura também é muito importante para garantir o bem-estar, o respeito e a dignidade dos indivíduos. Reúna-se com os colegas para conversar sobre esse tema e elaborar uma lista de atitudes que favoreçam a cultura de paz nas relações do dia a dia.

IDEIAS EM CONSTRUÇÃO - UNIDADE 3

Capítulo 1 – Os mesopotâmicos
- Identifico as principais formas como os diferentes povos antigos ocuparam a região da Mesopotâmia e por que a localização dessa região é estratégica no mundo antigo?
- Reconheço a diversidade de contato entre os povos mesopotâmicos, seja por atividades comerciais, seja por guerras e conflitos pelo controle da região?
- Analiso as permanências culturais desses povos nas manifestações culturais de outros povos antigos do Oriente Médio?
- Identifico os principais papéis femininos nas sociedades da Mesopotâmia?

Capítulo 2 – Os fenícios
- Compreendo a importância das atividades fenícias para as trocas culturais entre os povos antigos da Europa, da África e da Ásia?
- Identifico de que modo a ação desse povo foi importante para a difusão do uso do alfabeto, contribuindo para a popularização da escrita fonética?

Capítulo 3 – Os persas
- Reconheço as estruturas político-administrativas do Império Persa, identificando as especificidades desse modelo de Estado do mundo antigo?
- Verifico as influências de outros povos antigos sobre as expressões culturais dos persas antigos?
- Identifico o modo como os persas lidaram com os povos dominados e a importância dessa medida para a manutenção de culturas e o controle do Império?

VERIFICAR
Confira os conhecimentos adquiridos na unidade organizando suas ideias e resolvendo as atividades propostas.

UNIDADE 4

A ÁFRICA ANTIGA

Considerado berço da humanidade, o continente africano também abrigou sociedades que desenvolveram Estados e formaram grandes impérios na Antiguidade.

Os reinos africanos tinham relações comerciais com diversos povos antigos e também guerreavam entre si e com semitas e romanos pela hegemonia das áreas fertilizadas pelos diferentes rios africanos, como o Nilo, um dos maiores do mundo.

CAPÍTULO 1
Culturas ribeirinhas e tradição Nok

CAPÍTULO 2
Povos do Nilo

CAPÍTULO 3
O Império de Axum

PRIMEIRAS IDEIAS

1. Por que, na Antiguidade, as áreas próximas aos rios motivaram disputas entre diferentes povos? Atualmente, essas áreas costumam ser disputadas? Elas ainda são importantes? Por quê?

2. Você já ouviu falar de alguma das culturas citadas nos títulos dos capítulos acima? Em caso afirmativo, compartilhe seus conhecimentos com os colegas.

3. Que motivos levaram os Estados da Antiguidade a construir obras gigantescas que necessitavam do esforço de muitos trabalhadores e de recursos que poderiam ter sido empregados para outros fins? Na atualidade, essa prática é comum? Explique.

DEIMOS IMAGING/UrtheCast Company

LEITURA DA IMAGEM

1. Quais elementos naturais podem ser observados na imagem? E quais elementos indicam intervenções humanas?

2. Entre os elementos que resultam da ação humana, quais você considera serem feitos pela sociedade egípcia na Antiguidade? E quais seriam os atuais? Explique suas hipóteses.

3. Atualmente, os habitantes da cidade do Cairo enfrentam problemas como poluição atmosférica e das águas do rio Nilo. Esses problemas ocorrem no município em que você mora? Por que é importante criar estratégias para diminuir a poluição do ar e das águas?

4. **ANALISAR** Observe as imagens e identifique semelhanças e diferenças entre as figuras retratadas. Em seguida, faça uma tabela no caderno para registrar suas observações.

Imagem de satélite que mostra as pirâmides de Gizé e a cidade do Cairo, no Egito, em 2017.

Capítulo 1
CULTURAS RIBEIRINHAS E TRADIÇÃO NOK

O continente africano é considerado o berço da humanidade, pois lá surgiram os Homo sapiens e também as primeiras sociedades. O que você sabe sobre as primeiras sociedades que se organizaram nesse continente? Que relação existe entre essas sociedades e os grandes rios africanos?

oásis: área no interior dos desertos que apresenta uma pequena fonte de água e alguma vegetação.

↓ Dança do povo Hamer, que habita o vale do rio Omo, na Etiópia. Os Hamer desenvolveram, ao longo de milênios, técnicas de pastoreio e de metalurgia. Foto de 2017.

MUDANÇAS NA PAISAGEM

O continente africano, devido à grande extensão, apresenta diversos tipos de ambiente. Ao longo de milênios, esse continente passou por intensas mudanças naturais e isso teve impacto nas formas como as comunidades ocuparam o território. Este, porém, não é o único fator a determinar os modos como as diversas comunidades habitaram o continente africano.

A partir de cerca de 5000 a.C., a gradativa diminuição das chuvas em grande parte desse continente causou o desaparecimento de muitos lagos e rios. Esse processo se acentuou após 2400 a.C. A estiagem e a escassez de fontes de água reduziram a quantidade de espécies vegetais e animais, e algumas delas chegaram a desaparecer em muitos locais.

Nessa época, formou-se o deserto do Saara, com poucos oásis isolados. As margens de rios e lagos, por sua vez, foram as áreas em que muitas comunidades passaram a se concentrar, pois favoreciam a prática de atividades de coleta e de caça. Conhecidas pelos pesquisadores como **culturas ribeirinhas**, essas comunidades desenvolveram diversas técnicas e tecnologias agrárias que ampliaram a produção de alimentos.

VÁRIOS RIOS, MUITOS POVOS

As margens dos poucos rios mais caudalosos que restaram no continente africano, como o Nilo, o Níger e o Senegal, e também as margens do lago Chade, passaram a ser muito disputadas. Por serem áreas férteis, as práticas agrícolas e pecuárias nessas regiões eram favorecidas e, com o passar do tempo, foram sendo aprimoradas. Por isso, nesses locais, a Revolução Neolítica foi bastante intensa e influenciou as comunidades que habitavam outras áreas do continente africano.

Nessas regiões, surgiram os primeiros Estados, organizando as primeiras sociedades urbanas, assim como seus recursos. Os diferentes tipos de Estado expressavam a diversidade de formas de organização de comunidades densamente povoadas.

O Egito faraônico, o Império de Cuxe, as sociedades sul-saarianas da África Ocidental e o Império de Axum, entre muitos outros, são alguns exemplos de sociedades que fazem parte da **Antiguidade Africana**.

Entre o final do século XIX e o início do XX, os pesquisadores da área de História Antiga consideravam objeto de estudo apenas a sociedade egípcia antiga, desprezando as outras culturas africanas.

O próprio conceito de antiguidade nesse período também era restrito, referindo-se apenas às culturas antigas que deixaram vestígios escritos, como a dos gregos, dos romanos e de alguns povos mesopotâmicos, além dos egípcios.

Porém, como vimos nas unidades anteriores, para os movimentos historiográficos atuais, todas as expressões culturais são valiosas e devem ser objetos das pesquisas históricas.

OS PRIMEIROS ALDEAMENTOS

Os grupos humanos que habitavam as margens dos rios e lagos africanos formaram, no decorrer do tempo, pequenos aldeamentos. Praticavam a caça e a coleta e tornaram-se exímios pescadores, construindo canoas muito eficientes. Produziam também instrumentos de osso e de pedra, chamados **microlíticos**, como anzóis, machados, facas e lanças.

Alguns grupos desenvolveram a técnica da cerâmica para armazenar e cozinhar os alimentos. A cerâmica africana é uma das mais antigas do mundo, datando de cerca de 8000 a.C.

↑ Pote de cerâmica de cerca de 2040 a.C.-1660 a.C., encontrado na cidade de Querma, atual Sudão.

CULTURA NOK E OUTRAS DESCOBERTAS

A cultura Nok desenvolveu-se por volta dos séculos VI a.C. a II d.C., às margens do rio Níger, no centro da atual Nigéria. Pelas características dessa sociedade, a maioria dos pesquisadores considera que essa cultura pertenceu ao Neolítico africano.

Ainda não se sabe se a cultura Nok era formada por um ou mais povos, já que ainda não foi possível identificar se os vestígios encontrados pertencem a apenas uma comunidade ou a várias delas. Dessa forma, convencionou-se atribuir a autoria desse conjunto de fontes históricas à cultura Nok ou tradição arqueológica Nok, outra expressão usada para defini-la.

Os artefatos foram encontrados de maneira inusitada: trabalhadores de uma mina encontraram uma escultura de cerâmica. Era o primeiro vestígio atribuído à cultura Nok. A busca por outros vestígios trouxe importantes resultados, como a redescoberta de outras culturas ou tradições da África Antiga.

A partir dos anos 1960, por exemplo, foram encontradas na África Ocidental as culturas antigas ou tradições Dhar Tichitt, na atual Mauritânia, Jenné-Jeno, no atual Mali, e Igbo-Ukwu, na atual Nigéria. Os povos dessas culturas ou tradições desenvolveram tecnologias diversas, como utensílios de pedra polida, moradias e artefatos de cerâmica e ferramentas de bronze, respectivamente. No caso da tradição Dhar Tichitt, sabe-se que era de povos seminômades e dedicados ao pastoreio. Já os das tradições de Jenné-Jeno e de Igbo Ukwu eram, provavelmente, sedentários e realizavam práticas agrícolas.

↗ Detalhe de estatueta de terracota atribuída à tradição Nok, encontrada na atual Nigéria, representando uma figura feminina.

tradição arqueológica: conjunto de vestígios arqueológicos encontrados em determinado local e que se referem a modos de vida específicos. Porém, como não se sabe os nomes desses grupos ou se constituem um único povo, costuma-se nomear as tradições de acordo com o local onde foram encontrados os vestígios.

↙ Arqueólogos em escavação do sítio de Nok, Nigéria atual. Foto de 2016. É possível identificar alguns dos artefatos encontrados, como esculturas e vasos com hastes.

CARACTERÍSTICAS DAS COMUNIDADES NOK

Um dos principais vestígios da cultura Nok são as esculturas em argila cozida, técnica conhecida como terracota. Com base na análise dessas esculturas e de outros vestígios materiais, como sementes, ossos de animais, fundações de cabanas, restos de fogueiras, entre outros, os arqueólogos e historiadores tentam desvendar as características dessa cultura.

As esculturas reproduzem figuras de seres humanos e de animais, procurando expressar as emoções das pessoas representadas (veja as imagens da página 100).

Até o momento, sabe-se que os habitantes da antiga Nok moravam em aldeias agrícolas. Plantavam sorgo, inhame, dendê e abóbora em grande quantidade, na região chamada atualmente de planalto de Jos, no centro da atual Nigéria.

Além disso, eles foram os pioneiros no domínio da técnica da fundição de ferro no continente africano, no século VI a.C. A fundição de ferro e a criação de esculturas elaboradas indicam a existência de uma sociedade organizada. Os povos da tradição Nok dominavam processos como a extração e a transformação do minério de ferro. Com esse metal, produziam ornamentos, como colares e pulseiras, lanças e instrumentos agrícolas, como os arados. Eles também dominavam as técnicas de trabalho com o barro e o cozimento das peças de cerâmica.

A cultura Nok desapareceu por volta do século II por motivos ainda desconhecidos. Uma hipótese são as mudanças ambientais que dificultaram a agricultura na região ocupada pelos povos dessa cultura. Também há teorias que suspeitam de ataques de povos seminômades.

O CULTIVO DO SORGO

Relativamente pouco conhecido na culinária brasileira, o sorgo, assim como o arroz, o milho, o trigo e a cevada, é considerado um dos cereais mais importantes da história da alimentação humana.

Um dos primeiros gêneros agrícolas domesticados, os vestígios mais antigos do cultivo de sorgo datam de mais 5 mil anos atrás, no continente africano.

↑ Pés de sorgo em plantação na Lombardia, Itália. Foto de 2017.

↓ Vestígios da cultura Nok em caverna no norte do Togo. Foto de 2012. Essas fontes materiais podem indicar a alta densidade demográfica dos povos Nok.

ATIVIDADES

RETOMAR E COMPREENDER

1. Observe o mapa abaixo e responda às questões.

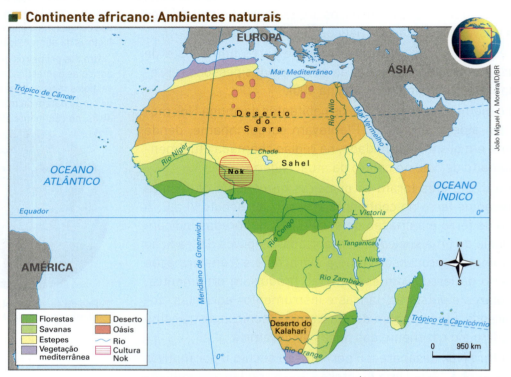

Fonte de pesquisa: Marina de Mello e Souza. *África e Brasil africano*. 3. ed. São Paulo: Ática, 2013. p. 13.

a) Em que ambientes naturais de desenvolveram as antigas culturas ribeirinhas e a cultura Nok?

b) Por que esses povos estabeleceram-se nas proximidades de fontes de água?

APLICAR

2. Agora, leia o texto do historiador Alberto da Costa e Silva e, depois, responda às questões.

> O penteado que ostenta – uma série de coques, cheios e bem armados – indica o refinamento a que haviam chegado os homens e as mulheres de Nok. Seus cabelos se arranjavam em formas variadíssimas e extremamente elaboradas.
> [...]
>
> Pode dizer-se que a gente de Nok vestia-se de contas. Veem-se, em algumas terracotas, encachos [tangas] que deviam ser feitos de couro e miçangas. Ou simplesmente de fieiras [fios] de contas. Numerosos eram os colares a lhes descerem do pescoço, e as argolas e as pulseiras a lhes encherem os braços.
>
> Alberto da Costa e Silva. *A enxada e a lança*: a África antes dos portugueses. Rio de Janeiro: Nova Fronteira, 2011. p. 172.

a) Que características da cultura Nok são abordadas pelo autor nesse trecho? Quais delas podem ser observadas na escultura da página 100?

b) De que materiais são feitos os objetos citados pelo autor? Esses materiais são utilizados na atualidade? Como?

HISTÓRIA DINÂMICA

Transformações na historiografia sobre os povos da África Antiga

Até o início do século XX, o continente africano era visto por muitos intelectuais, principalmente pelos europeus, de uma maneira superficial e preconceituosa. Diversos pesquisadores da época acreditavam que a população da região norte do continente africano era semelhante à da Europa, devido à proximidade geográfica, e que, salvo essa exceção, a maioria dos povos africanos era muito diferente dos europeus e integrava um grupo social inferior. Por isso, acreditavam que os africanos não tinham uma história.

O desenvolvimento das ciências sociais, ao longo do século XX, tornou essa visão sobre o continente africano desacreditada, tendo em vista que todas as sociedades e as culturas da África foram e são tão complexas e importantes quanto as demais culturas e os demais povos do mundo. Desde então, a história dos povos africanos vem sendo (re)construída e valorizada.

O conjunto de escrituras sobre a África, em particular entre as últimas décadas do século XIX e os meados do XX, contém equívocos, pré-noções e preconceitos recorrentes, em grande parte, das lacunas do conhecimento, quando não do próprio desconhecimento sobre o continente africano. [...]

Pela ocultação da complexidade e da dinâmica cultural próprias da África, torna-se possível o apagamento de suas especificidades em relação ao continente europeu e mesmo ao americano. [...] Aproximando por analogia o desconhecido ao conhecido considera-se que a África não tem povo, não tem nação nem Estado; não tem passado, logo, não tem história.

[...] Teria havido uma cisão, em tempos remotos, entre uma África branca com características mais próximas das ocidentais, mediterrâneas, e uma África negra, que se ignoravam mutuamente porque, separadas pelo deserto do Saara, ficavam privadas de comunicação. [...]

No entanto, destoam dessas afirmações as obras que, se valendo de importante documentação obtida em arquivos da África e da Europa, apontam os intercâmbios entre as Áfricas, além de ressaltar a historicidade das sociedades subsaarianas e a complexidade, em graus diferenciados, de suas organizações sociais e políticas. [...]

Em meados do século XX, pouco a pouco, a historiografia e a antropologia sobre a África foram reconhecidas e tratadas de maneira crescentemente crítica, abrindo possibilidades para que os preconceitos pudessem vir a ser questionados.

Leila L. Hernandez. *A África em sala de aula*: visita à história contemporânea. São Paulo: Selo Negro, 2008. p. 17-23.

Em discussão

1. Até o século XX, os europeus entendiam que o continente africano se dividia em duas regiões bastante diferentes. Quais eram essas regiões e por que eram diferentes?
2. De acordo com o texto, o que motivou os europeus a ver a África dessa forma?
3. Atualmente, qual tem sido a perspectiva adotada pelos historiadores e outros pesquisadores ao estudar os povos antigos do continente africano?

Capítulo 2

POVOS DO NILO

O vale do rio Nilo começou a ser povoado entre 9 mil e 8 mil anos atrás e, ao longo do tempo, esse rio desempenhou papel fundamental na vida dos povos que se estabeleceram às suas margens, chegando a ser considerado uma divindade. Você sabe por que o rio Nilo foi tão importante para esses povos?

delta: tipo de foz (local onde o rio desemboca) em que se forma um triângulo.

NILO, O RIO DEUS

O rio Nilo é o maior rio do continente africano e um dos mais extensos do mundo, abrangendo países como Uganda, Tanzânia, Ruanda, Quênia, República Democrática do Congo, Burundi, Sudão, Sudão do Sul, Etiópia e Egito atuais. No Egito, está localizado o delta do rio Nilo, que deságua no mar Mediterrâneo. O Nilo recebe diferentes nomes nas localidades por onde passa. Ao longo da história, também foi denominado de diversas formas.

Os nomes dados pelos povos da África Antiga geralmente associavam o Nilo a alguma divindade. Essa característica cultural evidencia a importância das águas desse rio e das terras fertilizadas por ele para a sobrevivência das comunidades. Inicialmente, ele foi associado ao deus Hapi, considerado um dos criadores do mundo. Os pontos cardeais também eram determinados pela posição da nascente do rio. Por isso, a maioria desses povos se orientava tendo por base o sul, onde nasce o rio e, segundo os mitos, onde surgiu todo o Universo.

À medida que a mitologia se tornava mais complexa, o Nilo foi relacionado a um dos principais deuses da cultura egípcia antiga: Osíris, senhor da fertilidade e da morte. O fato de o rio cortar uma área de deserto e de suas margens serem uma das únicas áreas férteis da região contribuiu para que associações como essa fossem feitas.

↓ Vista de Cartum, capital do atual Sudão. A cidade é entrecortada por dois afluentes do rio Nilo (o Nilo Branco e o Nilo Azul) e pelo Nilo principal. Na imagem, é possível notar a intensa urbanização das margens do rio Nilo principal. Foto de 2018.

104

A FORMAÇÃO DOS PRIMEIROS ESTADOS

Na região do delta e ao longo do vale do Nilo, foram encontrados sítios arqueológicos neolíticos de diversas sociedades. As mais antigas se estabeleceram entre 6000 a.C. e 5000 a.C., como revelaram indícios de cultivo de grãos e da elaboração de cerâmicas e de objetos de cobre.

As principais teorias apontam que as primeiras aldeias assentadas às margens do rio Nilo eram de povos que vieram do Oriente Médio, pois foram encontrados vestígios de espécies vegetais nativas dessa região e não de outras partes do continente africano, além de vestígios das técnicas e das tecnologias agrícolas empregadas por esses povos. Esses indícios indicam que as populações que passaram a habitar o vale do Nilo conheciam manejos hidráulicos comumente utilizados na Pérsia e na península Arábica.

As comunidades desenvolviam a agricultura às margens do Nilo adaptando-se às **cheias** – épocas de chuva, em que as águas do rio subiam e alagavam as margens – e às **vazantes** – épocas de estiagem com a consequente diminuição do nível do rio. Nas épocas de alagamento, essas comunidades tinham a preocupação de proteger as plantações e de armazenar a água em diques para utilizá-la nos períodos em que o recurso não era abundante. Nas épocas de seca, quando as águas do Nilo baixavam, aproveitavam os solos fertilizados por nutrientes depositados nas margens do rio para fazer o cultivo.

Com o passar do tempo, em um processo que levou séculos, essas comunidades começaram a se organizar em reinos, chamados **nomos**. Cada nomo tinha um governante, o **nomarca**. Por volta de 3400 a.C., os nomos estavam agrupados entre as regiões do Baixo Egito (próximo ao delta do rio Nilo, ao norte do continente) e do Alto Egito (trecho continental do rio Nilo, ao sul). O processo de unificação dos dois agrupamentos deu origem ao Império Egípcio Antigo.

> **LIVRO ABERTO**
>
> *Egito Antigo: contos de deuses e faraós*, de Marcia Williams. São Paulo: Ática, 2012 (Coleção Clássicos em Quadrinhos).
> Conheça alguns dos mitos da cultura egípcia antiga por meio dessa obra, que é uma história em quadrinhos. Deusas, deuses, rainhas, faraós, escribas e camponeses são as personagens que dão vida aos mitos que evidenciam o modo como os egípcios antigos compreendiam o mundo.

A unificação do Egito e o Império faraônico

A história do Império Egípcio pode ser organizada de diversas formas. Tradicionalmente, ela é dividida em três períodos: Antigo Império (aproximadamente de 2575 a.C. a 2134 a.C.), Médio Império (cerca de 2040 a.C. a 1640 a.C.) e Novo Império (1550 a.C. a 1070 a.C.). A centralização do poder no faraó e a rígida estrutura social caracterizaram essas fases do Império Egípcio.

Por volta de 3200 a.C., houve uma disputa pelas terras férteis entre os nomos do Alto Egito e do Baixo Egito. O conflito foi vencido pelo Alto Egito e resultou na unificação dos reinos.

A partir da unificação, a autoridade máxima sobre o Egito passou a ser o **faraó**. Os nomarcas respondiam apenas a ele e eram considerados representantes do faraó no nomo.

Os egípcios eram politeístas e acreditavam que o faraó era um deus encarnado. Portanto, o faraó tinha o poder político, militar e religioso. Essa forma de governo é chamada de **monarquia teocrática**.

Deus Rá — Deusa Maat

O poder dos faraós era hereditário. Geralmente, passava do pai para o primogênito (o filho mais velho).

A coroa e o cetro eram os principais símbolos do poder dos deuses e, por isso, eram os principais objetos usados pelo faraó.

Abaixo do faraó, a sociedade egípcia se organizava em grupos distintos e a posição social também era hereditária.

Sacerdotes
Responsáveis pelas atividades religiosas e administrativas dos templos.

Burocratas
Funcionários do Estado, eram responsáveis pela administração do Egito. Entre eles destacavam-se os escribas, responsáveis por todos os registros escritos do Império.

Militares
Funcionários do Estado, eram responsáveis pela proteção do Egito, pela conquista de novos territórios e pela captura de escravos.

Nobres
Responsáveis pela liderança e organização dos nomos. São os nomarcas e suas famílias.

Camponeses
Agricultores, pastores e artesãos que pagavam tributos ao faraó em forma de trabalho forçado. A maioria da população egípcia fazia parte desse grupo.

Escravos
Prisioneiros de guerra, eram encarregados de trabalhar nas obras públicas, nas pedreiras e nas minas, desempenhando atividades consideradas perigosas.

Os egípcios acreditavam que, após a morte, os indivíduos eram julgados pelos deuses. Se fossem considerados justos, poderiam retornar à vida no mesmo corpo. Para que isso acontecesse, era preciso que o corpo estivesse conservado. Por isso, eles desenvolveram processos de mumificação.

O ritual funerário e o processo de mumificação da elite egípcia eram complexos e variaram de acordo com a época.

O ritual funerário e a mumificação dos camponeses eram simples: o corpo era tratado com uma mistura à base de vinho e enterrado no deserto. O calor e a baixa umidade desidratavam naturalmente o cadáver.

A mumificação

Os órgãos eram retirados do corpo e colocados em vasos chamados canopos. Houve épocas em que o coração não era extraído, por representar o centro da vida.

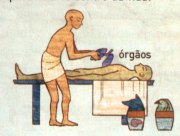
órgãos

Depois, o corpo ficava repousando, por cerca de 40 dias, em uma solução de água e sal, para desidratar e matar as bactérias.

sal
água

Após a desidratação, o corpo era preenchido com serragem, ervas aromáticas e textos sagrados.

serragem

Em seguida, o corpo era enfaixado com ataduras de linho branco embebidas de uma resina que favorecia a conservação. Todo o processo de mumificação levava cerca de 70 dias.

Por fim, o corpo era guardado no sarcófago. Parte do ritual fúnebre era levar o sarcófago, os principais tesouros e os escravos pessoais do morto para as mastabas, os túmulos egípcios.

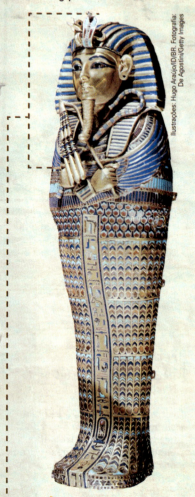

Ilustrações: Hugo Araújo/ID/BR. Fotografia: De Agostini/Getty Images

↑ Sarcófago de Tutâncamon, do século XIV a.C.

Geralmente, os faraós eram sepultados com uma máscara mortuária de ouro que cobria todo o rosto. A importância do morto na sociedade egípcia se refletia no tamanho de sua mastaba. Uma das principais teorias para a construção das pirâmides é que serviriam como túmulos para os faraós.

 COMPREENDER

Aprofunde seus conhecimentos sobre a cultura egípcia e registre no caderno o que mais chamou sua atenção.

Fontes de pesquisa: Arnoldo W. Doberstein. *O Egito Antigo*. Porto Alegre: EdiPUCRS, 2010. p. 39-59; 75 e 80. Disponível em: <http://www.pucrs.br/edipucrs/oegitoantigo.pdf>. Acesso em: 17 jul. 2018; Barry J. Kemp. *Ancient Egypt*: anatomy of a civilization. New York: Routledge, 2006. p. 60-92; Ian Shaw. *The Oxford history of Ancient Egypt*. New York: Oxford University Press, 2000. p. 41-107; The British Museum. Disponível em: <http://www.britishmuseum.org>; The Metropolitan Museum of Art. Disponível em: <http://www.metmuseum.org>. Acessos em: 17 jul. 2018.

A AGRICULTURA E OUTRAS TÉCNICAS

Como vimos, uma das bases da sociedade do Egito Antigo era a agricultura praticada nas margens do rio Nilo. Nessa atividade, utilizavam-se pás, foices, enxada e arados movidos por gado. Papiro, linho, cevada, trigo e verduras eram os principais produtos cultivados. Os egípcios da Antiguidade também criavam bovinos, caprinos e aves, que eram utilizados no trabalho (para locomoção, tração de arados, etc.), na alimentação das pessoas e em algumas cerimônias religiosas. As imagens desta página são reproduções de importantes fontes históricas sobre o trabalho na sociedade egípcia do passado.

Com o linho era fabricado um tipo de tecido considerado nobre e do papiro era feita uma espécie de folha, que foi utilizada por egípcios, fenícios e gregos para registros escritos. Tanto o processo de fabricação do linho quanto o do papiro eram realizados por artesãos especializados. Além deles, existiam carpinteiros, seleiros, ceramistas, ourives, entre outros.

Com base em conhecimentos de matemática, geometria e engenharia, os egípcios antigos construíram canais navegáveis a partir do rio Nilo, canais de irrigação e diques que possibilitavam a manutenção da agricultura, o deslocamento e a contenção do rio durante os períodos de cheia. Havia outros tipos de construção, como os palácios, os templos, as mastabas e as pirâmides. Essas construções estavam diretamente ligadas ao poder político e econômico de cada faraó, pois, quanto maiores e mais luxuosas fossem as construções, mais importante e poderoso o governante aparentava ser.

No interior das construções do Estado egípcio, trabalhavam funcionários que integravam a guarda pessoal do faraó e a administração do Império. Esses últimos eram especialistas em cálculo, pintura, escrita e confecção de estátuas. Acredita-se que havia pintores especializados em pintar ou esculpir pernas e braços, outros especializados em desenhar o rosto, as roupas, os animais, e assim por diante. Tanto as pirâmides quanto as pinturas e esculturas dos templos, dos palácios e das próprias pirâmides são importantes fontes históricas para analisar a vida dos egípcios antigos.

↑ Detalhe de mural na tumba do escriba e astrônomo Nakht, vale dos Reis, Egito, c. 1350 a.C. Nessa cena, um camponês prepara aves abatidas, evidenciando as técnicas de preparo desse tipo de alimento e o domínio egípcio sobre a domesticação avícola.

↓ Detalhe de mural na tumba de Nakht, vale dos Reis, Egito, c. 1400 a.C.-1390 a.C. A cena retrata camponeses durante a semeadura. Observe o uso do arado e a divisão do trabalho: enquanto dois camponeses aram o solo, o terceiro lança as sementes à terra.

RELIGIÃO E ESCRITA

Os egípcios eram politeístas. Seus deuses também podiam ser representados na forma humana ou de animais ou ser uma combinação das duas. Eram considerados imortais e detentores do poder de proteger ou de prejudicar os seres humanos. Somente o faraó e os sacerdotes podiam participar dos cultos nos templos.

Cada grande cidade egípcia tinha um templo que era considerado a morada de um deus específico. Geralmente, o deus da cidade que se tornava capital ganhava mais notoriedade no Império. Isso ocorreu, por exemplo, em 1500 a.C., quando Tebas se tornou a capital do Egito e **Amon**, o deus dessa cidade, passou a ser cultuado em todo o Império.

O Livro dos Mortos

A religião tinha grande importância para os egípcios. Eles acreditavam que o corpo e a alma podiam reencontrar-se após a morte para uma outra vida e que a alma deveria saber como se portar após a morte. Nas câmaras mortuárias da época do Antigo e Médio Impérios, havia inscrições com essas informações.

A partir do Novo Império, foi criado o **Livro dos Mortos**. Trata-se de uma coletânea de hinos, orações e orientações pós-morte, escrita em papiro e enterrada com os faraós e os nobres. Acreditava-se que o livro era um presente de **Toth**, o deus da escrita.

O sistema de escrita mais conhecido dos egípcios antigos era o **hieróglifo**, palavra que significa escrita sagrada. Somente os escribas, nobres e altos sacerdotes sabiam ler a escrita hieroglífica, que, por ser considerada mais elaborada, era usada nos templos e sarcófagos. Para os assuntos mais cotidianos, utilizava-se um tipo de escrita chamado **hierático**, muito comum nos papiros do Egito Antigo.

ACESSO À CULTURA ESCRITA

No Egito Antigo, poucas pessoas podiam aprender a ler e a escrever.

Ao longo de milênios, a escrita foi se popularizando e, na sociedade brasileira atual, ela é essencial para nos comunicarmos. Porém, de acordo com informações do Instituto Brasileiro de Geografia e Estatística (IBGE), em 2017, havia 11,5 milhões de brasileiros analfabetos. Sobre isso, responda às questões a seguir.

1. Atualmente, no Brasil, que tipos de problema uma pessoa analfabeta, isto é, que não sabe ler nem escrever, pode enfrentar?
2. **ANALISAR** Analise os dados dos gráficos e faça uma pesquisa para descobrir as iniciativas existentes no município onde você mora para a alfabetização da população.

↓ Papiro funerário do escriba Hunefer (c. 1297 a.C.-1185 a.C.), presente no Livro dos Mortos. Observe a pesagem do coração, no centro da imagem, e o julgamento da alma, à direita.

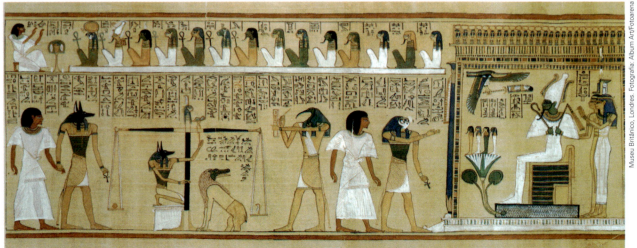

OS NÚBIOS

Os núbios habitavam a região do atual Sudão, entre a segunda e a sexta cataratas do rio Nilo. Sabe-se que eles formaram aldeamentos fixos no local desde 4000 a.C. O contato com os egípcios favoreceu o compartilhamento de características culturais, como a construção de pirâmides, o cuidado com os mortos e os estilos de pintura e de ornamentação.

A partir de 2000 a.C., a elite da cidade núbia de **Querma** se impôs sobre as outras cidades núbias e se tornou capital de um novo império: o **Império de Cuxe**. Com governo centralizado em uma figura semelhante à do faraó egípcio, esse Estado enriqueceu ao intermediar o comércio entre os povos mediterrâneos, o Egito e os povos ao sul da Núbia.

Os núbios exportavam para os egípcios peles, madeira, marfim, cascos de tartaruga, resina, incensos e ovos de avestruz, e do Egito importavam tecidos, azeite, pedras preciosas, mel e objetos de cobre. Com a descoberta de minas de ouro no sul da Núbia, Cuxe passou a ser o maior fornecedor desse metal precioso para a corte do faraó. A comercialização de escravos também era intermediada pelos núbios. Em geral, tornavam-se escravos os devedores e os prisioneiros de guerra.

Além de Querma, outros centros urbanos núbios se destacaram no Império de Cuxe: **Napata** e **Méroe**. Observe o mapa.

↑ Pirâmides de Méroe, no atual Sudão, construídas entre os séculos III a.C. e III d.C. Foto de 2017.

Império de Cuxe (século VIII a. C.)

Fonte de pesquisa: Gamal Mokhtar (Ed.). *História geral da África*, v. II: África Antiga. 2. ed. rev. Brasília: Unesco, 2010. p. 293.

Napata se tornou a capital de Cuxe, por volta de 1000 a.C., até a invasão dos assírios em 660 a.C. Para fugir deles e assegurar a continuidade do Império, os governantes núbios se mudaram para uma cidade mais ao sul: Méroe. O fim definitivo do Império de Cuxe ocorreu no século III, com a destruição de Méroe por uma nova potência: Axum.

REIS E RAINHAS DE CUXE

O Estado cuxita era governado por um rei que, provavelmente, representava o papel de um deus para seu povo, semelhante ao que ocorria com os faraós egípcios. Os súditos de Cuxe acreditavam que o rei era escolhido pelos deuses em um processo comandado pelos sacerdotes, o que garantia a união do escolhido com o plano divino.

A escolha do rei era complexa. Os candidatos eram sempre membros da família real, preferencialmente os irmãos do soberano. A sucessão real cuxita não se dava, portanto, de pai para filho. Muitos grupos participavam da escolha do rei, incluindo nobres, militares, altos funcionários do Estado e sacerdotes.

RAINHAS GOVERNANTES

Uma característica do Estado cuxita era o importante papel político desempenhado pelas mulheres. Desde o princípio do Império de Cuxe, a rainha-mãe, ou seja, a mãe do rei, detinha grande poder e prestígio, tomando parte de algumas decisões do governo.

Como a sucessão ao trono de Cuxe se dava principalmente entre irmãos, a rainha-mãe era, na prática, a mãe de muitos reis, o que aumentava seu poder. As mulheres da família real também alcançavam altos postos no Estado, principalmente como sacerdotisas de Amon, cargo de grande poder político e econômico.

A partir do século II a.C., surgiram as primeiras governantes mulheres, rainhas que não dividiam o poder com nenhum outro nobre. Eram as **candaces**. No fim do século I a.C., uma candace que habitava Méroe enfrentou as tropas de Roma que dominavam o Egito, fato que foi registrado pelos romanos.

> ### SACERDOTES PODEROSOS
>
> Caso um rei não respeitasse as tradições, os sacerdotes tinham o poder de obrigá-lo a cometer suicídio, alegando que os deuses haviam retirado seu apoio ao soberano.
>
> Esse costume teria acabado apenas no século I a.C., quando um rei cuxita, ao receber a ordem de suicidar-se, não a obedeceu e mandou matar os sacerdotes. Depois desse fato, nunca mais os sacerdotes de Cuxe obrigaram um suicídio real.
>
> No início da cultura egípcia, também houve rituais suicidas que ocorriam no interior das tumbas dos faraós. Esses rituais, com o tempo, deixaram de ser praticados, e os corpos humanos foram substituídos por estátuas de madeira ou de cerâmica. Muitos pesquisadores acreditam que a influência da cultura egípcia mudou também em Cuxe os hábitos relacionados aos suicídios.

← Relevo em parede do templo cuxita do deus Apedemak, o deus Leão, em Naga, atual Sudão. A cena mostra a candace Anamitare de Cuxe (à direita) golpeando seus inimigos. Foto de 2015.

ATIVIDADES

RETOMAR E COMPREENDER

1. Sobre o rio Nilo, responda:
   a) Qual era a importância desse rio para os povos antigos que habitavam o norte do continente africano?
   b) De que modo os ciclos naturais de cheias e vazantes desse rio influenciava o modo de vida desses povos? Cite exemplos de técnicas e tecnologias agrícolas que comprovem a resposta.
   c) Por que as construções desses povos antigos eram feitas em regiões distantes das margens desse rio?

APLICAR

2. O texto e a imagem a seguir abordam a cultura núbia.

   > Embora atualmente a região esteja muito isolada pelos desertos e pelos difíceis obstáculos da Segunda, Terceira e Quarta Cataratas do Nilo, Dongola e as bacias vizinhas do Médio Nilo foram outrora o centro de formações políticas ricas e poderosas. Na primeira metade do II milênio, a chamada cultura de Querma correspondia ao rico e próspero reino de Cuxe, mencionado nos textos egípcios. As prospecções arqueológicas bastante irregulares dessa região ainda hoje pouco conhecida tornam muito difícil elaborar o seu quadro histórico após a fase brilhante, mas relativamente curta, de domínio egípcio durante o Novo Império [...]
   >
   > Gamal Mokhtar (Ed.). *História geral da África*, v. II: África Antiga. 2. ed. rev. Brasília: Unesco, 2010. p. 273.

   ↑ Conjunto de esculturas egípcias em madeira, feito entre 1938 a.C. e 1755 a.C., representando exército de arqueiros da Núbia a serviço do faraó.

   a) No texto, qual fonte histórica foi analisada pelos pesquisadores para conhecer Cuxe? Esse tipo de fonte histórica é comum entre os povos antigos do continente africano que você estudou até o momento?
   b) Núbios e egípcios antigos compartilharam diversos aspectos culturais. Que relação entre eles pode ser identificada nos objetos retratados nessa imagem?

3. O texto a seguir trata do papel das mulheres na sociedade do Egito Antigo. Leia-o e depois converse com os colegas sobre as questões abaixo.

   > A mulher [...] não era privada de uma vida independente de seu marido. Elas tinham direitos que foram se perdendo com as conquistas grega, romana, árabe e cristã e que somente no mundo contemporâneo as mulheres, de algumas culturas, conseguiram reconquistar. As egípcias poderiam adotar crianças em seu nome, caso desejassem, pedir divórcio, prestar testemunho, receber heranças, possuir e administrar bens e determinar com quem estes ficariam depois de sua morte [...]. Em todas as instâncias da vida, as mulheres eram tratadas como os homens, podendo andar livremente pelas ruas [...]. Além disso, apesar de raramente serem alfabetizadas, elas poderiam ser trabalhadoras e exercer atividades importantes dentro de templos, como musicistas, dançarinas e acrobatas em cerimônias religiosas [...].
   >
   > Priscila Scoville. Senhoras da casa: uma visão sobre a importância do feminino na sociedade egípcia da XVIII Dinastia. *Revista Cadernos de Clio*, Curitiba, Universidade Federal do Paraná, v. 5, n. 1, p. 288, dez. 2014. Disponível em: <https://revistas.ufpr.br/clio/article/viewFile/40226/24581>. Acesso em: 8 maio 2018.

   a) Há semelhanças entre o papel da mulher egípcia e o papel da mulher núbia na Antiguidade? Explique.
   b) O texto compara o papel da mulher egípcia com o papel feminino em outros povos antigos. Que povos são esses e quais são as conclusões da pesquisadora?
   c) Em sua opinião, o papel da mulher egípcia no mundo antigo é, aparentemente, semelhante ou diferente do papel desse grupo na sociedade brasileira atual? Conte sua opinião aos colegas.

Capítulo 3
O IMPÉRIO DE AXUM

O CRESCIMENTO DE AXUM

Entre os povos antigos do continente africano estudados nesta unidade, os axumitas são os mais recentes: acredita-se que o Império de Axum tenha se desenvolvido a partir do século I, no norte da atual Etiópia.

O centro do Império era a cidade de Axum, que deu nome ao império e estava situada no planalto etíope. Originalmente, um aldeamento agrícola onde se miscigenaram árabes (iemenitas) e africanos, Axum se fortaleceu ao controlar a rota comercial que ligava o mar Vermelho ao vale do rio Nilo e ao sul da África. Enriquecido pelo comércio, o rei de Axum pôde organizar um exército eficiente, que conquistou um enorme território, incluindo prósperas cidades portuárias, como Adúlis, formando, assim, um grande império. No século III, auge do poder axumita, as tropas imperiais conquistaram o vizinho Império de Cuxe, destruindo Méroe. O exército de Axum invadiu também a margem oriental do mar Vermelho, conquistando territórios que hoje se situam no sul da Arábia Saudita e no Iêmen.

Pelos portos do Império de Axum, no mar Vermelho, passavam as mais variadas mercadorias, distribuídas no Ocidente e no Oriente, ligando os Impérios Romano e Persa com a África Oriental e com as regiões mais distantes da Ásia, principalmente a Índia e a China.

No século III, o Império de Axum configurou-se uma grande potência comercial do continente africano. Como você imagina que esse império atingiu tal posição? Que tipo de relação os axumitas mantinham com os povos que viviam próximos de seu território, como os cuxitas, por exemplo?

Durante quase toda a Antiguidade, os axumitas eram politeístas. Porém, a partir do século IV, sob influência do Império Romano, a religião oficial de Axum passou a ser o cristianismo. Ainda hoje, essa é uma das principais religiões praticadas na Etiópia. Na foto, procissão de Domingo de Ramos em Axum, Etiópia atual, 2016.

> **O COMÉRCIO DE ESCRAVOS**
>
> Desde o período do Império Egípcio há registros de comércio de escravos, intermediado, geralmente, pelos núbios. A quantidade de escravos nos impérios africanos variou ao longo do tempo. Por exemplo, no período de construção das grandes pirâmides egípcias, os contingentes eram maiores do que aqueles encontrados no auge do Império de Cuxe.
>
> Os axumitas mantiveram-se como fornecedores de escravos, capturados em guerras e também recebidos como tributos pagos por outros povos. Apesar disso, os escravos não eram considerados objetos e tinham certa liberdade, apesar de ter de cumprir os trabalhos que lhes eram designados. No norte da África Antiga, dificilmente o escravo deixava essa condição social.

cosmopolita: região ou pessoa que mantém contato com diferentes ideias, culturas e conhecimentos, muitas vezes vindos de regiões distantes.

↑ Moedas de prata emitidas pelo rei axumita Ousanas, por volta do ano 320.

POTÊNCIA COMERCIAL

Do interior da África, chegavam produtos como sal, ouro, marfim, peles de animais, plumas e cascos de tartaruga. Escravos também eram comercializados. Da Índia e da China, vinham tecidos finos de algodão, pimenta, pérolas e seda. Do Império Romano, vinham azeite, vinhos e objetos de metal e de vidro.

Todas essas mercadorias se cruzavam principalmente em Adúlis, o maior dos portos axumitas, frequentado por romanos, indonésios, judeus, indianos, persas e árabes, que formavam, com os africanos, uma comunidade cosmopolita. O mapa a seguir mostra o alcance de Axum. Observe-o.

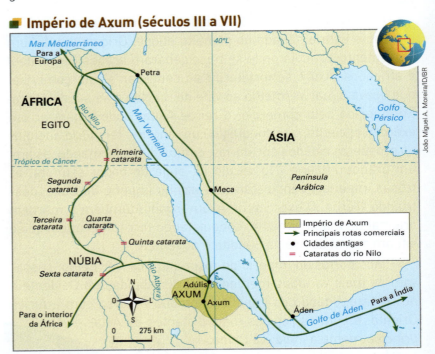

Império de Axum (séculos III a VII)

Fontes de pesquisa: Gamal Mokhtar (Ed.). *História geral da África*, v. II: África Antiga. 2. ed. rev. Brasília: Unesco, 2010. p. 404; Patrick K. O'Brien (Ed.). *Philip's atlas of world history*. London: Institute of Historical Research, University of London, 2007. p. 82.

Os axumitas criaram um sistema de escrita próprio com base em sua língua, o **gueze**. Além do gueze, a elite de Axum, incluindo os comerciantes, também falava e escrevia no idioma grego, usado na época como língua internacional pela maioria dos povos do Oriente mediterrânico, incluindo o Egito.

A crise que atingiu o Império de Axum, a partir do século VII, foi consequência da consolidação do poder muçulmano na península Arábica e no norte da África, que buscou controlar as rotas comerciais do mar Vermelho, antes dominadas pelos axumitas.

ATIVIDADES

RETOMAR E COMPREENDER

1. De que forma o controle da rota comercial que ligava o mar Vermelho, o vale do rio Nilo e o Sul da África contribuiu para a formação do Império de Axum?

2. Por que Adúlis era considerada uma cidade cosmopolita?

3. Retome o mapa da página 114 e responda:
   a) Qual atividade econômica é representada nesse mapa?
   b) De que forma essa atividade econômica acontecia?

APLICAR

4. Observe a imagem e leia a legenda.

↑ Fachada da igreja de Santa Maria de Sião na Axum atual, Etiópia. Foto de 2018.

- O cristianismo é uma religião que se originou dos hebreus, no Oriente Médio, e depois se tornou a religião oficial do Império Romano no século III. Escreva, no caderno, uma frase que relacione essa informação à característica cosmopolita do Império de Axum na Antiguidade.

5. Leia o texto, observe a imagem e, depois, responda às questões.

   As moedas axumitas revestem especial importância. Com efeito, somente graças a elas é que ficamos conhecendo os nomes dos dezoito reis de Axum. Descobriram-se milhares de moedas, sobretudo nos campos arados ao redor de Axum, em especial durante a estação chuvosa, quando a água revolve o solo. A maioria é de bronze, com tamanho variável entre 8 e 22 mm. Em geral as moedas trazem o busto dos reis, com ou sem coroa.

   Gamal Mokhtar (Ed.). *História geral da África*, v. II: África Antiga. 2. ed. rev. Brasília: Unesco, 2010. p. 385.

↑ Moeda axumita do século IV.

a) Segundo o texto, por qual razão as moedas foram importantes para o conhecimento da sociedade axumita?

b) De acordo com as informações do texto, descreva a imagem gravada na moeda axumita.

c) Com base no que você estudou neste capítulo, por que essa imagem foi escolhida para estampar a moeda axumita?

d) No futuro, se um historiador fosse estudar a sociedade brasileira, o que os símbolos presentes em nossa moeda poderiam dizer para ele? Você sabe o que esses símbolos representam? Com a orientação do professor, faça uma pesquisa sobre isso em publicações impressas ou digitais e anote as informações no caderno. Em data combinada com o professor, compartilhe a pesquisa e suas hipóteses com os colegas.

AMPLIANDO HORIZONTES

Os vestígios de Axum: patrimônios da humanidade

Em 1980, os vestígios do Império de Axum foram declarados patrimônio da humanidade pela Organização das Nações Unidas para a Educação, a Ciência e a Cultura (Unesco). Isso significa que eles serão preservados para as futuras gerações por constituírem vestígios fundamentais da história da humanidade.

No norte da atual Etiópia, foram encontradas urnas funerárias pertencentes aos reis axumitas, ruínas de palácios e várias **estelas** construídas entre os séculos III e VII pelos axumitas.

A palavra estela tem origem grega e significa pedra erguida. Ela designa o monumento esculpido em um monólito de pedra que apresenta desenhos, textos, entalhes ou esculturas em relevo. As estelas tinham diversas funções: podiam ser monumentos funerários, simbólicos, religiosos ou políticos. Assim, exibiam registros das memórias consideradas importantes para os governantes axumitas. Esse tipo de construção é observado em culturas de diferentes continentes, como as dos maias e dos egípcios. Porém, foi um elemento abundante entre os axumitas.

Era necessário o trabalho de artesãos e de construtores altamente especializados para construir e erguer as estelas sem o auxílio de máquinas, como fazemos atualmente. Alguns estudiosos supõem que, para dar sustentação, algum tipo de entulho era colocado onde a estela seria erguida. O entulho só era retirado após a peça estar em pé e fixa no local. Além disso, acredita-se que as estelas eram esculpidas em regiões distantes dos locais onde seriam colocadas; por isso, teriam sido utilizados dezenas de elefantes para transportá-las.

Entre as estelas axumitas que sobreviveram ao tempo, a maior delas tem 33 metros, mas se quebrou ao ser erguida. Acredita-se que foi a maior estela já construída pela humanidade. A maior estela de Axum que permanece inteira tem 24 metros de altura.

Em algumas delas, há inscrições de textos em três línguas: gueze, a língua dos axumitas, grego e a língua dos sabeus (povo semita originário do atual Iêmen).

← À direita, estela axumita de 24 metros de altura, localizada na atual Etiópia. Em conjunto com outros elementos da cultura de Axum, o monumento é considerado patrimônio da humanidade. Foto de 2018.

Além das estelas, outros vestígios de construções axumitas são considerados importantes, como a igreja de Santa Maria de Sião, construída no século IV após o processo de cristianização dos axumitas. Sua característica principal é ser típica da Igreja ortodoxa etíope. Ela foi destruída e reconstruída várias vezes, e alguns cristãos acreditam que nela está guardada a Arca da Aliança (que, de acordo com o dogma judaico-cristão, contém as Tábuas da Lei nas quais foram escritos os Dez Mandamentos).

Após serem declarados patrimônio da humanidade, os vestígios de Axum e a região onde eles se situam passaram por diversas mudanças para garantir a preservação desse patrimônio. No entanto, ainda há vários problemas com relação à conservação desses importantes documentos históricos. Diversas construções recentes vêm sendo feitas na área que deve ser preservada, e as construções axumitas sofrem os efeitos das inundações que ocorrem na região. Por isso, a Unesco afirma que a preservação do local está ameaçada. Para que esse patrimônio seja preservado, é necessário que o crescimento da região seja feito de maneira planejada, respeitando a área em que estão as ruínas, e que exista uma legislação local que as proteja.

← Na década de 1930, a Itália invadiu a Etiópia (que, na época, se chamava Abissínia) e levou uma estela axumita como troféu de guerra. Somente em 2005, o monumento, que pesa 150 toneladas, foi devolvido ao povo etíope e reerguido em 2008.

Para refletir

1. Que aspectos da tecnologia do Império de Axum a construção das estelas revela?
2. De acordo com a Unesco, por que os vestígios de Axum são patrimônios da humanidade? Quais problemas põem em risco a preservação desses vestígios?
3. Em sua opinião, quais critérios poderiam ser utilizados pelos governantes axumitas para escolher os feitos a serem registrados nas estelas? Explique suas hipóteses aos colegas.

ATIVIDADES INTEGRADAS

RETOMAR E COMPREENDER

1. Retome as características culturais dos povos antigos do continente africano estudados nesta unidade e responda: O que caracterizou os povos do Egito Antigo, da Núbia e de Axum como impérios?

2. O texto a seguir aborda um documento histórico do Egito Antigo. Leia-o e depois faça as atividades.

> O mais antigo e completo registro de estudo da Anatomia humana conhecido está contido no papiro Ebers. Este papiro é também o mais antigo documento médico existente. Foi escrito em hierático, no Antigo Egito, em 1552 a.C. e foi batizado em homenagem ao egiptólogo alemão Georg Ebers, que o adquiriu em 1873. As 110 páginas do rolo contêm mais de 700 fórmulas mágicas e remédios populares para tratamento de diversos males, que vão desde unha encravada até mordida de crocodilo. [...] O papiro também se refere a controle de natalidade e a doenças como diabetes [...] e artrite. [...] Na área de Anatomia, o papiro faz uma descrição precisa do sistema circulatório, mencionando a existência de vasos sanguíneos por todo o corpo e a função cardíaca como centro do suprimento sanguíneo. O documento sugere conhecimento de diversas outras vísceras, como baço, rins, ureteres e bexiga.
>
> Sandro Cilindro de Souza. *Lições de anatomia*: manual de esplancnologia. Salvador: Ed. da UFBA, 2010. p. 15.

a) A que fonte histórica o texto se refere?

b) O trecho acima faz parte de uma obra da área de medicina. Identifique, na fonte, o campo da medicina a que se refere esse trecho. Pesquise que tipo de conteúdo é estudado por esse campo da medicina e anote no caderno suas conclusões.

c) Em sua opinião, qual costume da cultura egípcia pode ter contribuído para o desenvolvimento de saberes sofisticados sobre anatomia? Explique.

APLICAR

3. Observe a imagem a seguir, leia a legenda e, depois, responda às questões.

← Detalhe de entalhe decorativo de um templo em homenagem ao deus Amon, em Musawwarat es-Sufra, atual Sudão, antiga região do Império de Cuxe.
A cabeça de carneiro, ao centro, representa Amon, ladeado por duas cabeças de leão representando o deus cuxita Apedemak.
O entalhe foi feito entre os séculos IV a.C. e III a.C.

Museu Nacional do Sudão, Cartum, Sudão. Fotografia: Art Media/HeritageImages/Glow Images

a) Que influências egípcias podem ser identificadas nesse monumento?

b) O Império de Cuxe, por sua posição estratégia, ao sul do rio Nilo, favoreceu o contato entre as culturas egípcias e axumitas, mesmo que estas tenham alcançado o auge em épocas diferentes. Em sua opinião, essa afirmação está correta? Explique aos colegas.

4. Copie o quadro a seguir no caderno e complete-o com os tipos de fonte histórica que foram utilizados pelos pesquisadores para analisar os povos que você estudou nesta unidade. Depois, responda à questão.

POVOS DA ÁFRICA ANTIGA	PRINCIPAIS FONTES HISTÓRICAS
Culturas ribeirinhas e tradição Nok	
Egito Antigo	
Império de Cuxe (núbios)	
Império de Axum	

- Em sua opinião, por que, no caso dos povos estudados, as tradições orais não foram as principais fontes históricas citadas? Levante hipóteses.

ANALISAR E VERIFICAR

5. Leia o texto a seguir, que trata da escravidão na África Antiga, e faça o que se pede.

> Por volta de 2680 a.C. [...] o faraó Esnefreu, da IV Dinastia, viu suas tropas regressarem da Núbia com um butim espantoso: sete mil prisioneiros e 200 mil cabeças de gado. Ainda que os números talvez tenham sido, para a maior glória do rei, propositalmente inflados, essa campanha militar pode ser considerada uma muito bem-sucedida operação de preia de escravos.
>
> Deviam datar de muito antes – pelo menos desde a I Dinastia – as descidas de escravos negros da Núbia [...] para o Egito. Em quantidades pequenas, mas que tinham peso na época [...]. Descontados os exageros [...] das estelas comemorativas, talvez não chegasse a meio milhar por ano o número dos cativos então arrancados dos territórios ao sul do Egito.
> [...]
>
> Alberto da Costa e Silva. *A manilha e o libambo*: a África e a escravidão. 2. ed. Rio de Janeiro: Nova Fronteira, 2011. p. 12-13.

a) Busque, em um dicionário, o significado das palavras do texto as quais você não conhece. Anote as palavras e os respectivos significados no caderno.
b) Quais são os povos antigos do continente africano mencionados no texto?
c) De acordo com o texto, de que modo a condição de escravidão ocorria entre esses povos?
d) Qual fonte histórica foi analisada pelo historiador para caracterizar as relações de escravidão nesse período? Ele parece confiar totalmente nela?

CRIAR

6. De acordo com os dados do Instituto Brasileiro de Geografia e Estatística (IBGE), em 2016, o Brasil foi o nono maior produtor mundial de sorgo. Forme dupla com um colega para fazer uma reportagem sobre a produção de sorgo em nosso país. Utilizem publicações impressas ou digitais para pesquisar e lembrem-se de buscar fontes confiáveis, como órgãos ligados ao governo e às universidades. Procurem responder às seguintes questões:
   a) Qual é a média da produção anual de sorgo no Brasil?
   b) Em quais regiões a produção é mais intensa?
   c) Qual é o segmento que consome o sorgo produzido no Brasil?

7. Na abertura desta unidade, você e os colegas conversaram sobre a poluição da cidade do Cairo atual, no Egito. Agora, você vai refletir sobre as consequências da poluição das águas. Faça uma pesquisa sobre os impactos no cotidiano e os malefícios decorrentes da poluição das fontes de água potável. Com base nessas informações, escreva um poema sobre o assunto.

IDEIAS EM CONSTRUÇÃO - UNIDADE 4

Capítulo 1 – Culturas ribeirinhas e tradição Nok
- Reconheço as principais características das populações neolíticas do norte do continente africano?
- Identifico a importância dos grandes rios e lagos para o desenvolvimento das primeiras comunidades e para o surgimento dos Estados no continente africano?
- Relaciono os vestígios históricos deixados por esses povos às técnicas e tecnologias desenvolvidas por eles?

Capítulo 2 – Povos do Nilo
- Identifico o rio Nilo e as terras férteis de suas margens como recursos estratégicos para os povos da Antiguidade, e o motivo de disputa de vários grupos, entre eles, egípcios e núbios?
- Reconheço que, ao longo de séculos, egípcios e núbios antigos disputaram a hegemonia sobre os territórios do Nilo?
- Analiso que o contato entre egípcios e núbios antigos, em guerras e relações comerciais, favoreceu a troca cultural entre eles?

Capítulo 3 – O Império de Axum
- Reconheço a hegemonia de Axum nas rotas comerciais que ligavam o continente africano à Ásia, via mar Vermelho e península Arábica?
- Identifico que, por sua posição estratégica e liderança comercial, os axumitas tiveram contato com diferentes povos antigos e isso favorecia as trocas culturais, como religiosidade, idioma e formas de escrita?
- Analiso que as relações entre os povos do mundo antigo africano, mesmo aquelas decorrentes do declínio de alguns povos (como a conquista do Império de Cuxe pelos axumitas), não resultaram no completo desaparecimento desses povos, já que as tradições e os costumes deles sobreviveram, influenciando outras comunidades?

VERIFICAR
Confira os conhecimentos adquiridos na unidade organizando suas ideias e resolvendo as atividades propostas.

UNIDADE 5

A AMÉRICA ANTIGA

Não é possível compreender nossa história sem estudar os povos antigos da América. Desconsiderá-los também significa negar o passado dos povos originários do continente.

Pesquisar esses povos é essencial para compreendermos o passado dos povos indígenas atuais, desconstruirmos a ideia de que o continente foi "descoberto" pelos europeus no século XV e investigarmos as origens de nossa própria identidade americana.

CAPÍTULO 1
Povos originários no Brasil

CAPÍTULO 2
Povos mesoamericanos e andinos

PRIMEIRAS IDEIAS

1. Como viviam os povos antigos que habitavam o território do atual Brasil? Levante hipóteses.
2. Na escola onde você estuda, há descendentes de povos indígenas? Você é descendente de alguns desses povos?
3. Em sua opinião, povos com diferentes costumes e culturas podem viver próximos uns dos outros de modo respeitoso e harmônico? Explique.

LEITURA DA IMAGEM

1. A imagem retrata que tipo de evento cotidiano?
2. Em sua opinião, as mulheres fotografadas parecem deslocadas ou confortáveis? Que características da imagem evidenciam isso?
3. Com a produção e a venda de produtos artesanais, as *cholas* se destacaram economicamente na Bolívia e, na década de 2010, muitas delas passaram a ser lideranças políticas. Em sua opinião, por que é importante que mulheres e homens possam ter as mesmas oportunidades de participação política e independência econômica?
4. **APLICAR** Observe as imagens e conheça mais sobre as *cholas* bolivianas. Em seguida, produza um pequeno texto sobre a importância da preservação de tradições indígenas e compartilhe-o com os colegas.

Mulheres indígenas em feira típica de La Paz, Bolívia. Nesse país, as mulheres adultas descendentes de indígenas são, geralmente, chamadas de *cholas* e constituem importantes representantes das tradições dos povos originários. Foto de 2016.

Capítulo 1
POVOS ORIGINÁRIOS NO BRASIL

Muito antes da chegada dos europeus, o território que hoje corresponde ao Brasil já era ocupado por diversos povos. O que você sabe sobre os primeiros povos que ocuparam essa região? Quais vestígios nos permitem conhecer mais sobre esses povos?

DIVERSIDADE DE REGIÕES, DIVERSIDADE DE TRADIÇÕES

As partes dos territórios que hoje formam o Brasil favoreceram diferentes modos de ocupação ao longo de milhares de anos. As pesquisas arqueológicas trazem informações importantes sobre os primeiros povos da América e, em consequência, sobre o passado dos povos indígenas atuais que habitam o Brasil.

Neste capítulo, você vai conhecer algumas das culturas e tradições arqueológicas que são objeto de estudo em nosso país.

Por meio das datações estabelecidas, das possibilidades de uso dos vestígios encontrados e dos materiais de que eles são constituídos, é possível identificar características de cada tradição arqueológica.

POVOS DO INTERIOR

Com base na análise dos vestígios, sabe-se que os primeiros habitantes do continente americano eram **nômades** e dedicavam-se à **caça**, à **pesca** e à **coleta** de espécies vegetais e de insetos. À medida que se deslocavam pelo continente, eles aprimoravam técnicas de caça e de produção de utensílios, além de desenvolver a agricultura e costumes próprios, como maneiras de se comunicar, de se reunir, de enterrar os mortos, de demonstrar afeto, etc.

▼ Vista de sambaqui na Lagoa dos Patos, no município de Tavares (SC). Foto de 2017. De acordo com as pesquisas arqueológicas, esse sítio apresenta vestígios da tradição Umbu, que teria habitado a região há cerca de 12 mil anos e desenvolvido objetos de pedra lascada.

SAMBAQUIEIROS: POVOS DO LITORAL

Há 8 mil anos, alguns grupos humanos se fixaram ao longo do litoral do continente americano, principalmente na porção sul do território, na área que se estende do atual estado do Rio de Janeiro até Santa Catarina. Graças à fartura de peixes e de crustáceos que o mar lhes oferecia, esses povos criaram comunidades estáveis, muitas vezes **sedentárias**.

A marca mais característica dos povos antigos do litoral são os chamados **sambaquis**, grandes montes formados pelo acúmulo de conchas e de restos de outros animais marinhos. Em geral, eles apresentam forma arredondada e alguns atingem até 30 metros de altura. O termo sambaqui é de origem tupi-guarani e significa monte de conchas.

Esse tipo de estrutura também é comum nos litorais da África e da Europa. Em alguns locais do Brasil e também de Portugal, por exemplo, os sambaquis são chamados de **concheiros**.

Com base nos materiais encontrados nos sambaquis, pesquisadores formulam hipóteses sobre as funções dessas estruturas. Nesses sítios arqueológicos, além de cerâmicas e ossadas humanas, é comum encontrar:

- **ferramentas de pedra**: como machados, martelos e quebra-coquinhos;
- **objetos feitos de ossos**: como anzóis, farpas serrilhadas, agulhas, espátulas e recipientes;
- **objetos feitos de conchas**: as conchas tinham utilidade variada – podiam tornar-se facas, serras e colares e, quando cobertas por argila, eram utilizadas como recipientes para ferver água;
- **zoólitos**: esculturas de pedra polida na forma de animais, como tubarões e outros peixes, mamíferos marinhos, tatus, pássaros, etc. Eram enterrados com os mortos em ritual funerário.

> **PASSAPORTE DIGITAL**
>
> **Arqueologia brasileira**
> No portal dedicado ao acervo arqueológico do Museu Nacional da Universidade Federal do Rio de Janeiro, é possível ver algumas peças produzidas pelos povos sambaquieiros e também por outros grupos. Após acessar o *link* indicado, selecione Sambaquis ou uma das outras culturas apresentadas. Disponível em: <http://linkte.me/qil2q>. Acesso em: 14 maio 2018.

↑ Zoólito, de cerca de 6000 a.C., em formato de peixe. Ele foi encontrado em sítio arqueológico de Santa Catarina.

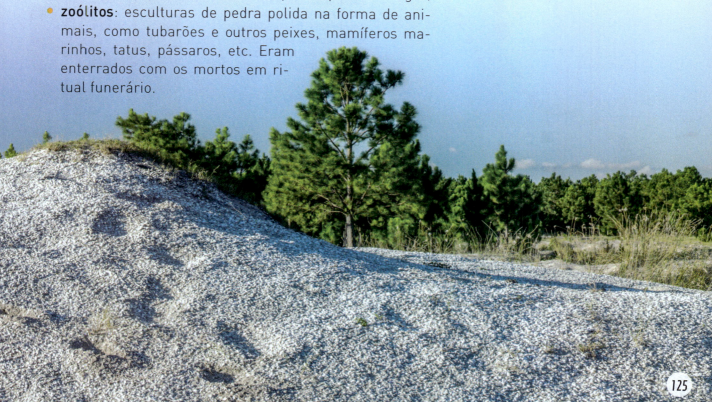

A formação dos sambaquis

Considerados grandes montes de materiais orgânicos, areia e conchas, os sambaquis são estruturas construídas por alguns dos primeiros habitantes do atual território brasileiro e nos dão valiosas pistas sobre um dos modos de vida nesse longínquo passado.

Os sambaquis foram construídos pelo acúmulo **intencional** de materiais ao longo de muito tempo, feito por povos que habitaram regiões litorâneas na América e na Europa. Essas características levaram os pesquisadores a concluir que muitas dessas populações sambaquieiras eram **sedentárias** e viviam da caça, da pesca e da coleta.

Vamos conhecer um desses sítios arqueológicos?

 CRIAR

Explore os detalhes de um sambaqui, veja alguns dos tipos de artefato encontrados nesses sítios e saiba mais sobre o trabalho dos arqueólogos que estudam essas estruturas. Em seguida, escolha um tipo de artefato comumente encontrado em sambaquis e reproduza-o em uma folha de papel avulsa.

Vivendo entre o mar e a lagoa

No Brasil, os sambaquis se concentram em trechos do litoral, entre o Rio Grande do Sul e a Bahia e entre o Maranhão e o Pará, sempre próximos a reservatórios de água (como rios, lagos e lagoas), de onde os sambaquieiros extraíam moluscos e outros alimentos.

Sítios sambaquis no Brasil

O sambaqui Jabuticabeira II

Localizado em Jaguaruna (SC), esse sítio arqueológico aparenta ser uma pequena elevação natural. Porém, as escavações mostraram que esse sambaqui é um grande cemitério e foi constituído em camadas sobrepostas ao longo dos mais de mil anos em que foi ocupado.

Com o tempo, os sambaquis foram cobertos por areia, vegetação, plantações ou mesmo destruídos e, às vezes, passam despercebidos na paisagem.

No litoral de Santa Catarina, área com muitos rios e lagoas, estão os maiores sambaquis do Brasil, alguns deles com até 30 metros de altura.

Dados do sítio
400 metros de comprimento
250 metros de largura
Altura máxima de 9 metros

Fonte de pesquisa do mapa: Maria Dulce Gaspar e outros. Sambaqui (shell mound) societies of coastal Brazil. Em: Helaine Silverman; William H. Isbell. (Ed.). *Handbook of South American archaeology*. New York: Springer, 2008. p. 325.

A formação do sambaqui Jabuticabeira II

Os elementos encontrados em cada camada desse sambaqui revelam como ele foi construído e seus diferentes usos ao longo do tempo.

"Terra preta"
A última, e mais recente camada, é constituída principalmente de matéria orgânica decomposta. De cor escura, assemelha-se ao solo. Sua larga espessura indica o longo tempo de ocupação dessa área. Aqui, foram encontrados muitos artefatos de pedra e de osso, como anzóis e adornos, além de vestígios de fogueiras.

Camadas construtivas
São formadas por areia clara e muitas conchas de marisco. Também foram encontrados restos de peixes e de pequenos animais. Essas camadas indicam as diferentes épocas em que o sambaqui foi ocupado: a cada novo grupo sambaquieiro, uma nova camada construtiva se formava.

Conchas, a principal matéria-prima
Os sambaquieiros se alimentavam principalmente de plantas, moluscos e outros animais aquáticos, como peixes, focas e baleias. A grande quantidade de conchas de moluscos encontradas se deve ao fato de elas resistirem mais à passagem do tempo, além de dar sustentação à construção do sambaqui.

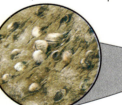

A base do sambaqui
A presença de camadas finas na base do sítio revela que a área foi ocupada por curtos períodos – de cerca de 500 anos – como indica a datação da primeira camada.

Camadas funerárias
Em meio às camadas construtivas encontram-se camadas não muito espessas de sedimento escuro, com grande quantidade de material orgânico, como ossos de peixe, fogueiras e restos de corpos sepultados e de oferendas funerárias.

- Fogueira cerimonial com resíduos de ervas e carne animal assada
- Estrutura funerária
- Oferenda de peixes e conchas ao indivíduo morto
- Estacas delimitavam a área do funeral e, possivelmente, protegiam o corpo do ataque de animais.

A hipótese dos arqueólogos é a de que o Jabuticabeira II foi construído para servir de cemitério. Estima-se que foram enterradas até 43 mil pessoas no local.

Ilustrações: Carlos Caminha/ID/BR

TEMPO PRESENTE

500 ANOS ATRÁS — Chegada dos europeus à América

1800 ANOS ATRÁS — Abandono do sambaqui Jabuticabeira II

2300 ANOS ATRÁS — Início da construção de camadas com conchas

2800 ANOS ATRÁS — Início da ocupação sambaquieira na área do Jabuticabeira II

Fontes de pesquisa: Daniela Klokler e outros. Juntos na costa: zooarqueologia e geoarqueologia de sambaquis do litoral sul catarinense. *Revista do Museu de Arqueologia e Etnologia*, São Paulo, n. 20, p. 53-75, 2010; Cintia. B. Simões. *O processo de formação dos sambaquis*: uma leitura estratigráfica do sítio Jabuticabeira II, SC. 2007. Dissertação (Mestrado em Arqueologia) – MAE/USP, São Paulo. p. 248; Ximena S. Villagran. O que sabemos dos grupos construtores de sambaquis? Breve revisão da arqueologia da costa sudeste do Brasil, dos primeiros sambaquis até a chegada da cerâmica Jê. *Revista do Museu de Arqueologia e Etnologia*, São Paulo, n. 23, p. 139-154, 2013.

AGRICULTORES NO BRASIL

A agricultura começou a ser praticada no atual território brasileiro há cerca de 5 mil anos, principalmente com o cultivo do **milho** e da **mandioca**.

No entanto, o desenvolvimento dessa atividade não representou o abandono completo do nomadismo. Muitos povos permaneceram seminômades, utilizando a produção agrícola apenas como complemento da caça e da coleta de frutos, folhas e raízes.

Contudo, em algumas áreas da Amazônia e do Brasil Central, a agricultura tornou-se a principal fonte de alimentos, praticada por grupos que adotaram o **sedentarismo**.

AS GRANDES ALDEIAS AMAZÔNICAS

Há cerca de 2 mil anos, alguns grupos de agricultores da região amazônica formaram grandes aldeias, os **cacicados**, com milhares de habitantes. Os cacicados eram governados por poderosos chefes, os **caciques**, que dominavam extensos territórios, submetendo outros povos ao seu poder.

Dois importantes cacicados amazônicos situavam-se no norte do Brasil, no atual estado do Pará. Um deles ocupava terras da ilha de Marajó, e o outro situava-se às margens do rio Tapajós, onde se localiza hoje a cidade de Santarém. Por esse motivo, essas grandes aldeias ficaram conhecidas, respectivamente, como cultura **marajoara** e cultura **tapajona** ou de Santarém.

Nessas aldeias, havia trabalhadores especializados, como agricultores e pescadores, além de artesãos, que produziam artefatos sofisticados, principalmente utensílios de cerâmica e de pedra, que eram trocados com outras aldeias.

Veja alguns vestígios nesta página.

↗ A mandioca é um alimento vegetal muito difundido entre as comunidades do Brasil atual.

↑ Escultura de cerâmica representando mulher com umbigo ao centro, feita entre 800 d.C. e 900 d.C. pela cultura marajoara.

↙ Tanga de cerâmica marajoara feita por volta do século VIII d.C.

↗ Tigela de cerâmica atribuída à cultura marajoara, feita entre 800 d.C. e 900 d.C.

Urna funerária marajoara feita de cerâmica, século IX d.C. →

OS TUPI-GUARANI

Entre os grupos indígenas, o mais numeroso era o da família linguística tupi-guarani, do tronco linguístico tupi. De acordo com algumas pesquisas, os povos falantes de tupi-guarani eram originários da região amazônica e teriam partido em direção ao litoral há mais de 1400 anos. Durante esse processo, dividiram-se em dois grandes grupos: os **Tupi**, que tinham a **mandioca** como principal cultura agrícola, e os **Guarani**, que cultivavam vários gêneros alimentícios, em especial o **milho**.

À época da chegada dos portugueses, em 1500, os Tupi ocupavam quase toda a faixa costeira, entre os atuais estados do Ceará e de São Paulo, e os Guarani localizavam-se mais ao sul, na região litorânea dos atuais estados de São Paulo e do Rio Grande do Sul.

No interior, viviam povos que falavam línguas de outras famílias linguísticas. Observe o mapa abaixo.

> ### UM JEITO DE VER O MUNDO: MITOLOGIA TUPI
>
> Os Tupi viviam em busca de lugares onde a caça e a coleta fossem fartas e a prática da agricultura fosse possível.
>
> Contudo, os deslocamentos eram realizados não só para buscar novas terras, mas principalmente na tentativa de encontrar a Terra sem Mal, lugar onde não existiria sofrimento e para onde os guerreiros mais corajosos seriam levados após a morte.
>
> Essa crença é encontrada nas mitologias de diferentes povos indígenas atuais, que descendem dos antigos Tupi.

Distribuição de troncos e famílias linguísticas até o século XV

família linguística: conjunto de línguas que apresentam semelhanças entre si e pertencem ao mesmo tronco linguístico.

tronco linguístico: conjunto de línguas que têm a mesma origem.

Fonte de pesquisa: Cláudio Vicentino. *Atlas histórico*: geral e Brasil. São Paulo: Scipione, 2011. p. 27.

Técnicas e tecnologias

Os vestígios materiais dos Tupi-guarani foram encontrados em diversas partes do território brasileiro, especialmente na faixa litorânea, em alguns locais da Amazônia e ao longo dos rios da bacia do Prata.

A cerâmica está presente em praticamente todos os sítios e é associada à agricultura. Acredita-se que, para limpar um terreno que seria utilizado para cultivar alimentos vegetais, esses povos realizavam a técnica da **coivara**, que consistia em colocar fogo na mata. Também desenvolveram canoas, feitas dos troncos de árvores, para navegar pelos rios. Isso sugere que eles conseguiam alcançar grandes distâncias rapidamente, utilizando a navegação fluvial.

De acordo com alguns historiadores, havia comunidades tupis-guaranis espalhadas por outras grandes áreas da América do Sul. Elas seriam organizadas em confederações e comandadas por chefes de guerra, criando uma rede de relações e influências entre os diferentes grupos.

OS INDÍGENAS NO BRASIL DE HOJE

O contato entre os povos originários e os portugueses, a partir do século XV, trouxe muitas transformações nos modos de vida das duas comunidades. Do ponto de vista dos povos originários, que, atualmente, também são chamados de povos indígenas, o saldo é de resistência e luta pela sobrevivência de suas culturas e pelo respeito às suas terras e tradições.

Centenas de comunidades originárias foram exterminadas pelos portugueses no processo de invasão e ocupação da América. Porém, muitas delas sobreviveram e existem até hoje. Trata-se de um processo complexo de trocas culturais, ainda que os europeus tentassem a todo custo sobrepor seu modo de vida e a cultura cristã aos povos indígenas, que consideravam inferiores.

Por outro lado, muitos aspectos das culturas nativas foram incorporados pelos colonos portugueses e, posteriormente, integrados à cultura brasileira. Isso pode ser verificado em vários aspectos do Brasil atual. Um exemplo é a língua que falamos. Apesar de nos expressarmos em português, um idioma de origem europeia, há muitas palavras usadas no Brasil que são de origem indígena, como cutucão e jacaré, por exemplo. Na culinária, há muitas receitas brasileiras cuja base é o milho ou a mandioca. Entre os costumes, é possível citar o uso do chimarrão e da rede de dormir.

Segundo o Instituto Socioambiental (ISA) e o Censo Demográfico 2010, realizado pelo Instituto Brasileiro de Geografia e Estatística (IBGE), existem quase 897 mil indígenas, divididos em 240 povos (observe o gráfico desta página).

Eles são falantes de mais de 150 línguas e estão distribuídos pelo Brasil. A maioria está estabelecida em Terras Indígenas, mas muitos deles vivem em cidades.

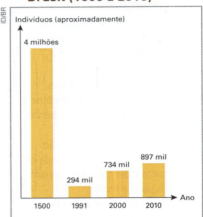

População indígena no Brasil (1500 a 2010)

Fonte de pesquisa: Funai/IBGE. O Brasil indígena. Disponível em: <http://indigenas.ibge.gov.br/images/pdf/indigenas/folder_indigenas_web.pdf>. Acesso em: 18 maio 2018.

↓ Imagem de satélite, de 2018, que mostra a aldeia urbana Água Bonita, em Campo Grande (MS). A aldeia abriga 198 famílias de cinco povos diferentes (Terena, Guarani, Kaiowá, Kadiwéu e Guató). Atualmente, muitos indígenas vivem nas cidades, mas nem sempre habitam aldeias urbanas, como a de Água Bonita.

OS DIREITOS INDÍGENAS

A Constituição de 1988 representou um grande marco para a proteção da população indígena no Brasil, pois trouxe uma mudança significativa no modo como as culturas indígenas eram tratadas no âmbito legislativo. Antes dela, as políticas públicas estavam voltadas para a integração das comunidades indígenas à sociedade não indígena. A partir da Constituição Cidadã, a legislação segue os conceitos de **proteção** dos povos indígenas e **promoção** dos direitos deles.

Para isso, a lei estabelece, como princípio, o respeito e a valorização da diversidade cultural e garante aos povos indígenas o direito de viver de acordo com seus valores e tradições.

O reconhecimento dos direitos indígenas foi uma das muitas conquistas que resultaram da **auto-organização** das comunidades indígenas. Muitos dos seus líderes atuam hoje tanto em instituições governamentais quanto em organizações não governamentais (ONGs), promovendo ações em que os indígenas têm poder de decisão.

Para que esses povos possam preservar e perpetuar seus costumes e tradições, o governo brasileiro deve assegurar que eles não sejam expulsos das terras onde vivem.

A regularização das Terras Indígenas é feita com a demarcação, que ocorre quando o Estado dá a posse legal de determinado território ao povo que vive nele. Contudo, mesmo depois de demarcadas, essas terras precisam ser defendidas da invasão de pessoas ou de grupos que desejam tomá-las à força ou explorar as riquezas ali existentes, como a madeira e os minérios (ouro, ferro, entre outros). Há também lideranças políticas que se opõem à demarcação, argumentando que as terras se tornam ociosas, isto é, não geram riquezas para o país.

RESPEITO A UM MODO DE VIDA

A invasão e a ocupação da América do Sul por portugueses (e também por espanhóis) causaram a morte de milhares de indígenas, além da expulsão da maioria dos nativos sobreviventes de suas terras originárias. Atualmente, as áreas demarcadas como Terras Indígenas são questionadas por grupos econômicos que não aceitam a garantia de um espaço tão amplo para a manutenção do modo de vida dos indígenas.

1. **ANALISAR** Observe o mapa e responda: Em que região do Brasil está localizada a maioria das Terras Indígenas? Por que isso acontece?
2. Qual é a importância da demarcação das Terras Indígenas para os povos originários?

↓ Indígenas Kariri-Xocó participam da audiência, no Recife (PE), sobre a demarcação de suas Terras Indígenas. Foto de 2016. Os indígenas contam com representação de advogados e outros profissionais que defendem e apoiam suas causas.

ATIVIDADES

RETOMAR E COMPREENDER

1. Retome os textos deste capítulo, sobre os povos originários que você estudou, e, no caderno, faça uma linha do tempo com os períodos estimados em que se desenvolveram e seus principais marcos históricos. Troque de caderno com um colega e veja a linha do tempo que ele construiu.

2. "Os povos indígenas que vivem no Brasil atual descendem dos antigos povos originários. Estes, por outro lado, são descendentes dos primeiros grupos a migrar para o continente americano, há pelo menos 12 mil anos." Você concorda com essas afirmações? Explique.

APLICAR

3. Observe as fotos a seguir e, depois, faça o que se pede.

↑ Escavação em sambaqui de Garopaba do Sul, em Jaguaruna (SC). Foto de 2017.

↑ Cerâmica marajoara, feita entre 800 d.C. e 900 d.C.

a) A quais tradições arqueológicas do Brasil esses vestígios podem ser associados?

b) Escolha um dos vestígios retratados e faça um desenho representando uma cena em que um deles apareça sendo utilizado. Lembre-se de informar o nome e a idade estimada do objeto escolhido e a tradição à qual ele pertence. Depois, mostre o desenho aos colegas e ao professor.

4. Leia o texto abaixo e responda às questões.

> [...] Os primeiros povoadores devem ter encontrado um Brasil muito diferente daquele que hoje conhecemos. [...] O clima era mais seco e mais frio, as florestas eram pequenas, o mar estava distante das praias atuais e boa parte do Brasil era formada por campos de vegetação baixa [...].
>
> A fauna também era diferente, composta de animais que depois se extinguiram.
>
> Norberto Luiz Guarinello. *Os primeiros habitantes do Brasil*. 15. ed. São Paulo: Atual, 2009. p. 12.

a) Como o autor caracteriza o clima e a flora de milhares de anos atrás no atual território do Brasil?

b) A que tipo de fauna o autor se refere na frase "A fauna também era diferente [...]"?

5. Junte-se a dois colegas para realizar uma atividade de pesquisa. Vocês vão descobrir quais comunidades indígenas existem no estado onde vocês moram. Busquem informações em publicações oficiais impressas ou digitais, seguindo o roteiro a seguir.

a) Quais são os nomes dos povos indígenas que vivem no estado onde vocês moram?

b) A qual tronco linguístico pertence a língua que eles falam?

c) Há relações entre eles e as culturas antigas que vocês estudaram neste capítulo?

d) Se houver mais de um povo indígena no estado onde vivem, escolham um deles e pesquisem suas principais características culturais (região que habita, se vive em área reconhecida como Terra Indígena ou não, tipos de moradia que constrói, principais técnicas e tecnologias que utiliza, expressões religiosas que segue, etc.).

Capítulo 2
POVOS MESOAMERICANOS E ANDINOS

DUAS REGIÕES CULTURAIS: MESOAMÉRICA E ANDINA

Ao estudar os diferentes povos antigos do continente americano, alguns pesquisadores identificaram algumas regiões culturais. Os conjuntos de povos que se desenvolveram nessas áreas guardam semelhanças culturais e compartilham algumas tradições e costumes, como o tronco linguístico, as formas de expressar a religiosidade, os hábitos alimentares, entre outros.

No capítulo anterior, estudamos os povos antigos que se desenvolveram no território do atual Brasil. Neste capítulo, vamos analisar algumas populações antigas de duas regiões culturais: a **região mesoamericana** e a **região andina**. A primeira se estende do norte do México até a Costa Rica; a segunda localiza-se na cordilheira dos Andes.

Assim como ocorreu com os povos originários no Brasil, atualmente há diversas populações indígenas descendentes dos povos antigos dessas duas regiões.

> Além do território que hoje corresponde ao Brasil, diversas outras regiões da América, como a Mesoamérica e a região dos Andes, foram habitadas por antigas sociedades indígenas. Você sabe como essas sociedades viviam e se organizavam?

Continente americano: Mesoamérica e Andes

↑ Escultura maia, feita entre os séculos VI d.C. e IX d.C. Trata-se de um vestígio mesoamericano.

Escultura mochica, uma cultura andina, feita no século I d.C. →

Fontes de pesquisa: Leiden University Centre for Linguistics, 2015. Disponível em: <https://www.universiteitleiden.nl/en/research/research-projects/humanities/the-linguistic-past-of-mesoamerica-and-the-andes-a-search-for-early-migratory-relations-between-north-and-south-america>. Acesso em: 6 jun. 2018; Patrick K. O'Brien (Ed.). *Philip's atlas of world history*. London: Institute of Historical Research, University of London, 2007. p. 110.

133

OS DIVERSOS POVOS ANTIGOS DA MESOAMÉRICA

Embora cada povo tivesse as próprias características culturais, na região da Mesoamérica, alguns deles apresentavam modos de vida semelhantes: praticavam a agricultura, tinham o milho como a base da alimentação, construíam grandes cidades e grandes pirâmides com templos para cultos religiosos, faziam uso de um sistema de calendário e utilizavam um tipo de escrita hieroglífica, com símbolos e desenhos.

As técnicas e tecnologias desenvolvidas também guardavam certas similaridades, como o uso de determinadas matérias-primas para confeccionar ferramentas, utensílios, armas e enfeites.

A área geográfica e os aspectos culturais da Mesoamérica são frequentemente associados aos povos maias e astecas, que serão estudados a seguir. Isso se deve, entre outras razões, pelo intenso contato dessas culturas com a cultura europeia, a partir do século XV d.C. No entanto, havia dezenas de outros povos indígenas, como os olmecas, os zapotecas e os toltecas, que habitaram a região em diferentes períodos e que influenciaram em grande medida essas culturas mais recentes da Mesoamérica.

Estudar esses primeiros povos nos ajuda a compreender as manifestações culturais das comunidades mesoamericanas até a atualidade, percebendo as permanências e as transformações culturais na região. Observe a linha do tempo a seguir e conheça algumas das características dessas antigas sociedades.

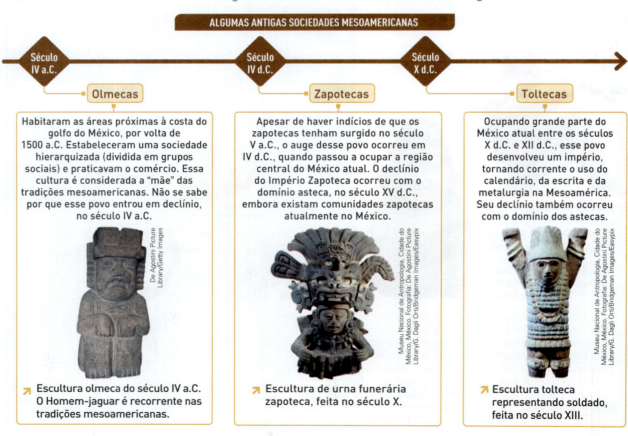

ALGUMAS ANTIGAS SOCIEDADES MESOAMERICANAS

Século IV a.C. — Olmecas
Habitaram as áreas próximas à costa do golfo do México, por volta de 1500 a.C. Estabeleceram uma sociedade hierarquizada (dividida em grupos sociais) e praticavam o comércio. Essa cultura é considerada a "mãe" das tradições mesoamericanas. Não se sabe por que esse povo entrou em declínio, no século IV a.C.

↗ Escultura olmeca do século IV a.C. O Homem-jaguar é recorrente nas tradições mesoamericanas.

Século IV d.C. — Zapotecas
Apesar de haver indícios de que os zapotecas tenham surgido no século V a.C., o auge desse povo ocorreu em IV d.C., quando passou a ocupar a região central do México atual. O declínio do Império Zapoteca ocorreu com o domínio asteca, no século XV d.C., embora existam comunidades zapotecas atualmente no México.

↗ Escultura de urna funerária zapoteca, feita no século X.

Século X d.C. — Toltecas
Ocupando grande parte do México atual entre os séculos X d.C. e XII d.C., esse povo desenvolveu um império, tornando corrente o uso do calendário, da escrita e da metalurgia na Mesoamérica. Seu declínio também ocorreu com o domínio dos astecas.

↗ Escultura tolteca representando soldado, feita no século XIII.

OS MAIAS

Os maias viviam na península de Iucatã, situada no sul do atual México. Ao longo do tempo, eles se espalharam pelos territórios que hoje correspondem a Guatemala, Honduras, Belize e El Salvador. Essa sociedade atingiu o auge entre os anos 200 e 900, foi muito influenciada pelos olmecas e foi contemporânea dos zapotecas.

Assim como outros povos do mundo antigo, os maias se organizavam em **cidades-Estado**, independentes entre si. Em cada cidade-Estado se falava uma das línguas que fazem parte da família linguística maia. Muitas delas são faladas por descendentes maias ainda hoje. Na Guatemala atual, por exemplo, são reconhecidas cerca de 20 línguas dessa família e, no México, outras oito.

As sociedades maias eram **hierarquizadas**, ou seja, a autoridade máxima assumia o controle social e político da cidade. A elite era composta de nobres, sacerdotes e militares, que auxiliavam essa autoridade a governar. Abaixo da elite estava a maior parte da população, formada por artesãos, comerciantes e camponeses.

A principal atividade econômica maia era a **agricultura**. O milho era a base da alimentação dos maias, mas eles também cultivavam feijão, abóbora, cacau e abacate. Além disso, praticavam o comércio com povos vizinhos.

O conhecimento dos maias sobre **astronomia** era bastante desenvolvido. Eles dominavam com precisão a duração dos ciclos da Lua, do Sol e do planeta Vênus. Nos observatórios astronômicos, faziam o mapeamento do céu a olho nu. Com base nesse mapeamento, elaboraram um **calendário solar** que marcava as estações do ano e os auxiliava na agricultura. Esse calendário era dividido em um ano de 365 dias, distribuídos em 18 meses com 20 dias cada um. Sobravam 5 dias, nos quais eles ofereciam sacrifícios aos deuses.

↗ Detalhe de relevo maia, do século X d.C., representando dois jogadores de bola. Além de palácios, observatórios astronômicos, praças e pirâmides, os maias dedicavam construções para jogos com bolas.

↓ Vista do templo de Kukulkán (ou pirâmide de Kukulkán), um dos templos maias, na antiga cidade de Chichén Itzá, no México atual. Foto de 2017. No topo dos templos, eram realizados cultos religiosos. Esse tipo de edifício evidencia os conhecimentos de engenharia, arquitetura e matemática, entre outros, dos maias antigos.

135

OS ASTECAS

Os povos astecas são originários do norte do atual México. Eles fazem parte das antigas comunidades **mexicas**, que compartilham características culturais. No século XII, eles se deslocaram para o sul, onde fica o lago Texcoco. Ao se fixarem nessa região, conquistaram com guerras comunidades mexicas vizinhas, como as dos toltecas e dos zapotecas.

Em pouco tempo, formaram um grande Estado, com quase 500 cidades. Estima-se que, no início do século XVI, a capital **Tenochtitlán**, onde hoje se localiza a Cidade do México, contava com uma população entre 100 mil e 400 mil habitantes.

A sociedade asteca

A sociedade asteca era controlada por um **governante**, que, apoiado por uma oligarquia militar, aristocrática e sacerdotal, dirigia o Estado. A maior parte da população era formada por agricultores e soldados.

A **educação** ocupava um papel importante no cotidiano dos astecas. Até os seis anos de idade, os meninos aprendiam a carregar água e lenha e as meninas fiavam e teciam. Ao alcançar a juventude, os meninos podiam frequentar dois tipos de centro de estudos: um voltado ao ensino religioso e outro reservado aos filhos de famílias comuns, que preparava os jovens para a vida prática.

A terra reservada para o cultivo pertencia ao governante, que distribuía lotes aos camponeses. As colheitas eram repartidas conforme o trabalho de cada agricultor. No entanto, eles eram obrigados a pagar tributos aos sacerdotes, além de entregar à comunidade parte do que produziam. A cobrança de tributos e impostos era importante para a manutenção do Estado asteca.

O *CÓDICE MENDOZA*

Um dos mais conhecidos conjuntos de desenhos e escritos feitos pelos astecas é o *Códice Mendoza*, que descreve passagens importantes da história desse povo, como cenas do cotidiano e a organização do Estado.

Originalmente, as narrativas eram contadas apenas com desenhos. Após a conquista, os espanhóis adicionaram textos às ilustrações.

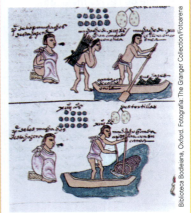

↑ As imagens dessa página do *Códice* retratam um pai ensinando o filho a realizar algumas atividades do cotidiano asteca antigo.

As *chinampas*, tecnologia desenvolvida pelos astecas, são grandes canteiros ou jardins flutuantes em forma de esteira, feitos de lama, estacas e galhos de árvores e fixados no fundo dos lagos com pedras grandes e pesadas. Em cima dos galhos, os astecas colocavam camadas de plantas, dando origem a um tipo de vegetação que flutuava sobre as águas. Na foto, cultivo em *chinampas* em Xochimilco, Cidade do México, capital mexicana, 2017.

VIVENDO NOS ANDES

Os povos conhecidos como andinos formaram dezenas de pequenos reinos que ocupavam as terras centrais da cordilheira dos Andes, uma área que se estende desde a Venezuela até a Patagônia, na Argentina. Eles começaram a estabelecer seus assentamentos por volta de 3500 a.C. e destacaram-se pela construção de pirâmides, praças e conjuntos residenciais habitados por uma população hierarquizada e centralizada na figura do soberano. Com o passar do tempo, formaram diversos centros políticos, como Caral, Chavín, Tiahuanaco e o Império Chimu.

A cidade de Caral é uma das ocupações mais antigas da região dos Andes, sendo reconhecida como uma das mais antigas do mundo, de cerca de 3000 a.C. Localizava-se no vale Supe, no atual Peru. Pirâmides de pedra, anfiteatros, praças circulares e geoglifos são os principais vestígios dessa cultura, que também desenvolveu um calendário, instrumentos musicais e um sistema de escrita, conhecido como **quipu**.

A cidade de Chavín surgiu por volta de 900 a.C. e estava localizada a 3150 metros acima do nível do mar. Chavín teve grande importância agrícola e apresentava uma arquitetura monumental, além de um centro de peregrinação para onde se dirigiam muitos povos andinos.

Já a cidade de Tiahuanaco ganhou importância na região dos Andes a partir do ano 1000 a.C., com a criação de um centro político e cerimonial frequentado por cerca de 150 mil pessoas. Essa cidade se destacou por apresentar uma rede de caminhos e estradas usada, depois, pelo Império Inca.

No século XII, o Império Chimu era governado por uma elite considerada descendente de uma ordem divina. Os chimus desenvolveram artefatos sofisticados de cerâmica e de metal e destacaram-se na planificação de redes de irrigação. A capital do império chegou a ter 80 mil habitantes.

Ao longo do tempo, em diferentes períodos históricos e por motivos diversos, essas culturas entraram em declínio: Caral sofreu com uma seca em 1800 a.C.; Chavín entrou em crise em 300 a.C., assim como Tiahuanaco a partir de 1200 a.C.; e o Império Chimu decaiu por volta de 550 d.C. Nas regiões em que cada cultura dominava, surgiram outros reinos e, entre eles, destacou-se o Império Inca.

↗ Réplica de um *quipu* no Museu de História Natural, em Nova York, Estados Unidos. Os *quipus* eram utilizados para a realização de cálculos. No início do século XX, descobriu-se que os nós representam números em um sistema de base 10. Os nós longos são unidades, e os curtos, dezenas, centenas ou milhares, dependendo da posição.

geoglifo: estrutura desenhada no chão com pedras, representando formas geométricas, humanas ou de animais.

↓ Ruínas de Chan Chan, capital do Império Chimu, no Peru. Foto de 2016.

OS INCAS

Após conquistar algumas cidades andinas, os incas construíram, no início do século XII, um grande império chamado **Tahuantinsuyu** (ou Reino das Quatro Partes, em quéchua), que se estendeu por regiões que abrangem atualmente países como Equador, Peru, Bolívia, Chile e Argentina. O auge desse império ocorreu no final do século XV, período que antecedeu a chegada dos espanhóis à região. Estima-se que os incas tenham dominado mais de cem povos distintos, impondo-lhes sua língua, suas leis e crenças religiosas.

Os povos dominados tinham uma vida rigorosamente controlada e eram obrigados a trabalhar para o governante do Império Inca. As terras incas, que pertenciam ao Estado, eram divididas em lotes entre as famílias camponesas. Nessas terras, essas famílias podiam cultivar o necessário para a sobrevivência. Porém, durante alguns dias do ano, elas eram obrigadas a trabalhar nos lotes do governo e dos sacerdotes e na construção de obras públicas e a participar das guerras. Essas obrigações eram chamadas de *mita*.

O poder político e religioso concentrava-se na figura de um soberano que controlava os governadores e os chefes locais. Ele era considerado um descendente do Sol, a principal divindade cultuada pelos incas, que também eram politeístas. A cidade de **Cuzco**, localizada no atual Peru, era a capital do império e também centro religioso e administrativo.

Para melhor administrar o império, o governo utilizou e expandiu a rede de caminhos desenvolvida pelo povo de Tiahuanaco – esses caminhos se estendiam por mais de 7 mil quilômetros. Neles, havia postos de envio e de recebimento de mensagens que facilitavam a comunicação, o controle militar, o comércio e a cobrança de impostos.

TECELAGEM E DOMESTICAÇÃO DE ANIMAIS

Os incas se destacavam também no artesanato, dedicando-se à confecção de cestos e redes, com fibras vegetais, e à pintura de tecidos. Nas esculturas, utilizavam cerâmica, cobre, bronze, prata e ouro. O uso de plumas era comum nas tapeçarias e nas vestimentas.

A matéria-prima para as roupas vinha, sobretudo, da lã de alpacas e lhamas. Esses animais foram domesticados também para fornecer carne e leite e para transportar pessoas e cargas.

Em suas construções, os incas empregavam blocos de pedra. A região montanhosa, porém, não os impediu de construir observatórios, templos, palácios, canais de água e estradas.

↑ Incas em Cuzco, no Peru, com lhama (à esquerda) e alpaca (à direita). Foto de 2017. Além do idioma, o quéchua, eles conservam muitas tradições de seus antepassados, como as vestimentas tradicionais.

COMPREENDER

Descubra detalhes da cidade de Machu Picchu. Depois, anote no caderno o que mais chamou sua atenção.

Vista parcial das construções em Machu Picchu, um dos mais conhecidos símbolos arquitetônicos da cultura inca, no Peru. Foto de 2017. →

ATIVIDADES

RETOMAR E COMPREENDER

1. No caderno, copie o quadro a seguir e complete-o com informações sobre os povos antigos da Mesoamérica e da região andina.

	Mesoamérica	Região andina
Área que ocupa		
Características do território ocupado		
Características culturais		

APLICAR

2. Observe a foto e faça o que se pede.

← Vestígios da antiga cidade de Palenque, atual México. Foto de 2017.

a) Que parte da construção poderia ser um observatório astronômico maia?

b) Explique a importância dos observatórios astronômicos para os maias. Depois, comente com os colegas qual seria a importância dos observatórios astronômicos atuais.

3. Leia o texto a seguir e responda às questões.

> Quando os espanhóis chegaram aos domínios do Tawantinsuyo, por volta de 1532, se depararam com mulheres cujos papéis e funções não se encaixavam nos padrões cristãos/europeus [...].
>
> Essas mulheres tinham participação ativa e importante na sociedade incaica, exercendo poder e autoridade na organização política-religiosa [...], sendo [...] adoradas e reverenciadas como deusas/*huacas*, heroínas e governadoras: este é caso das Coyas, das sacerdotisas do Sol e da Lua, das curandeiras, [...] das mulheres guerreiras [...] e das proprietárias de terras e águas.
>
> Susane Rodrigues de Oliveira. Construindo uma "história do possível": relatos de uma experiência historiográfica feminista. Em: *Seminário Internacional Fazendo Gênero 10*, 2013, Florianópolis. Anais eletrônicos. Florianópolis: UFSC, 2013. p. 2-3.

a) Que papéis femininos do mundo inca antigo são apresentados no texto?

b) Quais são as origens das fontes históricas utilizadas pela historiadora Susane Rodrigues de Oliveira?

AMPLIANDO HORIZONTES

Patrimônio arqueológico e preservação

A partir do século XIX, foram criados vários órgãos oficiais que tinham como objetivo resguardar o patrimônio histórico do Brasil, como o Instituto Histórico e Geográfico Brasileiro (IHGB) e o Museu Histórico Nacional, ambos na cidade do Rio de Janeiro.

Porém, foi com a fundação do Serviço do Patrimônio Artístico e Nacional (Sphan), em 1937, que uma política federal e integrada para a preservação de bens culturais se fortaleceu no país. Em 1938, por exemplo, as cidades históricas mineiras, como Ouro Preto e Diamantina, foram tombadas. Em 1970, o órgão ganhou o nome pelo qual é conhecido hoje: Instituto do Patrimônio Histórico e Artístico Nacional (Iphan).

Na década de 1990, suas ações expandiram-se para a salvaguarda do patrimônio imaterial.

Além desse órgão federal, existem as instituições estaduais e municipais. A maioria delas, porém, carece de verbas para preservar os patrimônios de modo efetivo. Há também interesses econômicos que podem ir contra a preservação da área, bem como casos em que a população não reconhece o valor de um bem cultural.

Leia, a seguir, o trecho de uma denúncia de descaso com o patrimônio arqueológico da ilha dos Martírios, no Pará, publicada em 2002 e, depois, uma notícia sobre a situação dessa região em 2015.

Projeto de hidrelétrica na Amazônia coloca em risco sítios arqueológicos

Ao contrário do que se pensa, a riqueza da Amazônia não está somente em sua alta diversidade natural e étnica. Em suas regiões menos habitadas esconde-se um rico patrimônio histórico-arqueológico, gradualmente descoberto e estudado pelos pesquisadores. Infelizmente, muitos desses sítios arqueológicos somente são revelados e documentados quando sua integridade é ameaçada por grandes empreendimentos. [...]

[...] Para o arqueólogo Carlos Magno Guimarães, da Universidade Federal de Minas Gerais (UFMG), [...] as perdas são inevitáveis: "O impacto de empreendimentos sobre o patrimônio arqueológico e ambiental é sempre muito grande pois significa destruição do contexto e do entorno".

A ilha dos Martírios, que fica no meio do rio Araguaia, será alagada. "Na ilha, existem por volta de cinco mil gravuras rupestres conhecidas, mas o local não está totalmente explorado e tem um conjunto enorme ainda não estudado de pinturas e gravuras. No momento, tento identificar com quais outras obras de arte rupestre brasileira elas se relacionam porque com o norte da Amazônia eu sei que não é", afirma Edithe Pereira [arqueóloga do Museu Emílio Goeldi].

[...] Encontrar sítios arqueológicos na Amazônia não é algo raro. Com frequência, trabalhadores rurais encontram objetos em cerâmica ao prepararem a fértil "terra preta" amazônica para o plantio. Parte deste material acaba destruído, pois eles não conhecem a importância desses objetos.

Os maiores destruidores dos sítios, contudo, são os grandes empreendimentos. Desde 1986, usinas precisam realizar um estudo de impacto ambiental para rastrear danos ao ambiente, à população e ao patrimônio histórico e cultural. Se algum possível dano for constatado, o empreendedor é obrigado a custear projetos que minimizem os efeitos.

Rafael Evangelista. Projeto de hidrelétrica na Amazônia coloca em risco sítios arqueológicos. *Ciência e Cultura*, São Paulo, v. 54, n. 1, jun./set. 2002. Disponível em: <http://cienciaecultura.bvs.br/scielo.php?pid=S0009-67252002000100003&script=sci_arttext>. Acesso em: 18 maio 2018.

A Usina que virou pasto no Araguaia

A Hidrelétrica Santa Isabel, no Rio Araguaia, ficou dez anos em processo de licenciamento ambiental e foi devolvida, em 2013, por desequilíbrio econômico financeiro do contrato de concessão. Nesse tempo, enquanto se discutia a viabilidade do projeto e os impactos que traria para a região, a área que daria lugar ao reservatório foi degradada. Dados obtidos [...] com base nos estudos ambientais do projeto [...] mostram que, apenas no período entre 1988 e 2008, a pastagem no local aumentou 55% e as formações de florestas caíram 30,5%.

Ou seja, o mesmo cuidado que tiveram para avaliar o licenciamento ambiental não foi despendido na conservação da área. Hoje, o projeto está sem rumo. Em nota, o Ministério de Minas e Energia afirmou que ainda está estudando que encaminhamento dará para o empreendimento. [...]

Renée Pereira. A usina que virou pasto no Araguaia. *O Estado de S. Paulo*, 27 jun. 2015. Disponível em: <http://economia.estadao.com.br/noticias/geral,a-usina-que-virou-pasto-no-araguaia--imp-,1714668>. Acesso em: 18 maio 2018.

↑ Gravuras com areia branca na ilha dos Martírios, São Geraldo do Araguaia (PA). Foto de 2014. O Parque Estadual da Serra das Andorinhas Martírios (Pesam) foi instituído como Unidade de Conservação Estadual em 1996.

Para refletir

1. Quais tipos de vestígio arqueológico estão ameaçados com a construção da hidrelétrica de Santa Isabel?

2. Qual era a situação da construção em 2015? Essa situação indica a preservação dos vestígios arqueológicos? Por quê?

3. Em sua opinião, por que é importante preservar os vestígios arqueológicos da ilha dos Martírios?

INVESTIGAR

Geoglifos: mistério arqueológico e desmatamento da floresta Amazônica

Os geoglifos são grandes figuras feitas no solo, encontradas tanto em áreas planas quanto em cumes de morros. Elas ocupam quatro metros ou mais de extensão e foram feitas em períodos que variam de milênios a séculos atrás.

Essas figuras intrigam especialistas de diversas áreas do conhecimento, pois, até o momento, não se sabe ao certo a finalidade delas. As primeiras teorias sugeriam que a formação dos desenhos era acidental e que as áreas eram desmatadas para a construção de templos. No entanto, não há fontes materiais expressivas que comprovem essa teoria.

Recentemente, foram descobertos centenas de geoglifos no Acre e em outras áreas de floresta Amazônica. Os estudos mais impactantes sobre eles são os das arqueólogas brasileiras Ivandra Rampanelli e Denise Schaan.

Para começar

O PROBLEMA

Qual é a **relação** entre o desmatamento da Amazônia e o estudo arqueológico contemporâneo dos geoglifos?

A INVESTIGAÇÃO

- **Procedimento**: pesquisa documental e bibliográfica.
- **Instrumento de coleta**: revistas de divulgação científica e registros institucionais.

MATERIAL

- Livros, jornais e revistas
- Material pesquisado na internet
- Canetas coloridas, lápis de cor, borracha
- Cola e tesoura de pontas arredondadas
- Folhas avulsas coloridas

Procedimentos

Parte I – Levantamento de informações

1. Reúnam-se em grupo e definam coletivamente quais integrantes buscarão informações sobre os avanços das pesquisas arqueológicas sobre os geoglifos e quais buscarão informações sobre as áreas de desmatamento da Amazônia. Lembrem-se de pesquisar imagens que mostrem os geoglifos e as áreas desmatadas.

2. Elaborem um roteiro para as pesquisas. Sugerimos o roteiro que responda, no mínimo, às seguintes questões:
    - Quantos sítios arqueológicos Ivandra Rampanelli descobriu?
    - Quais são as principais teorias de Denise Schaan e da equipe dela?
    - Quais são as áreas da Amazônia brasileira que, atualmente, passam por processo de desmatamento?
    - Qual é a situação do desmatamento no Acre?

Parte II – Consolidação das informações pelo grupo

1. Reúnam-se para trocar as informações pesquisadas e estabeleçam relações entre elas. **Dica:** Nas pesquisas de Rampanelli e Schaan, há alguns dados sobre o desmatamento da floresta Amazônica. Tomem nota deles – isso poderá facilitar as reflexões de vocês.

2. Retomem, sempre que necessário, o problema da pesquisa.

3. No caderno, façam uma lista com as relações que vocês perceberam entre o desmatamento da floresta Amazônica e as descobertas arqueológicas na região. Procurem refletir sobre as questões éticas envolvidas nessas relações, por exemplo, a importância da preservação ambiental e também da pesquisa arqueológica.

4. Em uma cartolina, montem um painel intercalando imagens de geoglifos, imagens do desmatamento da floresta Amazônica e as relações que vocês encontraram.

5. Usem as canetas e as folhas coloridas e os lápis de cor para deixar o cartaz atraente.

Questões para discussão

1. O grupo teve acesso às pesquisas das arqueólogas sugeridas? Em caso afirmativo, como foi esse acesso? Quais fontes foram utilizadas para encontrá-las?

2. O grupo conseguiu informações atualizadas sobre as áreas de desmatamento da Amazônia? Quais foram os órgãos consultados e a quais períodos os dados se referem?

3. Por que a preservação da floresta Amazônica é relevante? Qual é a importância do estudo dos vestígios arqueológicos encontrados na região?

4. O avanço do desmatamento facilitou ou impediu a descoberta de novos geoglifos? Isso é positivo ou negativo para o meio ambiente?

5. Como essa relação poderia ser melhorada, tanto para os pesquisadores quanto para o meio ambiente?

Comunicação dos resultados

Exposição dos resultados

Na data combinada com o professor, afixem os cartazes na sala de aula, montando um painel com as produções dos grupos. Observem as relações estabelecidas pelos colegas e, em uma roda de conversa, dialoguem sobre os impactos ambientais do desmatamento e a ética nas pesquisas arqueológicas.

Ilustrações: Gil Tokio/Pingado/ID/BR

ATIVIDADES INTEGRADAS

RETOMAR E COMPREENDER

1. Com base no que você estudou nesta unidade, quais semelhanças você identifica entre os povos antigos que habitavam o território do Brasil atual, a Mesoamérica e a região andina?

APLICAR

2. Leia o texto abaixo e depois faça o que se pede.

> Os estudos sobre populações caçadoras-coletoras têm mostrado como elas manejam os ambientes com suas atividades cotidianas [...]. Durante a procura de alimentos e outros recursos, tais populações alteram a paisagem, abrindo clareiras para a instalação de seus acampamentos e realizando queimadas para eliminar as espécies de plantas indesejadas e/ou facilitar as estratégias de caça.
>
> [...] a utilização do fogo não se restringe às áreas de roça, pois também é utilizado para incinerar o lixo depositado nas imediações das aldeias e evitar a proliferação de insetos e vermes por causa do acúmulo de detritos orgânicos, bem como para inibir a ação de animais indesejados em torno dos assentamentos, como cães, ratos e cobras [...]. As diferentes formas de utilização do fogo [...] poderiam contribuir para a formação da "terra preta" [...]. As "terras pretas" são solos que se caracterizam por apresentarem coloração muito escura, alta quantidade e densidade de nutrientes [...] e que, normalmente, estão associados a sítios arqueológicos com alta densidade de vestígios cerâmicos e de outros artefatos [...].
>
> Fabíola Andréa Silva. A etnoarqueologia na Amazônia: contribuições e perspectivas. *Boletim do Museu Paraense Emílio Goeldi Ciências Humanas*, Belém, v. 4, n. 1, jan./abr. 2009. Disponível em: <http://scielo.iec.gov.br/scielo.php?script=sci_arttext&pid=S1981-81222009000100004&lng=pt&nrm=iso>. Acesso em: 22 maio 2018.

a) Quais são as técnicas e as tecnologias abordadas pelo texto?

b) De que modo elas alteram a paisagem?

3. Observe o mapa abaixo e, depois, faça o que se pede.

Península de Iucatã: Principais sítios arqueológicos (séculos III a IX)

A: Templo de Kukulkán; B: Casa de Las Tortugas; C: Templo de Los Frescos; D: Edifício B de Xpuhil; E: Templo I de Tikal; F: Templo de Las Inscripciones; G: Edifício 33 de Yaxchilán; H: Templo da Escada Hieroglífica.

Fonte de pesquisa: Eduardo Natalino dos Santos. *Deuses do México indígena*. São Paulo: Palas Athena, 2002. p. 61.

a) O mapa representa qual área cultural da América Antiga? Como você descobriu isso?

b) Quais semelhanças culturais são evidenciadas nas construções ilustradas?

c) Você conhece outros povos antigos, de outros continentes, que realizavam construções parecidas com essas? Explique.

4. O texto a seguir aborda aspectos culturais de uma população andina. Leia-o e responda:

> [...] O Inca se proclama soberano da comunidade e divide as terras do *ayllu* [comunidade]. A primeira parte são as terras do Estado ou do Inca. A segunda parte são as terras do culto ou do sol e a terceira parte, a maior, é de toda a comunidade conquistada, que é cedida à população local numa tentativa de demons-

trar a generosidade e benevolência do Inca, que proporciona a subsistência da comunidade.

É importante perceber que, com a conquista inca, a propriedade da terra deixa de ser comunal e passa a adquirir um caráter de simples posse e uso da população local. [...] A *mita*, que antes era própria da comunidade, passa a ser desviada para as terras apropriadas pelo Estado. [...] Com isso, o camponês passava não só a ter obrigações com o líder local, mas também a manter toda a burocracia do Estado.

Embora mantendo o culto aos deuses locais, o Estado incorpora o culto ao sol e seu filho o Inca, ao qual os aldeãos devem oferecer trabalho. [...]

Adriano Vieira Rolim; Larissa L. M. Carvalho. A relação entre a religião e o trabalho na sociedade inca. *Ameríndia-História, cultura e outros combates*, v. 3, n. 1, 2007. Disponível em: <http://www.periodicos.ufc.br/amerindia/article/view/1558>. Acesso em: 21 maio 2018.

a) Qual povo é abordado no texto?
b) Escreva um parágrafo explicando o que você sabe sobre a *mita* realizada por esse povo antigo.
c) Essa estrutura é semelhante ou diferente da escravidão que você estudou na unidade anterior, sobre a África Antiga? Explique.
d) De modo geral, quais foram os impactos do domínio desse povo sobre os *ayllus* conquistados?

ANALISAR E VERIFICAR

5. Observe as imagens e, depois, responda:

↑ Vestígios do templo de Huana Pucllana, em Lima, Peru, feito entre 200 d.C. e 700 d.C. Foto de 2017.

↑ Vestígios de pirâmides da antiga cidade de Uxmal, no atual México, construídas nos séculos VII d.C. e VIII d.C. Foto de 2017.

a) As fotos mostram ruínas de quais áreas culturais da América Antiga? Quais são as características geográficas dessas áreas?
b) Em sua opinião, que relações podem ser estabelecidas entre os relevos e essas construções?

CRIAR

6. Quais aspectos das culturas originárias você reconhece em seu dia a dia? Há hábitos e costumes de seu cotidiano que têm origem indígena? Reflita sobre o tema e, depois, elabore uma obra de arte que represente o(s) aspecto(s) identificado(s). Pode ser colagem, escultura de massa de modelar ou de argila, foto, desenho, poesia, música, entre outras. Na data combinada com o professor, exponha sua criação aos colegas.

7. Retome a abertura desta unidade e faça uma pesquisa sobre as lideranças femininas que existem em sua comunidade. Para isso, busque informações em publicações impressas ou digitais do município e converse com as pessoas mais velhas de seu convívio. Anote no caderno o nome dessas mulheres, as áreas em que se destacam e como você ficou sabendo sobre elas. Compartilhe as informações com a turma e vejam se vocês identificaram as mesmas lideranças.

IDEIAS EM CONSTRUÇÃO - UNIDADE 5

Capítulo 1 – Povos originários no Brasil
- Reconheço que o continente americano teve Antiguidade assim como os outros continentes, entendendo como Antiguidade o período de desenvolvimento cultural dos primeiros povos do continente?
- Percebo que cada povo antigo da América, em cada região, apresenta manifestações culturais específicas, como modo de organização política, técnicas e tecnologias de olaria e de metalurgia?
- Identifico as principais características culturais dos povos sambaquieiros, dos cacicados amazônicos e dos ancestrais Tupi e Guarani?
- Reconheço as relações entre as tradições arqueológicas e os povos indígenas no Brasil atual, com atenção às diferentes temporalidades em que se desenvolveram?
- Analiso minhas práticas culturais e percebo aspectos que têm origem nas tradições originárias do Brasil atual?

Capítulo 2 – Povos mesoamericanos e andinos
- Reconheço os conceitos de Mesoamérica e região andina como áreas culturais, definidas pelos pesquisadores com base nas características das culturas dos povos originários?
- Identifico as principais características culturais de povos antigos da Mesoamérica e da região andina, em especial, os maias, os astecas e os incas?
- Relaciono as culturas mesoamericanas dos maias e dos astecas a culturas ainda mais antigas, como a dos olmecas?
- Percebo as relações entre os povos das duas grandes áreas culturais, identificando permanências nas tradições culturais?
- Valorizo a diversidade de povos originários do continente americano, ressaltando a importância de preservá-los e de viabilizar a existência deles de modo digno na atualidade?

 VERIFICAR
Confira os conhecimentos adquiridos na unidade organizando suas ideias e resolvendo as atividades propostas.

UNIDADE 6

O MUNDO GREGO

A sociedade ocidental guarda muitas influências da cultura grega nas artes, na política, na filosofia e em outros campos do saber, como o estudo da História. Na Grécia Antiga, acreditava-se que o ato de escrever textos sobre os feitos de seus heróis e de seus governantes eram inspirados pela musa Clio. Os versos que narram esses acontecimentos ainda hoje permitem aos historiadores investigar aspectos da sociedade grega antiga.

CAPÍTULO 1
A vida na *pólis*

CAPÍTULO 2
A cultura grega

CAPÍTULO 3
O período helenístico

PRIMEIRAS IDEIAS

1. Você conhece o significado da palavra democracia? Se conhece, em quais situações costuma usá-la? Por quê?

2. Em 2016, o município do Rio de Janeiro sediou os jogos olímpicos e os jogos paraolímpicos. Você sabe que jogos são esses?

3. Você costuma assistir a peças de teatro? Em sua opinião, qual seria a relação entre os gregos antigos e as apresentações teatrais?

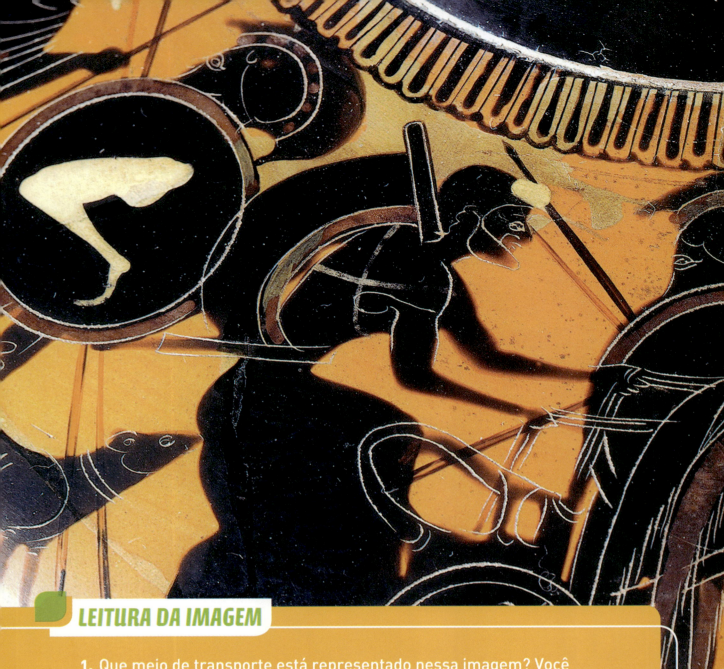

LEITURA DA IMAGEM

1. Que meio de transporte está representado nessa imagem? Você conhece algum meio de transporte atual parecido com ele? Qual?

2. A imagem mostra uma modalidade esportiva praticada pelos gregos antigos. Você sabe que esporte é esse? Quais seriam as regras e os objetivos dessa modalidade?

3. As práticas esportivas sempre foram muito valorizadas no mundo grego. Do ponto de vista da saúde, quais são os benefícios de praticar atividades físicas regularmente? Você tem esse hábito?

4. **VERIFICAR** Veja algumas modalidades esportivas praticadas pelos gregos antigos e responda no caderno: Esses esportes são praticados atualmente? Quais são as semelhanças e as diferenças entre as modalidades esportivas da Grécia Antiga e as do presente?

Detalhe de ânfora de cerâmica grega, da Ática, encontrada em Vulci, região do Lácio, atual Itália e datada do século VI a.C.

149

Capítulo 1
A VIDA NA *PÓLIS*

A sociedade grega é fruto do encontro de diversos povos. As características geográficas da região na qual essa sociedade se desenvolveu favoreceram uma forma de organização muito específica conhecida como pólis. Você sabe o que é uma pólis?

UMA ANTIGUIDADE CLÁSSICA

Como vimos anteriormente, os historiadores costumam dividir a História em períodos, para facilitar a organização e a compreensão dos processos e eventos históricos. Nas periodizações mais tradicionais, costuma-se chamar de **Antiguidade** o período que vai do surgimento da escrita, por volta de 4000 a.C., até a queda do Império Romano, no século IV d.C.

Não podemos, no entanto, falar de uma Antiguidade com características comuns em todos os lugares do mundo. Lembre-se de que cada povo tem sua história e se desenvolve de maneira única. Além disso, não existe um parâmetro único que uniformize as experiências históricas. Assim, falar de Antiguidade no continente africano não é o mesmo que falar de Antiguidade na América, tampouco na Europa.

Nesta unidade e na próxima, vamos estudar o período conhecido como Antiguidade Clássica. A palavra clássico tem diversos significados, mas, nas correntes historiográficas que tomam como referência as experiências humanas no continente europeu, relaciona-se aos povos gregos e romanos. Por isso, quando falamos em Antiguidade Clássica, estamos nos referindo a esses povos cuja influência cultural pode ser percebida ainda hoje na cultura ocidental, em diferentes campos do saber, como artes, idiomas, política, entre outros.

Ruínas de templo dedicado à Atenas Pronaia, em Delfos, Grécia. Foto de 2017. Na Antiguidade Clássica, Delfos foi um dos mais importantes lugares religiosos, considerado o centro do mundo grego antigo.

AS PRIMEIRAS COMUNIDADES GREGAS

A ocupação da península Balcânica e das ilhas que formam o território grego por diversos povos, como aqueus, eólios, jônios e dórios, e o intercâmbio sociocultural entre eles proporcionaram a formação da cultura grega.

A grande faixa litorânea propiciou o desenvolvimento da navegação, as viagens marítimas, o intercâmbio e o comércio com diferentes povos. As altas montanhas, que separam algumas regiões de outras, favoreceram a formação de diversas comunidades isoladas e politicamente independentes. Apesar de estarem dispersas pelo território e de quase sempre lutarem entre si, essas comunidades tinham traços culturais em comum que contribuíram para o surgimento do mundo grego.

As comunidades foram organizadas em grupos de pessoas que mantinham laços de parentesco. Esses núcleos familiares eram chamados de *genos* e incluíam o chefe da comunidade, seus parentes, os dependentes e os escravizados. Em seus territórios, praticavam a agricultura de subsistência, a criação de gado e a produção de objetos como vasos de cerâmica e vestimentas, ainda que, no caso destas, nem sempre a produção de lã ou de algodão ocorresse nas próprias fazendas – havia casos em que os tecidos eram trocados pelos produtos feitos nos núcleos familiares com mercadores estrangeiros.

O crescimento populacional e as disputas por terras mais férteis levaram certos *genos* a dominar outros. Com o tempo, os chefes de comunidade que acumulavam mais vitórias tornaram-se reis, governando com o apoio de uma assembleia composta de guerreiros.

Essa unificação de *genos* sob o governo de um mesmo rei deu origem às **cidades-Estado**, conhecidas também como *poleis* (plural de *pólis*).

> **LIVRO ABERTO**
>
> *Ruth Rocha conta a* Ilíada e *Ruth Rocha conta a* Odisseia, de Ruth Rocha. São Paulo: Salamandra, 2011.
>
> Nesses livros, a consagrada autora Ruth Rocha reconta dois dos poemas épicos mais importantes da Antiguidade, *Ilíada* e *Odisseia*, ambos atribuídos ao poeta grego Homero e considerados importantes fontes para o estudo da formação do mundo grego.

A PÓLIS

Entre os séculos VIII a.C. e VI a.C., ocorreram transformações importantes no modo como os gregos se organizavam politicamente. Com a unificação dos *genos* em cidades-Estado, a posse das terras deixou de ser coletiva, o poder político passou a ser exercido por grupos de aristocratas e a vida social centralizou-se na **pólis**.

A *pólis*, termo grego que define cidade, abrangia tanto as áreas urbanas quanto as áreas rurais ao redor. Havia casos em que dominava também povoados menores. Cada *pólis* se organizava de uma maneira diferente, mas, devido aos terrenos montanhosos e recortados, era comum a distribuição em quatro partes: a parte alta, chamada de acrópole, onde se localizava o centro religioso; a parte baixa, onde ficavam as moradias de artesãos, comerciantes e proprietários de terras; a ágora, espaço público onde os moradores da *pólis* conviviam e onde os cidadãos se reuniam para discutir política e outros assuntos relacionados à cidade; e o campo, onde eram realizadas as atividades agrícolas e viviam os agricultores.

Cada *pólis* era governada por uma aristocracia, o que significava que apenas as pessoas consideradas cidadãs poderiam interferir nos assuntos políticos. Com o passar do tempo, as formas de governo em cada região grega se tornaram mais específicas, assim como outras expressões culturais. As várias *poleis* eram independentes, com seus próprios exércitos, moedas e normas sociais e jurídicas. Dessa maneira, as decisões políticas e econômicas eram tomadas de maneira autônoma em cada uma das *poleis*, e não havia um controle centralizado de todas elas. Os principais elementos que integravam o mundo grego antigo eram a língua e a religião.

CIDADANIA

Diferentemente da atual sociedade brasileira, na qual todas as pessoas nascidas no território nacional ou nele naturalizadas são consideradas cidadãs, com direitos políticos assegurados, nem todas as pessoas que viviam nas *poleis* eram cidadãs. Os critérios que definiam a cidadania variavam de cidade para cidade, mas geralmente eram levados em conta aspectos como gênero, idade e origem social.

1. No Brasil atual, uma das formas pelas quais a cidadania é exercida é o voto. Em sua opinião, essa é uma forma eficaz de exercício de cidadania?
2. **APLICAR** Examine os dados apresentados sobre a história do voto no Brasil e elabore uma linha do tempo no caderno.

↓ Acrópole de Atenas, Grécia. Foto de 2018. As acrópoles eram os centros religiosos das *poleis* gregas. Das construções que ainda podem ser vistas nas ruínas dessa acrópole destacam-se o Partenon (no alto da colina), templo dedicado à deusa Atenas, patrona da cidade.

A EXPANSÃO GREGA

O período entre os séculos VIII a.C. e VI a.C. é chamado pelos historiadores de "séculos obscuros", pois não há muitos registros disponíveis sobre ele. Sabe-se, porém, que, além do governo das aristocracias, esse período foi marcado pelo aumento populacional e pela expansão das cidades-Estado gregas. Em decorrência disso, houve intenso crescimento das cidades e a crescente falta de terras férteis para o cultivo.

Essa conjuntura favoreceu a expansão grega para outras regiões. Assim, as colônias gregas espalharam-se da península Balcânica e da região insular para os territórios próximos ao mar Mediterrâneo, como as penínsulas Itálica e Ibérica, o norte da África e a Ásia Menor. Na península Itálica, os gregos fundaram muitas colônias, principalmente na região sul, que ficou conhecida como Magna Grécia. As colônias gregas mantinham relações comerciais e trocas culturais com os territórios da Grécia Antiga, considerados cidades-mãe.

↑ Templo de Hera em Capaccio Paestum, Itália atual, região que nos tempos da colonização da Grécia Antiga ficou conhecida como Magna Grécia. Foto de 2017.

insular: região formada por ilhas.

O mundo grego: Cidades-Estado e colônias (750 a.C.-550 a.C.)

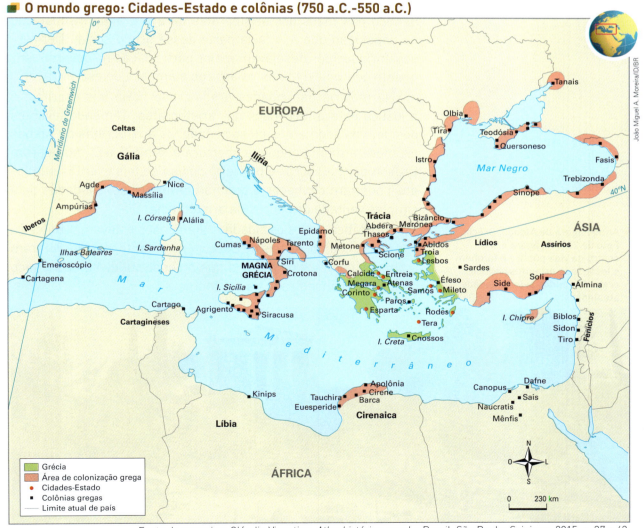

Fonte de pesquisa: Cláudio Vicentino. *Atlas histórico*: geral e Brasil. São Paulo: Scipione, 2015. p. 37 e 43.

A SOCIEDADE ATENIENSE

Atenas era uma das *pólis* gregas. Nela, eram considerados **cidadãos** apenas os homens adultos livres, filhos de pais atenienses e que cumpriram o serviço militar. Somente os cidadãos podiam ser donos de terra, participar da vida política e exercer cargos públicos.

A sociedade ateniense era formada pelos **eupátridas**, aristocratas descendentes das famílias que chefiavam os *genos* e detinham o poder político e militar; pelos **georgóis**, pequenos proprietários de terra; e pelos **demiurgos**, comerciantes e artesãos. Georgóis e demiurgos podiam participar de assembleias, mas tinham menos poder que os eupátridas.

Os **thetas**, camponeses sem terra que trabalhavam nos *genos*, não eram considerados cidadãos. Também não tinham direito à cidadania os estrangeiros, chamados de **metecos**, e os **escravos**.

DRÁCON E AS LEIS ESCRITAS

Em Atenas, a concentração do poder militar, político e econômico nas mãos dos aristocratas gerava grande insatisfação na população que não fazia parte desse grupo social. Demiurgos enriquecidos desejavam maior participação no governo, enquanto georgóis e thetas viviam sob a ameaça de escravização.

Na maioria das cidades gregas, não havia leis escritas, e a justiça estava nas mãos dos aristocratas. Temendo levantes dos demais segmentos da sociedade, os aristocratas de Atenas promoveram uma pequena abertura e, em 621 a.C., nomearam Drácon para elaborar o primeiro código de leis escritas que todos poderiam conhecer e que não deveriam ser mudadas pela simples vontade dos juízes da aristocracia.

Na prática, todos os cidadãos atenienses estavam sujeitos às leis desse código. As leis de Drácon, no entanto, não decretaram o fim dos conflitos na *pólis*, já que o poder político e econômico continuava concentrado na aristocracia.

A ESCRAVIDÃO EM ATENAS

De acordo com o pesquisador Pedro Paulo Funari, os escravos eram, em sua maioria, prisioneiros de guerra e os descendentes deles. Havia também atenienses e estrangeiros condenados à escravidão como forma de pagar suas dívidas. Eles eram responsáveis pelo trabalho nas minas de prata, nas fazendas e também nas cidades.

Por isso, muitos historiadores defendem a tese de que a democracia ateniense dependia do sistema de escravidão, já que possibilitava aos cidadãos ter tempo para atuar no governo da cidade-Estado.

↓ Antiga ágora de Atenas, Grécia. Foto de 2017. A ágora era o centro da vida pública e também o local onde assuntos políticos eram discutidos pelos cidadãos atenienses.

A DEMOCRACIA ATENIENSE

As reformas políticas foram aprofundadas por Sólon, que, a partir de 594 a.C., redigiu novas leis. Sua principal medida foi a abolição da escravidão por dívidas. Outra mudança importante foi a extinção dos privilégios políticos da aristocracia: Sólon substituiu o critério do nascimento para participação no governo pelo critério da riqueza, o que permitiu aos demiurgos e georgóis ricos fazerem parte do governo da *pólis*. Além disso, também estendeu o direito à cidadania aos thetas.

Sólon instaurou uma assembleia chamada **Eclésia**, da qual todos os cidadãos poderiam participar, e também a **Bulé**, conselho formado inicialmente por 400 homens eleitos. Cabia à Bulé propor as leis e à Eclésia aprová-las.

> **OSTRACISMO**
>
> No governo de Clístenes, foi instituído o ostracismo, uma punição imposta aos cidadãos julgados politicamente indesejáveis para Atenas. A pena aplicada era o exílio de dez anos, mas sem a perda dos bens. A pessoa a ser banida era escolhida em assembleia e os votos eram escritos em um pedaço de cerâmica, o *ostrakon*.

O GOVERNO DO POVO

As reformas de Sólon, no entanto, não diminuíram as tensões sociais em Atenas, pois mantinham os cidadãos mais pobres excluídos da vida política. Foi somente a partir de 508 a.C., quando o aristocrata **Clístenes** assumiu o poder, que essas pessoas tiveram acesso à política.

As reformas políticas de Clístenes substituíram o critério da riqueza para participação nos assuntos políticos por critérios regionais. Na prática, a *pólis* foi dividida em dez territórios ou tribos. Cada tribo congregava moradores ricos e pobres e elegia livremente cinquenta cidadãos para integrar a Bulé, principal órgão de governo da *pólis*, agora com quinhentos integrantes, e a Eclésia. Esse modelo, em que todos os cidadãos tinham direito à participação política, ficou conhecido posteriormente como **democracia** (do grego *demos*, povo, e *cracia*, governo).

A democracia ateniense foi consolidada no governo de Péricles, que instituiu a remuneração em dinheiro para servidores públicos e militares. Mais tarde, o pagamento aos integrantes da Assembleia permitiu aos cidadãos pobres participar ativamente da vida política de Atenas. É importante notar que, apesar de ser mais abrangente que as formas de governo anteriores, a democracia ateniense ainda não acolhia a participação daqueles que não eram vistos como cidadãos da *pólis*, ou seja, as mulheres, os estrangeiros e os escravos.

Alegoria da Democracia (representada à direita) coroando o povo ateniense. Relevo em mármore de cerca de 336 a.C., parte do acervo do Museu da Ágora Antiga, em Atenas, atual Grécia.

ATIVIDADES

RETOMAR E COMPREENDER

1. Leia as afirmações abaixo.
   I. O mundo grego se formou do encontro de povos como os aqueus, os eólios, os jônios e os dórios.
   II. As *poleis* gregas deram origem aos *genos*.
   III. Todas as *poleis* gregas eram governadas por um mesmo rei.
   IV. A religião e a língua eram os principais elementos que unificavam o mundo grego.

   Quais afirmações estão corretas? Anote a alternativa no caderno.
   a) I e IV.
   b) I, II e III.
   c) I, III e IV.
   d) II e IV.

2. Explique o que é Antiguidade Clássica e como ela se relaciona com a história dos povos gregos.

3. De acordo com o que você estudou nas unidades anteriores e com sua resposta à atividade anterior, converse com os colegas sobre a seguinte questão: Por que apenas as Antiguidades grega e romana foram chamadas de clássicas pela historiografia tradicional? Levantem hipóteses.

4. A *pólis* ateniense é considerada o berço da democracia. O entendimento de democracia nessa sociedade, no entanto, era bastante diferente do da sociedade atual. Com base no que você estudou sobre democracia ateniense, responda às questões a seguir.
   a) Quem era considerado apto para participar da democracia ateniense?
   b) Quais eram os órgãos responsáveis pelo exercício político em Atenas?
   c) Em sua opinião, o atual sistema democrático é mais abrangente que o da Grécia Antiga? Por quê?

APLICAR

5. Leia o texto a seguir, observe a imagem e responda às questões.

   Os escravos de Atenas eram em sua maioria prisioneiros de guerra (gregos ou "bárbaros", como eram chamados pejorativamente os não gregos) e seus descendentes, considerados não como seres humanos dignos, mas como "instrumentos vivos". Dos escravos, cerca de trinta mil trabalhavam nas minas de prata, das quais se extraía metal para armamentos, ferramentas e moedas, 25 mil eram escravos rurais e 73 mil eram escravos urbanos empregados nas mais variadas tarefas e ofícios, permitindo que seus donos se ocupassem dos assuntos públicos.

   Pedro Paulo Funari. *Grécia e Roma*. São Paulo: Contexto, 2002. p. 38.

   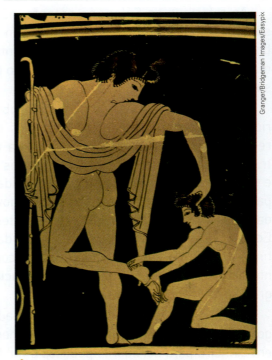

   ↑ Detalhe de ânfora grega do século V a.C. A imagem registra duas personagens da sociedade grega antiga.

   a) A qual segmento da sociedade ateniense o texto e a imagem se referem?
   b) Como o texto descreve esse segmento da sociedade de Atenas?
   c) Essas pessoas eram consideradas cidadãs em Atenas?
   d) Na imagem, quem é o escravo? O que ele está fazendo? Explique suas hipóteses com base em elementos da imagem.

HISTÓRIA DINÂMICA

As mulheres na *pólis* grega

Por muito tempo, as mulheres ficaram de fora das narrativas históricas. A participação delas nas sociedades costumou ser tratada como um tema de pouco destaque ou como um mero detalhe. Os registros produzidos por elas frequentemente foram esquecidos ou se perderam ao longo do tempo.

Como você estudou neste capítulo, nas cidades-Estado gregas as mulheres não tinham direito à cidadania, por isso, não participavam das decisões políticas da *pólis*. Alguns estudiosos, porém, têm procurado aprofundar o conhecimento sobre a atuação das mulheres em outras esferas importantes da vida social nas *poleis* gregas.

As fontes literárias evidenciam a enorme diferença entre uma mulher "cidadã" pobre ou rica. O espaço ideal da mulher ateniense abastada era o recato do lar em que se ocupava com a fiação e tecelagem, saindo à rua apenas para buscar água nas fontes e poços [...], cultuar os mortos ou participar dos rituais religiosos. A mulher ateniense de baixa extração social, por sua vez, precisava colaborar economicamente no sustento da casa, trabalhando fora. Assim, os mercados estavam cheios de vendedoras de perfumes, de óleo e de quinquilharias em geral [...]. As mulheres de famílias campesinas humildes também deviam cooperar, fazendo a coleta dos frutos. Talvez cooperassem também no artesanato ou indústria urbana, na tecelagem, ou mesmo na olaria. Enquanto as cidadãs pobres, em suas raras aparições iconográficas, estão em contexto de trabalho, as cidadãs da elite aristocrática são representadas no ócio do <u>gineceu</u>. A diferença entre a rua e casa, para as mulheres livres, possuía também um sentido de classe social. As evidências iconográficas, contrariamente ao discurso historiográfico predominante, apontariam que, em determinadas situações, mulheres ocupariam espaços no mundo do trabalho, inclusive em atividades de cunho masculino, como em ofícios artesanais especializados.

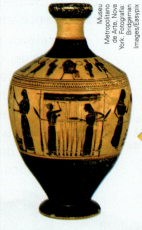

← Ânfora grega do século VI a.C. com representações de mulheres em atividades cotidianas, como a fiação em teares (ao centro).

Fábio Vergara Cerqueira. Interpretando evidências iconográficas da mulher ateniense. *Cadernos do Lepaarq*: textos de antropologia, arqueologia e patrimônio, Pelotas, Universidade Federal de Pelotas (UFPel-RS), v. 5, n. 9-10, p. 114-115, ago./dez. 2008.

<u>gineceu</u>: parte da habitação ateniense reservada às mulheres.

Em discussão

1. Quais atividades eram realizadas pelas mulheres atenienses?
2. Qual era o critério utilizado para definir a atuação das mulheres em Atenas?
3. Em sua opinião, por que o autor, ao se referir às mulheres atenienses, utiliza aspas em cidadãs?

Capítulo 2 — A CULTURA GREGA

Diversos elementos de nossa cultura, bem como de muitas outras culturas do Ocidente, foram amplamente influenciados pela cultura grega. Você sabe dizer que elementos são esses?

A ARTE NA GRÉCIA

A arte na Grécia Antiga se manifestou com riqueza e diversidade e exerceu influência sobre outras culturas desde a Antiguidade até os dias atuais. O que conhecemos hoje dela é, porém, uma pequena parcela do que foi produzido. Muitas esculturas e edifícios se perderam ao longo do tempo, destruídos por saqueadores, terremotos, guerras, incêndios, entre outros fatores.

A passagem do tempo causou também um curioso efeito: desgastou as cores de estátuas e de edifícios, que, originalmente, eram bastante coloridos.

As esculturas são uma das expressões artísticas gregas mais conhecidas. Nos primeiros séculos de desenvolvimento da cultura grega, boa parte das esculturas representava deuses e deusas. Somente a partir do século V a.C., os gregos começaram a representar artisticamente pessoas de destaque.

Os relevos gregos estavam presentes na maioria dos edifícios públicos, como templos, ginásios e teatros. Tinham como característica a harmonia entre a forma, o espaço e a ornamentação. A maioria dos relevos representava temas mitológicos ou personalidades de destaque na vida pública grega.

↓ Vestígios do templo grego Erecteion, dedicado aos deuses Atenas e Poseidon. A construção fica na Acrópole de Atenas, atual Grécia, e revela características da arquitetura grega antiga. Foto de 2017.

AS DIVINDADES GREGAS

A religião era um dos principais elementos que unificavam o mundo grego. Apesar de cada *pólis* prestar culto a deusas e deuses específicos, todas essas divindades faziam parte de um mesmo panteão. Segundo as crenças gregas, os deuses eram imortais, tinham poderes sobrenaturais e podiam interferir nos fenômenos da natureza e nos diversos aspectos da vida humana e controlá-los.

Os deuses do panteão grego eram apresentados com as mesmas virtudes e defeitos dos seres humanos. Sentiam raiva, amor, inveja, ciúme e, não raro, mostravam-se vingativos. Com bastante frequência, uniam-se a outros deuses, a seres fantásticos e até mesmo a humanos e geravam filhos. Acreditava-se que da união entre um deus e um ser humano nascia um semideus.

A MORADA DOS DEUSES

De acordo com a mitologia grega, quase todos os deuses habitavam o monte Olimpo, a mais alta montanha da Grécia. A morada divina era guardada por deusas chamadas Horas, e uma porta de nuvens era a passagem entre o mundo dos mortais e o dos imortais.

Os deuses que não moravam no Olimpo habitavam a terra, as águas ou o mundo subterrâneo. No entanto, todos eram convocados a comparecer ao palácio de Zeus, líder dos deuses, para se reunir e discutir os assuntos terrenos e celestes.

Nessas reuniões, eram servidos um alimento chamado ambrosia e uma bebida denominada néctar. Enquanto isso, Apolo, deus da música, tocava sua lira e as musas cantavam. A reunião acabava ao pôr do sol, quando todos os deuses voltavam à própria morada.

Busto de Zeus, feito em bronze com base em original grego datado do século IV a.C.

musa: de acordo com a mitologia grega, as musas eram filhas de Zeus e Mnemósine, deusa da Memória. Eram nove ao todo, e cada uma tinha a missão de cuidar de um ramo diferente das artes e da ciência. Clio, por exemplo, era a musa da História, e Urânia, da Astronomia.

JOGOS OLÍMPICOS

Um dos principais símbolos da união entre os gregos eram os jogos olímpicos. A cada quatro anos, os atletas das *poleis* gregas reuniam-se em **Olímpia** para competir em jogos em honra a Zeus. Tratava-se de um acontecimento tão importante que as guerras eram interrompidas na época das competições.

No início do verão do ano em que ocorriam os jogos olímpicos, enviavam-se mensageiros para todas as regiões da Grécia e suas colônias anunciando um período de trégua e paz.

Os jogos duravam sete dias, dos quais o primeiro e o último eram reservados a cerimônias religiosas. Durante os outros cinco dias, os atletas competiam em modalidades como corrida, arremesso de disco e de dardo, salto em distância, lutas corpo a corpo, pugilismo e corridas sobre cavalos. Apenas os homens gregos livres podiam competir. Escravos e mulheres solteiras podiam assistir aos jogos, mas as mulheres casadas eram proibidas de fazê-lo.

Havia um único vencedor em cada modalidade, premiado com uma coroa de folhas de oliveira. O maior prêmio, no entanto, era a fama que os vencedores adquiriam e que se estendia à família e à cidade de origem dos campeões. Cada atleta representava a própria *pólis*. Quando a vitória era espetacular, o atleta recebia homenagens e era imortalizado em estátuas e poemas.

Os jogos de Olímpia eram os principais, mas não os únicos que se realizavam. Os gregos competiam em outros grandes festivais em homenagem aos deuses.

OS JOGOS OLÍMPICOS NA ATUALIDADE

Os jogos olímpicos foram interrompidos no século IV d. C., pois o imperador romano Teodósio I decidiu proibi-los por considerá-los anticristãos.

Em 1896, no entanto, novos jogos olímpicos foram instituídos por iniciativa do barão francês Pierre de Coubertin.

Apesar de algumas semelhanças, os jogos olímpicos da atualidade não podem ser considerados uma permanência dos jogos da Antiguidade. Podemos dizer que os jogos atuais foram inspirados nos do passado e adaptados aos novos tempos.

Maratona feminina durante os jogos olímpicos realizados no município do Rio de Janeiro. Foto de 2016.

FILOSOFIA

A partir do século VII a.C., alguns gregos passaram a refletir sobre a composição da matéria, a matemática da natureza, as noções de certo e errado, o que é o amor, entre outras questões.

Dessa reflexão sobre a natureza das coisas, surgiu a filosofia (do grego *filo*, amigo, e *sofia*, sabedoria). A filosofia se desenvolveu principalmente nas *poleis* que seguiam o modelo democrático, como Atenas, onde as assembleias de cidadãos permitiam às pessoas discutir os problemas locais e externos.

Um dos mais importantes filósofos gregos foi Sócrates (470 a.C.-399 a.C.). Para ele, a melhor maneira de construir o conhecimento era dialogando. Ele fazia perguntas e, por meio da resposta do interlocutor, conseguia fazê-lo refletir e formular novas ideias, rejeitando antigas ideias que poderiam ser equivocadas. Acusado de não respeitar a religião, foi condenado à morte.

Sócrates não escreveu nenhum texto sobre seus ensinamentos. O responsável pela escrita e divulgação de suas ideias foi seu aluno Platão, que também se tornou um dos mais importantes filósofos do mundo clássico.

Os conhecimentos desenvolvidos nessas reflexões filosóficas, em muitos casos, serviram de base para diversas áreas de estudo existentes na atualidade, como a medicina, a matemática, a física, a geografia, entre outras.

Entre elas, Aristarco de Samos propôs a teoria baseada no modelo heliocêntrico, em que a Terra gira em torno do Sol; Arquimedes demonstrou o poder da energia solar ao desenvolver um sistema para incendiar navios com o uso de espelhos; Herófilo examinou o corpo humano e percebeu a diferença entre veias e artérias, além de ponderar sobre a substância que fluía por elas.

LIVRO ABERTO

Só sei que nada sei: Sócrates, Platão e Aristóteles, de Silvana de Menezes. São Paulo: Salamandra, 2011 (Coleção Pensar Arte).
A obra apresenta uma incursão pelo pensamento grego antigo, com base, principalmente, no legado filosófico de Sócrates, Platão e Aristóteles. A linguagem, que mistura história e teatro, é divertida e atraente, tornando sua leitura leve e agradável.

COMPREENDER

Observe uma linha do tempo sobre alguns filósofos da Grécia Antiga e conheça o contexto histórico ao qual o pensamento deles estava relacionado. Faça um resumo do que você compreendeu sobre esse assunto, organizando suas ideias.

Jacques-Louis David. *A morte de Sócrates*, 1787. Óleo sobre tela. A obra representa Sócrates na prisão, sentado ao centro, fazendo um gesto vigoroso aos seus discípulos, que estão desolados com a sentença de morte imposta ao filósofo.

ATIVIDADES

RETOMAR E COMPREENDER

1. As frases a seguir contêm informações erradas. Identifique quais são os erros e corrija-os, reescrevendo cada frase no caderno.

   a) A maioria das obras realizadas pelos gregos foi preservada, inclusive com as cores originais.

   b) As *poleis* governadas pela aristocracia incentivaram o desenvolvimento da filosofia por causa de suas características urbanas.

   c) Sócrates foi um dos mais importantes filósofos gregos porque defendia que a melhor forma de adquirir conhecimento era a exposição de ensinamentos de um mestre a seus discípulos.

   d) Os gregos deram grandes contribuições para o desenvolvimento de conhecimentos filosóficos, mas, para outras áreas do conhecimento, suas contribuições não foram muito significativas.

2. Qual é a importância da filosofia, na Grécia Antiga e na sociedade atual, para o surgimento de outras áreas de conhecimento, como a matemática, a história e a astronomia?

APLICAR

3. Leia o trecho da reportagem a seguir, sobre os jogos paraolímpicos de 2016, e, depois, responda às questões.

   > Mais de quatro mil atletas com deficiência de 160 países começam a disputar os Jogos Paralímpicos do Rio de Janeiro [...]. O público lotou as arquibancadas do Maracanã para ver a cerimônia de abertura, que contou com a presença de diversas autoridades. Entre elas o ministro da Justiça, Alexandre de Moraes, e a secretária especial dos Direitos da Pessoa com Deficiência do MJC [Ministério da Justiça e Cidadania], Rosinha da Adefal.
   >
   > Para Rosinha, o principal legado do evento não será somente a construção de espaços com acessibilidade, mas [também] uma mudança cultural da sociedade brasileira, que passará a compreender melhor a importância da promoção dos direitos da pessoa com deficiência.
   >
   > "O verdadeiro legado que a Paralimpíada vai deixar é uma mudança cultural no País. Os Jogos têm de trazer uma mudança de atitude em relação à pessoa com deficiência. É preciso respeitar as diferenças e promover a igualdade para que possamos garantir a plena participação das pessoas com deficiência na sociedade", disse.
   >
   > A secretária defende também o esporte como instrumento fundamental para inclusão social dessa parcela da população. "O esporte é o melhor caminho para acontecer a inclusão. Se hoje estou aqui, trabalhando para a construção de políticas para a pessoa com deficiência, é porque um dia tive a oportunidade de ser atleta", afirmou Rosinha ao lembrar do período em que participou de competições de natação para pessoas com deficiência.
   >
   > [...]
   >
   > Portal Brasil. "Paralimpíada vai deixar mudança cultural no País", diz secretária dos Direitos da Pessoa com Deficiência. Disponível em: <http://www.brasil.gov.br/cidacania-e-justica/2016/09/paralimpiada-vai-deixar-mudanca-cultural-no-pais-diz-secretaria-dos-direitos-das-pessoas-com-deficiencia>. Acesso em: 26 abr. 2018.

   a) O que são os jogos paraolímpicos?

   b) Em sua opinião, como os jogos paraolímpicos se relacionam com os jogos olímpicos? Escreva, no caderno, uma frase sobre o assunto e, depois, leia-a para a turma.

   c) De acordo com a então secretária especial dos Direitos da Pessoa com Deficiência, Rosinha da Adefal, qual teria sido o legado deixado pela paraolimpíada ao Brasil?

   d) Agora, você e a turma vão refletir sobre o seguinte tema: De que modo a comunidade em que vocês vivem (como bairro, município e a comunidade escolar) proporciona acessibilidade aos diferentes espaços e atividades para as pessoas com deficiência?

4. Observe o relevo abaixo, leia a legenda e, a seguir, faça o que se pede.

↑ Detalhe do friso do Partenon, em Atenas, feito aproximadamente entre os anos 447 a.C. e 432 a.C, representando os deuses Poseidon, Apolo e Ártemis (da esquerda para a direita).

a) Descreva como é a ornamentação das roupas dos deuses representados.
b) Além da aparência semelhante à dos humanos, quais eram outras características que os deuses tinham em comum com os mortais?
c) Em que tipo de edifício público os relevos eram comuns?

5. Leia o texto abaixo sobre Sócrates, um dos mais importantes filósofos gregos. A seguir, responda às questões propostas.

[...]

Defensor do diálogo como método de educação, Sócrates considerava muito importante o contato direto com os interlocutores – o que é uma das possíveis razões para o fato de não ter deixado nenhum texto escrito. Suas ideias foram recolhidas principalmente por Platão, que as sistematizou, e por outros filósofos que conviveram com ele.

Sócrates se fazia acompanhar frequentemente por jovens, alguns pertencentes às mais ilustres e ricas famílias de Atenas. Para Sócrates, ninguém adquire a capacidade de conduzir-se, e muito menos de conduzir os demais, se não possuir a capacidade de autodomínio. Depois dele, a noção de controle pessoal se transformou em um tema central da ética e da filosofia moral. Também se formou aí o conceito de liberdade interior: livre é o homem que não se deixa escravizar pelos próprios apetites e segue os princípios que, por intermédio da educação, afloram de seu interior.

[...]

Márcio Ferrari. Sócrates, o mestre em busca da verdade. Revista *Nova Escola*, São Paulo, 1º out. 2008. Disponível em: <https://novaescola.org.br/conteudo/177/socrates-mestre-verdade>. Acesso em: 20 jul. 2018.

a) Qual é o conceito de liberdade interior mencionado no texto?
b) Em sua opinião, qual é o sentido da palavra apetites utilizada pelo autor do texto?
c) Você concorda com as ideias de Sócrates que estão mencionadas acima? Explique.

Capítulo 3
O PERÍODO HELENÍSTICO

No século IV a.C., a cultura grega difundiu-se por boa parte do Oriente, do Egito à Índia. Você sabe como essa difusão ocorreu? Qual foi o resultado da união dos elementos culturais típicos do mundo grego com os das diversas culturas orientais?

A CONQUISTA MACEDÔNICA

A Macedônia era um pequeno reino situado ao norte da Grécia. A língua e a cultura de seus habitantes eram semelhantes às gregas, e os deuses cultuados eram os mesmos. Ainda assim, os cidadãos das *poleis* consideravam a população macedônica **bárbara**, isto é, estrangeira e, portanto, inferior.

Após a Guerra do Peloponeso, um conflito entre as cidades gregas que fragilizou diversas *poleis*, entre 431 a.C. e 404 a.C., o rei da Macedônia, **Filipe II**, aproximou-se das enfraquecidas cidades gregas, oferecendo-lhes aliança militar contra os persas, antigos inimigos dos gregos. Na verdade, Filipe pretendia aproveitar-se das rivalidades entre essas cidades para conquistá-las. E assim o fez.

As cidades de Atenas e Tebas ofereceram maior resistência às tropas de Filipe. Apesar disso, em 338 a.C., os macedônios derrotaram os gregos e dominaram toda a Grécia. O próximo passo da expansão da Macedônia seria a conquista da Pérsia, mas, antes disso, Filipe II foi assassinado em seu próprio reino. Seu filho, **Alexandre Magno**, aos 20 anos de idade, assumiu o poder e continuou o processo de expansão.

Alexandre, vencedor de uma série de batalhas, ampliou seu reinado, que se estendeu dos Bálcãs à Índia, incluindo o Egito e a região atualmente chamada de Afeganistão.

↓ Detalhe da obra *A travessia do Grânico*, 1665, de Charles Le Brun. Óleo sobre tela. Ela retrata as tropas de Alexandre atravessando o rio Grânico, na atual Turquia, em confronto com os persas, em 334 a.C. Essa batalha é considerada a primeira grande vitória de Alexandre.

AS CONQUISTAS DE ALEXANDRE

Alexandre Magno foi educado pelo filósofo grego Aristóteles e tornou-se um grande conhecedor e admirador da cultura e da filosofia gregas. Com a morte do pai, assumiu o projeto dele de expandir o reino macedônico.

Reuniu macedônios e gregos em um grande exército e marchou contra os domínios dos persas. Em poucos anos, conquistou a Fenícia, o Egito, a Mesopotâmia e a Pérsia, chegando até a região do rio Indo, na Índia. A região sob seu domínio ficou conhecida como **Império Macedônico**.

Alexandre Magno fundou 32 cidades, dando a todas elas o nome de Alexandria. Seu objetivo era transformar essas cidades em grandes centros de difusão da cultura helenística. Todas elas demonstraram grande vigor e tornaram-se polos culturais e econômicos de considerável importância no mundo antigo.

Ele pretendia prosseguir na conquista de terras desconhecidas. No entanto, seus soldados, já exaustos, recusaram-se a continuar. Contrariado, retornou à capital do Império, a cidade de Babilônia, com suas tropas. Em 323 a.C., o imperador adoeceu e morreu precocemente aos 33 anos de idade.

Após a morte de Alexandre Magno, seus generais disputaram o controle dos territórios conquistados. O resultado foi a divisão do grande Império Macedônico em vários reinos. Os principais deles foram o Egito, a Pérsia Selêucida e a Macedônia, que incluía a Grécia. Observe o mapa abaixo.

> **ARISTÓTELES**
>
> Nascido na cidade de Estagira no ano de 384 a.C., Aristóteles foi um importante filósofo grego, assim como Tales, Pitágoras, Sócrates e Platão, entre outros.
>
> Seus estudos contribuíram para o desenvolvimento de diversas áreas do conhecimento, como a ética, a política, a física, a psicologia, a poesia e a biologia.

O Império de Alexandre Magno (século IV a.C.)

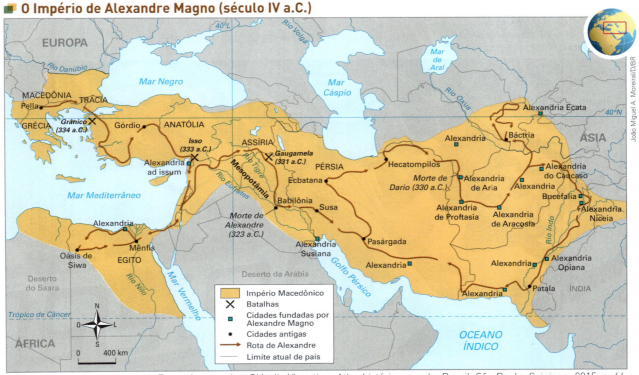

Fonte de pesquisa: Cláudio Vicentino. *Atlas histórico*: geral e Brasil. São Paulo: Scipione, 2015. p. 44.

165

> **ESCULTURAS HELENÍSTICAS**
>
> Muitas das esculturas gregas que conhecemos hoje são do período helenístico, quando a riqueza dos grandes reinos favoreceu a produção das obras de arte. As personagens das esculturas helenísticas são representadas, em geral, em posições retorcidas, exibindo expressões de dor ou de alegria.

 ANALISAR
Veja um mapa sobre a cultura no mundo helênico por volta do século V a.C. e anote no caderno o que mais chamou sua atenção.

↓ Escultura feita entre os séculos II d.C. e IV d.C., em Gandhara, Índia Antiga, atual Paquistão. Ela retrata personagens do budismo com estilo tipicamente helenístico, evidenciando o grande alcance espacial e temporal dessa cultura.

A CULTURA HELENÍSTICA

A política de conquista macedônica não incluía destruir as tradições dos povos conquistados, mas, sim, acrescentar a elas características da cultura grega. Essa união das culturas grega e oriental iniciada por Alexandre ficou conhecida como **cultura helenística**, em razão de os gregos chamarem a si próprios de helenos e à Grécia de Hélade.

Apesar de a união política do Império Macedônico ter sido breve, a cultura helenística subsistiu em diversas regiões por séculos.

ALEXANDRIA, A CAPITAL DO CONHECIMENTO

A Alexandria do Egito, situada no delta do rio Nilo, transformou-se na maior, mais rica e populosa metrópole do Mediterrâneo Oriental, capital cultural do mundo helenístico.

Ponto de encontro da milenar sociedade egípcia com a filosofia e as ciências gregas, essa Alexandria tornou-se célebre pelos cientistas que viveram e estudaram no *Musaeum*, instituição considerada a casa das musas, da qual fazia parte a famosa biblioteca de Alexandria, que guardava obras de arte, papiros e pergaminhos com os mais importantes trabalhos intelectuais produzidos na Antiguidade.

O maior símbolo do poder de Alexandria do Egito era uma estrutura de 120 metros de altura, construída na entrada do porto. Ali, todas as noites acendia-se uma chama que era visível aos navegantes a 50 quilômetros de distância. Essa torre de sinalização marítima ficou conhecida como "farol" em referência à ilha de Faros, onde estava localizada.

ATIVIDADES

RETOMAR E COMPREENDER

1. Qual foi a consequência da Guerra do Peloponeso para as *poleis* gregas?
2. Após assumir o trono da Macedônia, quais foram as ações de Alexandre Magno?
3. Leia o texto a seguir.

> Foi nesse contexto que, admirador da cultura das *pólis* e discípulo de Aristóteles, [...] procurou levar a cultura grega para a Ásia à medida que seu Império se expandia. Com sua morte, o Império foi dividido em três unidades, cada uma governada por um general heleno, que constituiu dinastia na região: no Egito, o general Ptolomeu fundou um reino e a dinastia Lágida; Seleuco fundou a dinastia Selêucida na Síria; e Antígono dominou a Macedônia.
>
> Kalina Vanderlei da Silva; Maciel Henrique da Silva. *Dicionário de conceitos históricos*: helenismo. 3. ed. São Paulo: Contexto, 2014. p. 178.

- Uma personagem histórica mencionada no texto foi suprimida pelo sinal [...]. Que personagem é essa?

APLICAR

4. Reveja o mapa da página 165. Considere a configuração política atual da região cartografada e responda: O Império de Alexandre abrangeu quais continentes?
5. Observe a imagem abaixo e responda às questões.

↑ Detalhe de relevo esculpido no altar de Pérgamo, cujo tema é a gigantomaquia, ou a luta de Zeus e Atenas contra os inimigos gigantes. Construído no século II a.C., o altar de Pérgamo se encontra no Museu de Pérgamo, em Berlim, Alemanha.

a) Qual informação presente na legenda indica que o relevo pertence à cultura helenística?
b) Qual característica nessa representação é um indício de que a obra revela o estilo helenístico?

ATIVIDADES INTEGRADAS

RETOMAR E COMPREENDER

1. Organize os fatos abaixo em ordem cronológica.
   - Conquista da Grécia por Filipe II.
   - Reformas de Sólon e de Clístenes.
   - Interrupção dos jogos olímpicos.
   - Início da ocupação da península do Peloponeso por povos que formaram o povo grego.
   - Reformas de Drácon.
   - Guerra do Peloponeso.

2. No caderno, descreva a composição da sociedade ateniense explicitando quais grupos eram considerados cidadãos antes das reformas de Drácon.

APLICAR

3. Leia o texto abaixo e responda às questões.

> O casamento é um dos fundamentos da sociedade cívica grega na época clássica; na Atenas democrática, embora não fosse objeto de uma regulamentação propriamente dita por parte da cidade-Estado, não deixava de ser definido por um certo número de práticas mais ou menos institucionalizadas. Desde a lei de Péricles em 451, o casamento só teria caráter legal se unisse um cidadão à filha de um cidadão. Quem quer que fizesse passar por sua esposa legítima [...] uma estrangeira ou uma escrava, estava sujeito a pagar pesada multa, e os filhos nascidos dessa união não poderiam ser considerados atenienses. O casamento em si, no entanto, continuava a ser um ato privado, unindo duas casas.
>
> Claude Mossé. *Dicionário da civilização grega*. Rio de Janeiro: Zahar, 2004. p. 59-60.

a) A qual prática social o texto se refere?
b) De que forma essa prática social se relaciona com o direito à cidadania em Atenas?

ANALISAR E VERIFICAR

4. O texto a seguir trata de um tipo de personagem feminina retratado nas obras de literatura teatral da Grécia Antiga. Leia-o e, depois, responda às questões.

> [...] há muitas mulheres sem nome, que são conhecidas apenas por serem "aquela que" fez isto ou aquilo. Embora nas narrativas tenham uma identidade, o seu nome não subsistiu na memória [...]. No entanto, estas "mulheres sem nome" da literatura têm traços que identificamos [...] como modernos. Contrárias à ideia veiculada da esposa recatada no gineceu (influenciada pelo exemplo de Penélope), ou da que ama o marido a ponto de morrer por ele (literalmente falando, como Alceste, estas mulheres, se situadas no nosso século não se sentiriam completamente deslocadas: saem à rua, passeiam, veem espetáculos, ou ficam em casa [...].
>
> Foi o acesso a essas mulheres que a época helenística (aqui citaremos Teócrito e os romances de amor e aventuras) nos proporcionou. [...]
>
> Adriana Freire Nogueira. Mulheres na literatura grega artiga: recursos estilísticos?. Em: Virgínia S. Pereira; Ana L. Curado (Org.). *A Antiguidade Clássica e nós*: herança e identidade cultural. Braga: Universidade do Minho, 2006. p. 94.

a) Que tipo de personagem feminina é abordado no texto?
b) De que forma a autora aproxima o comportamento dessas mulheres do mundo antigo com as mulheres do mundo moderno?
c) Quais personagens famosas são citadas? Você conhece a mitologia sobre elas? Em caso negativo, busque-a em publicações impressas ou digitais e, depois, compartilhe suas descobertas com a turma.

5. Observe as imagens abaixo e leia as legendas. Em seguida, escreva um parágrafo sobre a arte grega, mencionando aspectos que você analisou nas imagens.

Ⓐ

↑ Essa escultura em mármore, do final do século IV a.C., mostra uma senhora (à direita) e sua escrava (à esquerda). A representação evidencia o tipo de relação social: pelo tamanho das personagens, é possível supor qual teria mais relevância na sociedade grega antiga.

Ⓑ

↗ Cratera de cerâmica, 440 a.C.-430 a.C. Crateras são vasos gregos que eram utilizados para misturar diferentes tipos de bebida. No detalhe, está representada uma procissão em honra ao deus Dionísio.

Ⓒ

Este espelho feito de → bronze, em 550 a.C., é um exemplo de como a arte estava incorporada ao dia a dia dos gregos. Objetos de uso cotidiano e íntimo demonstravam a habilidade do artesão em seu ofício.

CRIAR

6. Reúna-se com dois colegas para recontar algum mito grego em uma história em quadrinhos. Para isso, vocês deverão:
   - pesquisar e selecionar um mito grego;
   - elaborar um roteiro para a história;
   - produzir a história em quadrinhos, com desenhos e, se houver, balões de fala.

7. Na abertura desta unidade, você comentou sobre hábitos que pratica para preservar sua saúde física. Reflita agora sobre os hábitos que preservam sua saúde mental. Em sua opinião, quais das atividades que você realiza ao longo de uma semana contribuem para isso?

169

IDEIAS EM CONSTRUÇÃO - UNIDADE 6

Capítulo 1 – A vida na *pólis*
- Sei o que é Antiguidade Clássica e como ela se relaciona com a história dos povos gregos?
- Reconheço que a expressão que dá nome a esse período foi criada pelos historiadores tradicionais e que isso não significa que as outras antiguidades sejam inferiores ou superiores a ela?
- Identifico a relação entre os povos que ocuparam a península Balcânica e a formação do mundo grego?
- Compreendo o processo de formação das *poleis* gregas?
- Compreendo o papel das *poleis* no mundo grego antigo?
- Conheço as características da sociedade ateniense?
- Compreendo o conceito de cidadania no mundo grego antigo, em especial na *pólis* ateniense?
- Observo que a cidadania não era um direito de todos os grupos sociais que conviviam na *pólis*?
- Identifico os principais papéis sociais desempenhados pelas mulheres na Grécia Antiga, verificando que, sobre esse tema, há importantes atualizações historiográficas?

Capítulo 2 – A cultura grega
- Identifico os principais elementos que unificavam o mundo grego antigo, com especial atenção às características culturais?
- Reconheço a importância das mitologias para o estudo do mundo grego antigo, favorecendo a compreensão sobre o modo como esse povo entendia o mundo?
- Analiso os vestígios das expressões culturais gregas antigas como importantes fontes históricas desse povo e também como indicadores do grande alcance cultural dessa forma de compreender o mundo?

Capítulo 3 – O período helenístico
- Compreendo o papel de Alexandre Magno para a unificação de povos gregos e orientais em um único império, analisando os modos de contato entre os povos?
- Nesse processo de unificação, reconheço as formas de contato e adaptação entre as culturas dos diferentes povos?
- Identifico os fatores que fizeram Alexandria do Egito um importante centro de intercâmbio cultural do mundo antigo?

VERIFICAR
Confira os conhecimentos adquiridos na unidade organizando suas ideias e resolvendo as atividades propostas.

UNIDADE 7

ROMA: FORMAÇÃO E EXPANSÃO

No século VIII a.C., desenvolveu-se, às margens do rio Tibre, no centro da península Itálica, um vilarejo que, séculos mais tarde, tornou-se uma das cidades mais poderosas da Antiguidade: Roma. Em busca de constante expansão de seus domínios, os romanos criaram exércitos e instituições públicas para administrar seu vasto império. Sua cultura influenciou muitas sociedades ocidentais, inclusive a brasileira.

CAPÍTULO 1
As origens de Roma

CAPÍTULO 2
A consolidação do Império Romano

PRIMEIRAS IDEIAS

1. O nome oficial do nosso país é República Federativa do Brasil. O que esse nome indica sobre a maneira como o Estado brasileiro é organizado?

2. Você sabe quais são os requisitos para ser um senador no Brasil atual? E quais requisitos você considera que eram necessários para ser um senador na Roma Antiga?

3. Você já assistiu a algum filme ou seriado sobre Roma Antiga? Em caso afirmativo, compartilhe com os colegas suas impressões sobre o modo de vida dos romanos antigos: como se vestiam, quais atividades costumavam realizar, do que se alimentavam e como se divertiam, etc.

LEITURA DA IMAGEM

1. Que tipo de construção é retratado nessa foto? Qual teria sido a finalidade dessa construção?

2. A cidade de Bath, na Inglaterra, fica a aproximadamente 2 mil quilômetros de Roma, na Itália. Em sua opinião, por que os romanos teriam construído termas tão longe da cidade deles?

3. Muitos vestígios dos romanos antigos evidenciam a atenção do Estado para questões como higiene e saneamento básico. E no Brasil atual, todos os lares brasileiros são abastecidos com água e são atendidos por redes de esgoto? Qual seria a importância desses serviços?

4. **ANALISAR** Observe como os aquedutos, construções empregadas no transporte de água, foram utilizados pelos romanos e anote no caderno suas conclusões sobre o funcionamento dessa tecnologia.

Termas romanas de Bath, na Inglaterra. Foto de 2015.

Capítulo 1
AS ORIGENS DE ROMA

A antiga cidade de Roma surgiu no século VIII a.C. como um vilarejo no centro da atual Itália. Porém, nos séculos seguintes, tornou-se uma grande potência militar do mundo antigo. O que você sabe sobre o processo de fortalecimento e expansão militar de Roma?

A OCUPAÇÃO DA PENÍNSULA ITÁLICA

A península Itálica, onde se localiza Roma, já era ocupada desde o primeiro milênio antes de Cristo por vários povos.

A região apresenta características estratégicas para a sobrevivência das comunidades: o solo é fértil, o clima é ameno e a área é cercada por montanhas. Os montes Apeninos cortam o território do centro até o leste. Ao norte, há os Alpes. As duas formações montanhosas serviam como muralhas naturais, impedindo a chegada dos ventos frios do norte (que poderiam arruinar a agricultura) e dificultando a entrada de potenciais invasores.

Essas características favoreceram a ocupação sucessiva da península Itálica, assim como as trocas culturais, as alianças e os conflitos entre os diferentes grupos que habitaram a região.

Os povos **itálicos**, também denominados italiotas, entre os quais estavam os úmbrios, os latinos e os sabinos, foram os primeiros a chegar, ocupando o centro da península. Eles fundaram aldeias agrícolas e pastoris nessa região.

Em seguida, vieram os **etruscos**, uma comunidade de comerciantes e navegadores. Os **gregos** povoaram o sul da península e a Sicília, fundando colônias nessa área.

Possivelmente, a cidade de Roma surgiu, em meados do século VIII a.C., da união de sete aldeias sabinas e latinas, estabelecidas às margens do rio Tibre. Essas comunidades mantiveram contato estreito com os gregos e os etruscos.

↓ Vista de Roma, atual capital da Itália, de onde é possível observar vestígios da Roma Antiga, como o Coliseu (ao fundo) e o Fórum Romano (à frente). Foto de 2018.

A SOCIEDADE ROMANA

A sociedade romana era formada por quatro grupos principais: patrícios, plebeus, clientes e escravizados.

Os **patrícios** eram os membros da aristocracia e proprietários de vastas extensões de terras e de grandes rebanhos. Denominavam-se assim pois acreditavam ser os descendentes dos fundadores de Roma. Eram os únicos com direito a fazer parte do Senado romano.

Os pequenos proprietários, os agricultores, os artesãos e os comerciantes, chamados **plebeus**, eram pessoas livres e formavam a maioria da população de Roma. Exerciam as principais atividades econômicas e, durante o período monárquico, não tinham direitos políticos.

Os **clientes**, pessoas livres e pobres, dependiam das famílias patrícias, para as quais prestavam regularmente favores e serviços, além de dar-lhes apoio político e militar. Em troca, recebiam ajuda econômica e proteção. Quanto mais clientes um patrício tivesse sob sua proteção, mais importância política e social ele conquistava.

Havia também os **escravos**, que eram, em geral, prisioneiros de guerra ou plebeus e clientes endividados. Eles realizavam todo tipo de trabalho, principalmente os que envolviam esforço físico. No período monárquico, a população escrava não era numerosa.

A FAMÍLIA ROMANA

A origem da palavra família é latina e designava o conjunto de bens que um *pater familias*, chefe da família patrícia, possuía. Esses bens incluíam familiares, escravos, clientes, terras, animais, plantações, moradias, meios de transporte e todo tipo de objeto considerado do patriarca.

Dessa forma, na Roma Antiga, a ideia de família estava relacionada à posse, diferentemente do modo como a compreendemos hoje. Na sociedade ocidental contemporânea, as famílias são constituídas por vínculos afetivos; além disso, objetos e propriedades não são considerados membros da família.

Nas famílias de plebeus, o conceito de família também estava ligado à figura do pai, a liderança masculina. Apesar de não dispor de tantos bens quanto os patrícios, os chefes de famílias plebeias também exerciam autoridade sobre a vida dos filhos, que não os desacatavam mesmo depois de estarem casados.

> **PASSAPORTE DIGITAL**
>
> **Projeto Roma 360**
> O Laboratório de Arqueologia Romana Provincial da Universidade de São Paulo (Larp/USP) desenvolveu um aplicativo que permite a interação virtual em ambientes da Roma Antiga, construídos com base em pesquisas arqueológicas. Para experienciar o cotidiano dos romanos antigos, acesse o *link* indicado e siga as instruções do *site*. Disponível em: <http://linkte.me/ei7jd>. Acesso em: 24 jul. 2018.

Relevo romano feito em estela fúnebre, por volta do século II a.C. Ele representa algumas das pessoas que faziam parte de uma família romana. A personagem representada à direita, em tamanho menor que as demais, é, possivelmente, um escravo.

> **OS REIS DE ROMA**
>
> Os primeiros reis romanos eram latinos. Depois, com o avanço do domínio dos etruscos, os últimos reis passaram a ser provenientes desse grupo.
>
> Os reis romanos exerciam poder público sobre a população e as instituições do governo romano. No âmbito privado, isto é, das famílias, o poder pertencia ao *pater familias*.

república: sistema de governo em que o poder do Estado é exercido por representantes eleitos pelo povo.

A MONARQUIA

A monarquia foi a primeira forma de governo dos romanos. O **rei**, que desempenhava funções legislativas, judiciárias, administrativas, militares e religiosas, era escolhido e tinha seus poderes limitados por um conselho de anciãos chamado **Senado**, composto de homens de origem nobre e chefes de famílias aristocráticas. As decisões do Senado, por sua vez, eram aprovadas ou rejeitadas pela **Assembleia das cúrias**.

A INSTAURAÇÃO DA REPÚBLICA

O último rei etrusco, Tarquínio, o Soberbo, tentou ampliar seu poder aliando-se aos plebeus enriquecidos, o que desagradou à aristocracia romana. Por isso, em 510 a.C., os patrícios depuseram esse rei e expulsaram os etruscos da cidade. Após a deposição de Tarquínio, foi instituída uma forma de governo chamada república.

Três instituições formavam a administração republicana romana: o Senado, as Magistraturas e as Assembleias Populares.

O Senado era formado apenas por patrícios e tinha diversas funções: propor leis, administrar as finanças públicas, fiscalizar o trabalho dos magistrados e cuidar da política externa e da religião. Os magistrados eram eleitos anualmente pelas Assembleias Populares e exerciam diversas funções.

Os mais importantes eram os **cônsules**, que convocavam o Senado e as Assembleias, chefiavam o exército e coordenavam a administração pública. Os demais magistrados eram: os **pretores**, que se encarregavam da administração da justiça; os **questores**, que geriam as finanças públicas; os **censores**, que fiscalizavam a conduta moral e faziam o recenseamento da população e de seus bens; e os **edis**, que eram responsáveis pelo policiamento, pela coleta de lixo, etc. Nos primeiros séculos da república, apenas os patrícios podiam ser magistrados.

As Assembleias Populares, como o Conselho da Plebe, votavam as leis e as declarações de guerra, elegiam os magistrados e julgavam as acusações passíveis de pena de morte. Contudo, não tinham permissão para exercer cargos políticos.

Detalhe do altar construído por ordem do cônsul Domitius Ahenobarbus, no fim do século II a.C., retratando o censo romano. Durante o período republicano, o censo era realizado a cada cinco anos pelos censores.

A EXPANSÃO MILITAR

Durante o período da república, ocorreu o fortalecimento do Exército romano, o que propiciou a expansão dos domínios de Roma por toda a península Itálica e além.

Com a expansão militar, as **legiões romanas** se deslocavam para regiões cada vez mais distantes, e as campanhas se prolongavam por vários anos. No entanto, o Exército romano, que até então era formado por cidadãos comuns – desde que possuíssem a quantidade de terras necessárias para ingressar na instituição –, não tinha o preparo necessário para conquistar novas províncias e ocupar as províncias conquistadas.

Para lidar com essa situação, o general Caio Mário adotou medidas revolucionárias: aboliu o recrutamento mediante a posse de terras e instituiu o pagamento aos soldados. Essas medidas permitiram a profissionalização do Exército e o ingresso de plebeus pobres na instituição.

O sistema de conquistas romano também se alterou: após a vitória dos legionários, formava-se uma aliança entre os romanos e as elites locais. Muitas vezes, a cidadania romana era concedida aos governantes dos reinos dominados, de modo que apenas alguns colonos romanos eram designados para manter o novo território.

Esse contexto da expansão militar proporcionou uma intensa valorização dos generais do exército, que adquiriam cada vez mais prestígio e poder entre os romanos.

> **GUERRAS PÚNICAS**
>
> Em 264 a.C., Roma e Cartago, importante cidade comercial no norte da África, disputaram a posse da fértil ilha da Sicília (na atual Itália), dando início às Guerras Púnicas, assim nomeadas porque os romanos chamavam os cartagineses de *poeni*, que significa fenícios. Em 146 a.C., Roma saiu vitoriosa desse conflito e aumentou consideravelmente sua influência na região do mar Mediterrâneo.

↓ Detalhe de relevo do mesmo altar da imagem da página anterior. Nessa parte, são representados soldados romanos, ao centro, com elmo, espada e escudo típicos.

butim: conjunto de bens materiais e de escravizados tomados pelo vencedor em um conflito militar.

plebiscito: consulta sobre um assunto específico feita à população, que se manifesta pelo voto a favor ou contra.

AS LUTAS PLEBEIAS

A participação dos plebeus no Exército romano não lhes trazia muitos benefícios. Os patrícios ficavam com a maior parte na divisão do butim da conquista, não restando praticamente nada para a plebe. Além disso, as longas ausências nas campanhas militares prejudicavam o andamento das atividades comerciais ou a prática da agricultura.

Na época, havia a ideia de que os pequenos agricultores romanos que partissem para a guerra como legionários retornariam enriquecidos. No entanto, a realidade era outra: na ausência dos agricultores, especialmente dos que não possuíam escravizados para manter as atividades agrícolas, as terras ficavam abandonadas. Assim, muitos legionários plebeus deixavam de pagar impostos e acumulavam dívidas. Sem recursos para saldá-las, eles eram escravizados.

Devido às dificuldades enfrentadas, os plebeus passaram a pressionar os patrícios para ampliar seus direitos civis e políticos. Essa pressão crescia e, em tempos de guerra, os soldados tiravam vantagem da situação: diversas vezes ameaçaram abandonar as atividades militares, caso suas reivindicações não fossem atendidas.

Com essa estratégia, os plebeus conquistaram uma magistratura própria, o **Tribunato da Plebe**, com poder de vetar leis que os desfavorecessem. Outra conquista importante foi a adoção de uma legislação escrita, a **Lei das Doze Tábuas**. Até então, as leis em Roma eram transmitidas oralmente e interpretadas de forma arbitrária pelos patrícios. O registro escrito de leis uniformizou o entendimento delas, diminuindo, assim, a arbitrariedade de sua aplicação. A instituição do plebiscito também favoreceu a plebe. Entre outras conquistas desse grupo social e destacam-se, ainda, a abolição da escravidão por dívidas e o fim da proibição do casamento entre plebeus e patrícios.

↓ No centro da Roma Antiga, era instalado o fórum, que, além de lojas e praças, contava com inúmeros templos e prédios públicos. Era ali que estava sediado o Senado, onde ocorria a maioria dos embates entre os senadores patrícios e os representantes da plebe. Na foto, ruínas do fórum, em 2017.

A QUESTÃO DA TERRA

Com a expansão romana, os patrícios aumentaram sua fortuna, pois se apropriavam das terras conquistadas e eram beneficiados com o aumento do número de prisioneiros de guerra escravizados. Alguns plebeus também enriqueceram com a ampliação do comércio e com a cobrança de impostos. Esse grupo de homens, conhecidos como **cavaleiros** ou **homens novos**, ascendeu socialmente, constituindo, assim, um novo segmento social em Roma.

A maioria da população, no entanto, empobreceu. O aumento do número de escravizados diminuiu a oferta de trabalho livre no campo e os trabalhadores urbanos não conseguiam competir com os produtos trazidos das províncias do império, que eram vendidos a preços mais baixos.

OS IRMÃOS GRACO E A REDISTRIBUIÇÃO DE TERRAS

No século II a.C., aumentaram os problemas sociais em Roma. Tibério Graco, um prestigiado patrício eleito tribuno da plebe, reabilitou uma antiga lei que limitava a apropriação de terras públicas a 125 hectares por indivíduo e determinava que o excedente fosse repartido entre os cidadãos pobres. Essa medida tinha a intenção de desconcentrar a posse de terras cultiváveis, permitindo assim que mais pessoas tivessem acesso a elas. Os grandes proprietários de terra, no entanto, sentiram-se prejudicados por essa medida e, durante um conflito entre seus apoiadores e opositores, Tibério foi assassinado.

Dez anos depois, o irmão de Tibério, Caio Graco, empreendeu uma nova tentativa de redistribuição de terras, mas também não obteve sucesso e foi assassinado.

> ### PLEBISCITO: A VOZ DO POVO
>
> O plebiscito é a forma mais direta de consultar os cidadãos sobre alguma questão. Cada indivíduo vota a favor de determinada proposta ou contra ela, e a opinião da maioria vence.
>
> No Brasil atual, o último plebiscito nacional ocorreu em 1993. Os cidadãos foram convocados para decidir quais seriam a forma e o sistema de governo do país (respectivamente, monarquia ou república; parlamentarismo ou presidencialismo).
>
> **1.** Em sua opinião, quais assuntos da atualidade deveriam ser votados em plebiscito?
>
> **2.** **COMPREENDER** Saiba como funciona o sistema eleitoral brasileiro. Depois, discuta com os colegas sobre o que mais despertou seu interesse.

↓ Afresco romano do século I d.C. representando o ofício de carpinteiros. A atividade era realizada, geralmente, por plebeus – representados como os homens que carregam a estrutura de madeira – e escravizados – representados com estatura reduzida.

Museu Arqueológico Nacional de Nápoles, Itália. Fotografia: De Agostini Picture Library/L. Pedicini/Bridgeman Images/Easypix

> **LIVRO ABERTO**
>
> *Nos passos de... Júlio César*, de Stéphanie Morillon. Rio de Janeiro: Rocco, 2005.
>
> Júlio César foi uma figura fundamental para a transição da república para o Império Romano. Nesse livro, a autora apresenta diversas informações sobre a vida de César e o contexto em que ele viveu.

TRANSIÇÃO PARA O IMPÉRIO

Os séculos II a.C. e I a.C. foram marcados por tensões sociais na república romana. Havia levantes esporádicos de plebeus em diversos pontos de Roma. Nos campos de batalha, os soldados plebeus ameaçavam parar de guerrear e exigiam mudanças políticas que os privilegiassem. Os patrícios percebiam a perda de hegemonia política a cada conquista da plebe. Além disso, os generais prestigiados pelas guerras tinham cada vez mais influência política nas instituições públicas e se tornavam populares entre os plebeus, garantindo o apoio dos tribunos da plebe.

OS TRIUNVIRATOS

Nesse contexto, os generais Júlio César, Pompeu e Crasso se uniram e formaram, por volta de 60 a.C., o **Primeiro Triunvirato**. Nesse modo de governo, três cônsules centralizavam o poder sobre Roma.

Após a morte de Crasso, Júlio César e Pompeu empreenderam uma disputa pelo poder, da qual Júlio César saiu vitorioso, tornando-se o único governante de Roma. Durante seu governo, medidas importantes foram tomadas, como a obrigatoriedade de os patrícios empregarem homens livres, a reforma do calendário – com a introdução do ano bissexto – e a fundação de diversas colônias. Essas medidas possibilitaram a reorganização das finanças de Roma e a expansão colonial. No entanto, o crescente poder de César desagradou aos senadores, que, temendo uma tentativa de retomada da monarquia, o assassinaram em 44 a.C.

Com a morte de César, teve início o **Segundo Triunvirato**, formado por Caio Otávio (também chamado de Otávio Augusto), Marco Antônio e Marco Lépido.

O INÍCIO DO IMPÉRIO

Marco Antônio e Caio Otávio disputaram o poder sobre as províncias romanas, e o segundo saiu vitorioso. Caio Otávio continuou o projeto de centralização política até que, em 27 a.C., após uma série de manobras políticas e militares, tornou-se o primeiro imperador de Roma. O Senado e outras instituições romanas originadas na república continuaram existindo, porém seus poderes foram diminuídos.

← Escultura do primeiro imperador romano, Caio Otávio, feita no século I a.C. Sob o título de Otávio Augusto, ele governou o Império Romano por mais de quarenta anos, de 27 a.C. a 14 d.C., ano de sua morte.

ATIVIDADES

RETOMAR E COMPREENDER

1. Como se organizava a sociedade na Roma Antiga?
2. Explique como funcionava a monarquia romana.
3. Descreva as instituições que formavam a administração da república romana.

APLICAR

4. Leia o texto abaixo e, depois, responda às questões.

> **Tábua nona**
>
> Do direito público
>
> 1. Que não se estabeleçam privilégios em leis. (Ou: que não se façam leis contra indivíduos).
>
> 2. Aqueles que foram presos por dívidas e as pagaram, gozam dos mesmos direitos como se não tivessem sido presos; os povos que foram sempre fiéis e aqueles cuja defecção foi apenas momentânea gozarão de igual direito.
>
> 3. Se um juiz ou um árbitro indicado pelo magistrado recebeu dinheiro para julgar a favor de uma das partes em prejuízo de outrem, que seja morto. […]
>
> Fragmentos da Lei das XII Tábuas. Em: Sílvio A. B. Meira. *A Lei das XII Tábuas*: fonte do direito público e privado. Rio de Janeiro: Forense, 1972. p. 173.

a) Há palavras do texto cujo significado você desconhece? Em caso afirmativo, faça uma pesquisa no dicionário e anote os significados no caderno.

b) A qual código de leis se refere o trecho indicado acima?

c) Qual dos itens do texto indica que esse código se referia a todos os cidadãos, sem arbitrariedade?

5. Observe a imagem abaixo e responda às questões.

↑ Vincenzo Camuccini. *A morte de César*, c. 1804. Óleo sobre tela.

a) Quais pessoas e qual evento são retratados nessa imagem?

b) A qual processo da história de Roma esse evento está relacionado?

ARQUIVO VIVO

O mito de fundação de Roma

Assim como os gregos, os romanos eram politeístas. A religião desempenhava um importante papel nessa sociedade, regendo desde o cotidiano na vida privada até os grandes assuntos de Estado. Ela estava tão presente na vida em Roma que a própria origem da cidade era atribuída à ação de deuses e heróis.

Segundo a mitologia, os irmãos gêmeos Rômulo e Remo, filhos da princesa latina Reia Silvia e de Marte, deus da guerra, teriam sido condenados à morte logo ao nascer, pois Amúlio, o tio-avô deles, temia que pleiteassem o trono da cidade de Alba Longa, que ele havia usurpado de Numitor, o avô dos meninos.

Já adultos, Rômulo e Remo mataram Amúlio e devolveram o trono ao avô. Como recompensa, puderam fundar a própria cidade. Entretanto, após um desentendimento, Rômulo assassinou o irmão e reinou sozinho na cidade, que batizou de Roma em sua homenagem.

Leia, a seguir, o relato do historiador romano Tito Lívio, que viveu no século I d.C., no qual ele descreve sua versão sobre a origem de Roma.

> Amúlio expulsa seu irmão e apodera-se do trono. Depois deste crime, cometeu outro: ele extermina todos os filhões varões do irmão e, sob o pretexto de honrar sua sobrinha Reia Silvia colocando-a entre as vestais, ele lhe tira toda esperança de se tornar mãe, condenando-a à virgindade perpétua.
>
> Mas acredito que o destino estava encarregado da fundação de uma cidade tão poderosa: era a ele que cabia lançar os alicerces desse vasto império que iguala o dos deuses. A vestal [...] deu à luz dois filhos e [...] designou Marte para a duvidosa paternidade. Contudo, nem os deuses, nem os homens puderam salvar a mãe e os filhos da crueldade do rei. Acorrentada, a sacerdotisa é colocada na prisão e manda-se jogar os filhos no rio. O acaso ou a bondade dos deuses fez com que as águas do Tibre, estagnadas nas margens, não chegasse até o curso normal do leito; porém, aos executantes das ordens reais, apesar da lentidão da corrente, pareceram suficientes para submergir as crianças. Persuadidos de ter cumprido sua missão, eles as deixaram à beira do rio [...]. Conta-se que a água pouco profunda fez flutuar logo o berço que continha as crianças; que, ouvindo o ruído de seus vagidos, uma loba vinda com sede das montanhas vizinhas se desviou de seu caminho e se deitou para dar-lhes de mamar com tanta doçura a ponto de lamber as criancinhas, como testemunhou o chefe dos pastores do rei. Este homem chamava-se Fáustolo. Levou-as para a casa e encarregou sua mulher Laurentia de criá-las. [...]

vagido: voz ou choro característico dos recém-nascidos.
varão: pessoa do sexo masculino.
vestal: sacerdotisa da deusa romana Vesta.

Tito Lívio, I, 3-4 passim. Em: Jaime Pinsky. *100 textos de história antiga.* São Paulo: Contexto, 2009. p. 52-53.

↑ Antonio Pollaiuolo. Escultura em bronze feita no século XV d.C. Ela representa a Loba Capitolina amamentando os gêmeos Rômulo e Remo.

Os mitos que descrevem a origem de um local ou de uma instituição são conhecidos como mitos fundadores ou mitos de fundação. No caso do mito de Rômulo e Remo, por exemplo, a origem de Roma é atribuída à ação de filhos de um deus; logo, a própria cidade é elevada a uma condição divina.

Os mitos de fundação são comuns em diversas culturas pelo mundo e, geralmente, buscam associar o elemento que fundamentam à ideia de uma grandeza que vai além da realidade humana.

Organizar ideias

1. Em qual trecho o historiador romano atribui uma grandeza divina a Roma? Como essa grandeza está associada ao mito de Rômulo e Remo?

2. De que forma a imagem apresentada nesta página está associada ao mito de fundação de Roma?

3. Você conhece outros mitos de fundação? Em caso afirmativo, o que eles têm em comum com o mito de Roma?

Capítulo 2
A CONSOLIDAÇÃO DO IMPÉRIO ROMANO

Durante o período imperial, Roma alcançou o apogeu político, econômico e militar. Com territórios em três continentes, tornou-se um dos maiores e mais duradouros impérios do Ocidente. Quais fatores contribuíram para a ascensão do Império Romano?

O FIM DA REPÚBLICA E O GOVERNO IMPERIAL

Como vimos, após diversas manobras políticas, Caio Otávio, agora conhecido como Otávio Augusto, ampliou seus poderes e, com o apoio do Senado, tornou-se o primeiro imperador romano, em 27 a.C. Para muitos historiadores, no entanto, o período em que Júlio César esteve no poder, de 49 a.C. a 44 a.C., ainda na república, marca o início da era imperial romana, já que Júlio César governou sozinho e centralizou ao máximo o poder.

Otávio Augusto governou durante quarenta anos com grande habilidade política. Boa parte das instituições republicanas foi mantida, apesar de o imperador concentrar o poder. Ele era o chefe máximo de todas as instituições e os títulos que lhe foram concedidos refletiam essa posição: *princeps senatus*, ou primeiro senador; *imperator*, ou comandante-chefe do Exército; **tribuno da plebe**, que lhe dava o direito de falar em nome do povo nas reuniões do Senado; **pontífice máximo**, que lhe concedia a chefia da religião oficial do império; **procônsul**, com autoridade sobre as províncias (territórios conquistados pelos romanos); e, o mais importante de todos, o de **Augusto** ou "o venerável". Esse título significava que o poder do imperador se assemelhava ao dos deuses: era incontestável e vitalício.

↓ Detalhe de relevo da face sul do monumento *Ara Pacis*, ou altar da paz. Nessa face, foram retratadas algumas pessoas da família de Otávio Augusto, seguindo-o em procissão. O monumento foi construído entre 13 a.C. e 9 a.C.

A *PAX* ROMANA

Uma das razões que explicam a volta de um sistema político em que um único líder governa Roma, após o longo período da república, foi a instabilidade política que marcou a história romana entre os séculos II a.C. e I a.C. Diante das revoltas e com o Senado desacreditado, os romanos não impuseram resistência ao novo imperador.

Durante seu governo, Otávio Augusto obteve uma grande vitória militar, que foi a conquista e a anexação do Egito. Havia muito tempo essa região era disputada pelos romanos, e as investidas militares remontavam ao tempo de Júlio César. O uso das riquezas egípcias, como ouro e pedras preciosas, fruto da habilidosa administração da rainha Cleópatra, possibilitou o financiamento do Exército romano, fortalecendo assim o poder do imperador. Além do apoio armado, Otávio Augusto tornou-se popular ao utilizar o trigo produzido no Egito para alimentar a população que passava fome em Roma.

Outra estratégia para garantir a longevidade de seu governo foi visitar os territórios anexados, em vez de governá-los a distância. Ao deslocar-se para as províncias distantes, o imperador era visto por todos (desde os membros do Exército até os povos conquistados), reforçando sua autoridade.

As atividades comerciais também foram ampliadas com a unificação da moeda, favorecendo os negócios com os diferentes povos que integravam o império.

A estabilidade do governo de Otávio Augusto inaugurou o período conhecido como **pax romana** (paz romana), pela relativa paz interna que perdurou até a morte do imperador Marco Aurélio, em 180 d.C.

↑ O *Ara Pacis*, ou altar da paz, foi construído em honra ao imperador Otávio Augusto para celebrar o período de relativa paz em seu governo. Feito de mármore, o altar tem quase 11 metros de altura e retrata cenas relacionadas às práticas religiosas do Império Romano. Ele fica aberto para visitação na cidade de Roma, atual Itália. Foto de 2014.

O APOGEU DAS CIDADES ROMANAS

Durante o século II d.C., sob o governo do imperador Trajano, o Império Romano atingiu sua máxima extensão. Seus territórios iam da Britânia (atuais Inglaterra e Escócia) ao norte da África (atuais Marrocos, Argélia, Tunísia, Líbia e Egito) e atuais territórios da Síria e do Iraque. Observe o mapa.

O Império Romano (século II)

Fonte de pesquisa: Juan Santacana Mestre; Gonzalo Zaragoza Ruvira. *Atlas histórico*. Madrid: SM, 2002. p. 29.

> **VIAS ROMANAS**
>
> Nas zonas fronteiriças, os exércitos romanos estabeleceram acampamentos permanentes. E, para garantir a chegada das tropas até as regiões mais distantes do império, os romanos construíram milhares de quilômetros de estradas, as vias romanas.
>
> As estradas abertas interligavam todo o império. A pavimentação delas era um trabalho árduo, realizado por escravos ou, em períodos de paz, por soldados. As estradas tinham uma ligeira inclinação para escoar a água da chuva até os pequenos canais laterais, o que evitava a formação de poças de água.

A expansão dos territórios aumentou a arrecadação de impostos, o que possibilitou ampliar os investimentos na infraestrutura do império. O fórum, considerado o centro da vida pública da cidade, foi remodelado, e os principais edifícios públicos foram embelezados. Praças e novos templos foram erguidos, evidenciando a riqueza de Roma; aquedutos irrigavam regiões distantes dos rios, possibilitando o aumento da atividade agrícola e o abastecimento das cidades.

 CRIAR

Conheça detalhes da construção do Coliseu de Roma e registre as informações mais importantes. Depois, produza uma maquete dessa construção.

As atividades de lazer também ganhavam espaços públicos como as termas, que eram casas de banho coletivas, e as arenas – nesse caso, o Coliseu, na atual Itália, é um dos exemplos mais famosos.

A arquitetura, porém, não apenas embelezava Roma ou facilitava a vida urbana dos romanos, mas também era utilizada como propaganda dos governantes, já que alteravam de modo permanente as paisagens. Cada construção pública tornava-se um registro dos feitos do governante, dos generais e dos soldados, como os arcos do triunfo, as colunas honoríficas, as estátuas dos imperadores e os *Ara Pacis*.

↓ Os romanos foram os primeiros a utilizar vasos sanitários com descarga e tampa. Em Roma, essas peças eram feitas de mármore. Na foto de 2018, vestígios de sanitários romanos em Éfeso, na atual Turquia, construídos por volta do século II d.C.

O CRISTIANISMO E A ORIGEM DA IGREJA

O território habitado pelos hebreus – mais tarde conhecidos como judeus –, na costa oriental do Mediterrâneo, também foi conquistado pelos romanos e incorporado ao império. Os hebreus eram monoteístas e acreditavam que seu deus, Javé, enviaria um messias (salvador) para pacificar a humanidade e reconstruir o Reino de Israel.

Segundo a Bíblia (livro sagrado do **cristianismo**), naquela região, por volta do ano 30, um profeta chamado Jesus teria feito pregações acerca da existência de um deus único e de valores como compaixão, respeito e igualdade. Jesus criticava as autoridades romanas e hebraicas por não estarem, segundo a sua visão, agindo de acordo com as leis de Deus, a quem considerava a única autoridade que realmente deveria ser obedecida. Sentindo-se ameaçadas, as autoridades hebraicas pediram ajuda aos governantes romanos para condenar aquele que consideravam um rebelde e alegava ser o enviado de Deus. Com isso, Jesus foi julgado pelo administrador romano, Pôncio Pilatos, e foi executado.

Ainda de acordo com a narrativa bíblica, Jesus, que foi chamado Cristo (messias, em grego), teria ressuscitado três dias após a morte. Foi com base nessa crença e nas ideias disseminadas por Jesus e seus seguidores que surgiu uma nova religião: o cristianismo. Os primeiros cristãos, seguidores de Jesus, não aceitavam a religião romana e começaram a difundir clandestinamente os ensinamentos da religião que passaram a professar. Mais tarde, formaram uma comunidade que chamaram de **igreja** (do latim *ecclesia*). Seu primeiro chefe teria sido Pedro, um dos 12 apóstolos (discípulos) que acompanharam Jesus em sua jornada na Palestina. Contudo, os romanos não podiam tolerar que os cristãos se negassem a cultuar o imperador e não reconhecessem muitas de suas leis. Dessa forma, começaram a perseguir os cristãos e a puni-los com crueldade.

↑ O peixe é um dos símbolos mais antigos do cristianismo e teria sido usado entre os primeiros cristãos como forma de identificação e reconhecimento. Na imagem, detalhe de estela funerária romana, do século III d.C., com inscrições cristãs em grego.

↓ Pintura em câmara funerária romana, do século III d.C. Ela representa os 12 discípulos de Jesus. Segundo a tradição bíblica, os apóstolos teriam sido os primeiros a difundir a fé cristã.

O CRISTIANISMO PRIMITIVO

Os seguidores de Jesus difundiam seus ensinamentos pelos lugares que visitavam. Alguns deles chegaram a escrever sobre a vida e o pensamento de Jesus em livros que, posteriormente, foram chamados de evangelhos (palavra de origem grega que significa boa-nova). A pregação dos seguidores de Cristo atraía, em especial, os pobres e os escravizados.

À medida que o cristianismo se propagava, as autoridades romanas mostravam-se intolerantes. A rejeição dos seguidores de Cristo à escravidão e a recusa em aceitar a divindade do imperador eram atitudes vistas como desobediência a Roma. De tempos em tempos, os cristãos despertavam ondas de repressão do Estado romano. Essas perseguições se intensificaram principalmente entre os séculos II e III.

AS GRANDES PERSEGUIÇÕES

Com medo da repressão, os cristãos praticavam seus rituais em segredo, reunindo-se às escondidas em cemitérios subterrâneos, as catacumbas. Nesses locais, além dos ritos funerários e da comemoração do aniversário dos mártires – os que morreram por não negar a fé cristã –, os cristãos realizavam seus cultos.

Contudo, as cerimônias subterrâneas levantaram ainda mais suspeitas. Como consequência, em época de crise política, os governantes apontavam os cristãos como responsáveis pelos problemas que ocorriam no império, ordenando perseguições em massa e punições públicas, como o açoite, a decapitação e a crucificação.

A primeira grande perseguição aconteceu durante o governo do imperador Nero, em 64 d.C., e a última – e mais violenta – deu-se em 305 d.C., sob o governo do imperador Diocleciano.

↑ Detalhe de pintura do século III d.C., em catacumba romana. Proibidos de professar sua fé, os primeiros cristãos reuniam-se nas catacumbas. Imagens como essa podem ser encontradas em diversas catacumbas romanas e são importantes documentos sobre a história dos primeiros cristãos.

↓ Detalhe de mosaico romano do século III d.C., encontrado na Líbia atual, uma região dominada pelos romanos na Antiguidade.
O mosaico retrata um prisioneiro (ao centro), possivelmente cristão, condenado à morte na arena. Essa forma de condenação era bastante frequente nos primeiros séculos do cristianismo.

ROMA SE TORNA CRISTÃ

A perseguição aos cristãos não desestimulou a disseminação da nova fé. Ao contrário, o número de adeptos só aumentou, como se pode observar no mapa ao lado.

Contudo, o cristianismo só pôde ser praticado livremente após o imperador Constantino (272 d.C.-337 d.C.) se converter a essa religião e instituir, em 313 d.C., a liberdade de culto no império com o Édito de Milão.

Ele também proibiu o trabalho aos domingos, pois esse dia era considerado sagrado para os cristãos. Com essas mudanças, a disseminação do cristianismo pelo império se acelerou e restrições à antiga religião romana foram impostas. Em 353, o imperador Constâncio II, filho de Constantino, determinou o fechamento dos templos pagãos e o fim de sacrifícios aos deuses.

Em 391, o imperador Teodósio tornou o cristianismo a religião oficial do império e aboliu os cultos aos antigos deuses. A partir de então, os cristãos começaram a perseguir os pagãos com a mesma violência com que foram perseguidos em Roma, no início da era cristã.

édito: ordem expedida por uma autoridade e divulgada por anúncios (editais) fixados em lugares públicos.

AS MULHERES NA ROMA CRISTÃ

Em Roma, as mulheres não exerciam cargos públicos porque não eram consideradas cidadãs. Para os romanos antigos, o principal papel social das mulheres era cuidar da família e do lar. Com a oficialização do cristianismo, a situação não se alterou muito: esperava-se que as mulheres, a quem os cristãos consideravam responsáveis pelo pecado original, fossem obedientes e submissas aos homens, como forma de alcançar a salvação e o perdão de seus pecados.

↑ Afresco do século III d.C. retratando mulher cristã, na catacumba de Priscila, em Roma, Itália atual. Há muitas versões sobre a história dessas catacumbas. Sabe-se, porém, que Priscila era esposa do cônsul romano Acílio e que teria doado os terrenos para as catacumbas cristãs após a morte do marido.

ATIVIDADES

RETOMAR E COMPREENDER

1. Como Caio Otávio se tornou o primeiro imperador de Roma?
2. O que foi a *pax* romana e como ela se relaciona com o governo do imperador Otávio Augusto?
3. Quais foram as consequências da ampliação do território do Império Romano?

APLICAR

4. O mapa abaixo mostra os produtos comercializados no Império Romano. Observe-o e faça o que se pede.

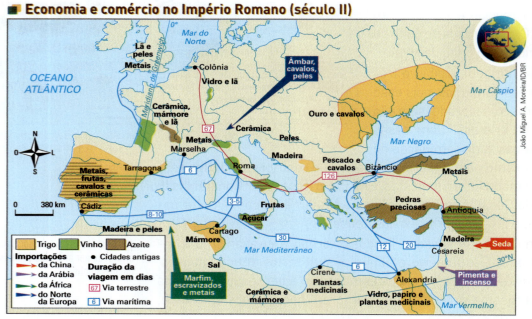

Fonte de pesquisa: Geoffrey Parker. *Atlas da história do mundo*. São Paulo: Folha de S.Paulo, 1995. p. 90-91.

a) Identifique os produtos oriundos de algumas poucas regiões e anote-os no caderno.
b) Por onde passava a maior parte das rotas comerciais?
c) Que fator ajudou a promover o comércio no Império Romano?

5. O texto abaixo faz parte de um documento romano do século IV. Leia-o e, depois, faça o que se pede.

> Eu, Constantino Augusto, e eu também, Licínio Augusto, reunidos felizmente em Milão [...] temos tomado esta saudável e retíssima determinação de que a ninguém seja negada a faculdade de seguir livremente a religião que tenha escolhido para o seu espírito, seja a cristã ou qualquer outra que achar mais conveniente; a fim de que a suprema divindade a cuja religião prestamos esta livre homenagem possa nos conceder o seu favor e benevolência.
>
> Citado por: Maria Guadalupe Pedrero-Sánchez. *História da Idade Média*: textos e documentos. São Paulo: Ed. da Unesp, 2000. p. 27.

a) Identifique os autores e o assunto desse documento.
b) Qual parcela da população romana foi beneficiada pelo comunicado expresso nesse documento? Por quê?

HISTÓRIA DINÂMICA

As imagens femininas nas catacumbas romanas

As catacumbas eram cemitérios subterrâneos e foram encontradas em várias regiões banhadas pelo mar Mediterrâneo, como nos atuais Egito, Grécia e Itália, principalmente em Roma.

A historiadora Silvia M. A. Siqueira, da Universidade Estadual do Ceará (Uece), dedicou-se a pesquisar questões relacionadas às mulheres no início do cristianismo em Roma, porém logo percebeu que as fontes escritas eram escassas. Em busca de outras fontes históricas, a pesquisadora analisou imagens femininas encontradas nas catacumbas romanas entre os séculos II d.C. e IV d.C., como a que foi reproduzida na página 189.

Em sua pesquisa, a historiadora identificou os elementos que caracterizam esses cemitérios subterrâneos em diferentes períodos: as catacumbas do século II são simples e com pinturas de flores e de pássaros; no século III, surgiram túmulos com o retrato das falecidas. Como as catacumbas eram frequentemente visitadas em cultos fúnebres e rituais cristãos, as imagens eram mensagens ao mundo dos vivos e não simples decoração. Leia um trecho do artigo da historiadora.

> As efígies nos monumentos funerários, nosso objeto de análise, são registros com mensagens relativas à memória daquelas pessoas ali depositadas, mas também uma advertência e conselho para os visitantes do local. Mensagens iconográficas que expressam [...] por meio de imagens pictóricas suas reflexões sobre o comportamento das mulheres cristãs. Para as autênticas discípulas de Cristo, deveria haver o comprometimento com a simplicidade e a modéstia, as mulheres estão sempre representadas em indumentária simples, em posição de oração com os braços abertos, vestidas com um modelo básico da clássica túnica com mangas longas e uma pala que sobe para cobrir a cabeça e os pés descalços que remete à humildade e o perene olhar devocional da piedade cristã.

> Silvia M. A. Siqueira. As efígies femininas em catacumbas romanas: uma análise da figuração paleocristã. Em: Leni Ribeiro Leite e outros (Org.). *Figurações do masculino e do feminino na Antiguidade*. Vitória: PPGL, 2011. p. 101.

efígie: representação de uma pessoa ou coisa personificada.
pala: tipo de capa, semelhante ao manto.

Em discussão

1. Quais foram as principais fontes históricas utilizadas pela historiadora? Por que ela buscou esse tipo de fonte para realizar sua pesquisa?
2. Como as mulheres foram retratadas nessas fontes?
3. De acordo com a historiadora, o que essa forma de representação sugere sobre o papel das mulheres no cristianismo desse período?

INVESTIGAR

Latim e Língua Portuguesa: ditados populares

Para começar

Você estudou instituições, formas de governo e características culturais desenvolvidas pelos romanos antigos há cerca de dois mil anos e pôde perceber que muitas delas foram se transformando no decorrer do tempo. Algumas ainda existem, mas foram modificadas de acordo com as características da época que atravessaram e dos povos que as absorveram.

No Brasil, a influência romana chegou com os colonizadores portugueses. O idioma português, por exemplo, originou-se do latim, a língua oficial da cidade romana na Antiguidade e, posteriormente, do império. O modo como nos comunicamos e o idioma que falamos refletem a maneira como percebemos o mundo; por isso, a forma como pensamos e nos expressamos ainda guardam a influência dos romanos antigos. Os ditados populares, também chamados de provérbios, são exemplos disso. Você costuma utilizá-los no dia a dia?

O PROBLEMA

Quais ditados populares usados no Brasil atual derivam do latim?

A INVESTIGAÇÃO

- Procedimento: pesquisa documental e bibliográfica e entrevistas.
- Instrumento de coleta: publicações e relatos orais.

MATERIAL

- Livros, jornais e revistas
- Material pesquisado na internet
- Canetas coloridas, lápis de cor e borracha
- Cola e tesoura de pontas arredondadas
- Folha de papel avulsa (colorida ou branca)

Gil Tokio/Pingado/ID/BR

Procedimentos

Parte I – Levantamento de informações

1. Reúnam-se em grupo e conversem sobre os ditados populares que vocês conhecem. Depois, montem uma lista coletiva com esses ditados, indicando também o significado deles e as situações em que costumam ser utilizados.

2. Individualmente, entrevistem alguns adultos que vocês conhecem (funcionários e professores da escola, membros da família ou da comunidade, entre outros) e perguntem os ditados populares que eles costumam usar no dia a dia. Elaborem uma segunda lista do mesmo modo como fizeram na primeira.

192

Parte II – Consolidação das informações pelo grupo

1. Com base nas duas listas, busquem a origem desses ditados. Isso pode ser feito em publicações impressas ou digitais.

2. Separem apenas os ditados cuja origem seja em latim. Se não houver ditados derivados do latim, retomem as listas e busquem novos ditados.

3. Em uma folha de papel avulsa, montem um folheto ilustrado com os ditados populares de origem latina.

4. Usem a criatividade para dispor as informações sobre os ditados selecionados. No folheto, devem constar, pelo menos:
   - a versão em português dos ditados;
   - a versão deles em latim;
   - uma imagem que mostre a situação abordada. Pode ser uma foto ou um desenho feito à mão ou impresso;
   - as fontes utilizadas na pesquisa (tanto a pessoa que informou o ditado quanto a fonte consultada para descobrir a origem latina do ditado).

Questões para discussão

1. Vocês conheciam todos os ditados recolhidos pelo grupo? Sabiam o significado de todos eles e as situações em que são comumente utilizados? Contem como foi essa experiência.

2. Quais fontes foram consultadas na realização da pesquisa? Elas são consideradas confiáveis?

3. Dos ditados que vocês pesquisaram, há aqueles que se originaram de outros povos? Em caso afirmativo, que povos eram esses? Como a influência deles pode ter chegado ao Brasil?

4. Na opinião de vocês, por que há ditados populares dos romanos antigos que fazem sentido para nossa sociedade?

Comunicação dos resultados

Verificação de ditados

Em data combinada com o professor, compartilhem com os colegas o folheto que vocês criaram e vejam os folhetos produzidos pelos outros grupos. Observem se existem ditados que se repetiram (considerados mais comuns) e se há ditados que apareceram poucas vezes (menos comuns). Analisem se os grupos representaram os ditados de modo parecido ou se houve interpretações diferentes.

ATIVIDADES INTEGRADAS

RETOMAR E COMPREENDER

1. Em quais situações poderia ocorrer a escravidão de uma pessoa na Roma Antiga?

2. Copie o quadro abaixo no caderno e complete-o com as informações sobre as formas de governo romanas na Antiguidade.

	Monarquia	República	Império
Principal instância de poder público			
Características dessa forma de governo			

3. Em 27 a.C., Otávio Augusto tornou-se imperador romano. Em seu governo, estabeleceu a *pax* romana, que se prolongaria por cerca de duzentos anos. No caderno, identifique a afirmativa que apresenta características relativas a esse período da história romana.

   a) Poder centralizado no Senado e governo do rei sob a dependência da Assembleia.
   b) Fim das guerras civis e processo de romanização de estrangeiros.
   c) Desenvolvimento e prosperidade em todos os setores sociais.
   d) Perda de territórios, principalmente na Europa, e aumento dos tributos.
   e) Poder exercido pelos tribunos da plebe, com o Senado na oposição.

APLICAR

4. Leia o texto abaixo e faça o que se pede.

> Desde a conquista de Alexandre, o Grande, toda a Palestina fazia parte da área de influência grega e muitos judeus que viviam fora da Palestina, em importantes comunidades judaicas dispersas, passaram a falar o grego. Sob domínio romano, que conquistou a região em 63 a.C., viviam na Palestina muitos povos, judeus, samaritanos, gregos, romanos. Entre os judeus, havia diversos grupos, com ideias diferentes sobre sua própria religião e sobre como relacionar-se com os conquistadores.
>
> Foi neste contexto que nasceu Jesus, um judeu [...], de quem sabemos, praticamente, apenas o que nos dizem os Evangelhos, livros escritos por volta de 70 d.C. pelos seguidores de Jesus e que, posteriormente, foram agrupados com outros textos no chamado Novo Testamento. [...]
>
> O cristianismo não teve êxito duradouro na Palestina, mas se expandiu muito rápido em todas as regiões que margeavam o Mediterrâneo, no mundo romano. O próprio Paulo chegou a pregar na Síria, na Ásia Menor, na Grécia e na cidade de Roma. Além dos judeus convertidos, engrossavam as fileiras da nova seita não judeus, escravos, povos submetidos pelos romanos, gente humilde. Por que essas pessoas se convertiam ao cristianismo? Para os pobres, que constituíam a grande maioria desses primeiros cristãos, a nova religião dava a esperança de uma vida melhor. Eles acreditavam que Jesus voltaria e instauraria o Reino de Deus na terra, destruindo o anticristo, o imperador romano. Ou seja, era uma religião de explorados que acreditavam numa revolução, num mundo de justiça, o paraíso na terra.
>
> Pedro Paulo A. Funari. *Grécia e Roma*. São Paulo: Contexto, 2002. p. 127-129 (Coleção Repensando a História).

   a) Segundo o autor, qual foi o contexto de surgimento do cristianismo?
   b) Por que o cristianismo se propagou rapidamente nas regiões que margeavam o Mediterrâneo?
   c) Escreva, no caderno, um parágrafo explicando a relação entre gregos, judeus e romanos antigos no contexto da Antiguidade abordado pelo autor.

ANALISAR E VERIFICAR

5. As estátuas a seguir retratam dois deuses romanos. Uma delas representa Marte, o deus da guerra, e a outra é Diana, deusa da caça e das florestas. Observe-as e, depois, faça o que se pede.

↑ Estátua de mármore representando o deus Marte, século I d.C.

↑ Estátua de mármore representando a deusa Diana, feita entre os séculos I e II d.C.

a) Que elementos nessas estátuas indicam as características relacionadas aos deuses retratados?

b) Escolha um desses deuses para pesquisar o mito romano relacionado a ele. Depois, em data combinada com o professor, compartilhe a pesquisa com os colegas. Você pode ler o mito ou contá-lo de memória.

CRIAR

6. Nesta unidade, você estudou o mito de fundação de Roma. Como você representaria esse mito? Escolha um tipo de expressão artística (pintura, desenho, escultura, dança, teatro, música, etc.) e crie uma representação para a narrativa dos gêmeos Rômulo e Remo. Na data combinada, apresente sua obra à turma.

7. Durante o Império Romano, houve vários protestos populares em que eram reivindicadas mudanças sociais em Roma. Essa é uma situação que ocorre no Brasil atual. Você sabe quais são as pautas dos protestos atuais? Já participou de algum protesto? Em sua opinião, essa é uma prática importante? Por quê? Converse com os colegas sobre essas questões.

IDEIAS EM CONSTRUÇÃO - UNIDADE 7

Capítulo 1 – As origens de Roma
- Reconheço o processo de formação da Roma Antiga?
- Identifico as características da monarquia romana?
- Identifico os grupos que formavam a sociedade romana na Antiguidade, em diferentes períodos e formas de governo?
- Compreendo como se deu a transição do sistema monárquico para o republicano na Roma Antiga?
- Identifico as atribuições de cada instituição da república romana?
- Reconheço os fatores que geraram tensões sociais no fim do período republicano em Roma?
- Compreendo a relação entre o aumento do prestígio dos generais romanos e a transição da república para o império?

Capítulo 2 – A consolidação do Império Romano
- Sei descrever o que foi a *pax* romana?
- Identifico os fatores que propiciaram o desenvolvimento das cidades romanas no início do período imperial?
- Compreendo a formação do cristianismo e sua relação inicial com o Império Romano?
- Reconheço as diferentes formas de contato entre os romanos e os outros povos da Antiguidade, como judeus, persas e helênicos?
- Identifico as diferentes ordens – comercial, diplomática e militar – em que esses contatos ocorreram?
- Verifico as consequências dos contatos entre os diferentes povos com a mistura de características culturais?
- Analiso o alcance da cultura romana antiga e compreendo que alguns dos conceitos políticos, jurídicos e administrativos desenvolvidos pelos romanos ainda existem, apesar de terem se modificado ao longo do tempo, de acordo com a sociedade que deles se apropriou?

VERIFICAR
Confira os conhecimentos adquiridos na unidade organizando suas ideias e resolvendo as atividades propostas.

UNIDADE 8

A FORMAÇÃO DA EUROPA FEUDAL

As diversas crises que acometeram o mundo romano, bem como a pressão de povos germânicos que viviam junto às fronteiras do Império, ocasionaram o processo histórico conhecido como "desagregação do Império Romano". Novos povos dominaram os territórios que outrora pertenceram à Roma. E de elementos das culturas romana e germânica surgiu a sociedade feudal, dando início ao período conhecido como Idade Média.

CAPÍTULO 1
A desagregação do Império Romano

CAPÍTULO 2
O mundo feudal

PRIMEIRAS IDEIAS

1. Por vezes, o período conhecido como Idade Média é também chamado de Idade das Trevas. Você imagina o motivo por que esse período também foi chamado dessa forma?

2. Você já assistiu a algum filme ou leu alguma história sobre a Idade Média? Comente com os colegas.

3. Como você imagina que era a vida das pessoas nesse período? Será que era muito diferente da sua vida hoje? Comente sua opinião.

LEITURA DA IMAGEM

1. De que ano é esse filme? A qual país pertence sua produção?
2. Apesar de não ter sido produzida no contexto da Idade Média, essa imagem pode ser considerada um documento histórico. Por quê?
3. O filme dessa cena conta a história fictícia de um camponês que desejava tornar-se um cavaleiro. Porém, na Idade Média, apenas os membros da nobreza tinham acesso a essa formação. Na sociedade brasileira atual, há ofícios que só são acessados por alguns grupos sociais? Você considera isso justo?
4. **COMPREENDER** Conheça as diferentes partes que compõem a armadura de um cavaleiro medieval. Atualmente, há vestimentas desenvolvidas com a função de proteção? Elas são utilizadas por toda a sociedade? Discuta com os colegas.

Cena do filme *Coração de cavaleiro*. Direção: Brian Helgeland. Estados Unidos, 2001 (132 min).

Capítulo 1

A DESAGREGAÇÃO DO IMPÉRIO ROMANO

O Império Romano sofreu sucessivas crises a partir do século III. Quais fatores propiciaram essas crises? De que forma elas modificaram o cotidiano de Roma, capital do Império, e dos territórios sob seu domínio?

A CRISE ECONÔMICA

A prática da escravidão desempenhava um importante papel na economia romana, principalmente no que se relacionava às atividades agrícolas, realizadas em grandes porções de terras.

Em seu auge, o Império Romano era o principal produtor de gêneros agrícolas. A riqueza gerada enriquecia os patrícios – donos das terras – e os comerciantes. Parte dessa riqueza ficava com o Império, sob a forma de impostos, e servia para custear o exército, responsável pelas conquistas militares, que garantiam mão de obra escrava e a ampliação dos territórios do Império.

Com a *pax* romana, houve uma diminuição das guerras de conquista. O declínio dos conflitos, no entanto, resultou na redução do número de prisioneiros de guerra e, por consequência, na escassez de mão de obra escrava.

O preço dos escravizados aumentou, a produção agrícola diminuiu e houve um aumento nos preços tanto de escravizados quanto de alimentos, configurando o cenário de uma grande crise. Com o encarecimento das mercadorias, as províncias ocidentais passaram a gastar muito mais para comprá-las, o que diminuiu a quantidade de moedas em circulação.

Isso contribuiu para a diminuição das atividades comerciais na parte ocidental do Império Romano e gerou o acúmulo de moedas na porção oriental.

▼ Cena de batalha entre romanos e ostrogodos, em relevo de sarcófago romano feito no século III. A batalha retratada nesse sarcófago é um exemplo dos inúmeros conflitos e crises que assolaram o Império Romano, denominados por muitos historiadores como "a crise do século III".

BÁRBAROS EM ROMA

Mais fatores agravaram a situação. No final do século II, o Império recolhia cada vez menos impostos e já não tinha como subsidiar o exército nem manter os territórios conquistados. A ausência de pagamento às legiões ocasionou diversos levantes militares e fragilizou as defesas do Império no Ocidente.

Para os romanos, qualquer povo que não estivesse integrado à cultura latina era chamado de **bárbaro**, palavra que vem do latim *barbarus* e significa estrangeiro, grosseiro, não civilizado. Esse termo era usado de forma pejorativa para se referir a dezenas de povos, de diferentes origens e lugares, que os romanos consideravam culturalmente inferiores.

A relação entre os romanos e os ditos povos bárbaros era instável, marcada por momentos de conflito e de paz. Durante o período da expansão romana, muitos desses povos opuseram-se à dominação e guerrearam pela manutenção de seus territórios e culturas. Outros, no entanto, integraram-se à cultura latina com facilidade e mantiveram relações políticas e comerciais com o Império Romano. Muitos deles receberam, inclusive, a cidadania romana em troca da defesa do Império.

Desde o século II, em razão da falta de mão de obra escrava e de soldados para integrar o exército, grupos de estrangeiros foram incorporados, de maneira pacífica, à vida no Império. Isso ocorreu tanto nas cidades quanto nas áreas rurais. Esses grupos passaram a participar da produção agrícola e das legiões.

O descontentamento interno gerado pela crise econômica, aliado aos problemas administrativos e ao desmantelamento das legiões romanas, que integravam cada vez mais estrangeiros, tornou ineficiente as defesas militares de Roma. Esse cenário deteriorou rapidamente o Império Romano, que, por fim, tornou-se alvo fácil de povos invasores. Em pouco tempo, vários grupos ocuparam e desagregaram os territórios romanos.

desmantelamento: desorganização.

HUNOS

Os hunos eram povos nômades que viviam principalmente do pastoreio na região da atual Mongólia, na Ásia. Experientes cavaleiros e temidos guerreiros, eles eram habilidosos no uso de lanças e do arco e flecha. A partir do século IV, expandiram-se para o oeste, provavelmente em busca de novas pastagens, ameaçando os povos do norte da Europa. A expansão dos hunos provocou a fuga de vários povos e a consequente invasão de Roma.

Sob o governo de Átila, os hunos subjugaram diversos povos e, assim, ampliaram seus exércitos. Geralmente, negociavam previamente as invasões: em troca da passagem pacífica pelas cidades, seus habitantes deveriam pagar tributos em ouro. Caso isso não ocorresse, era comum que as cidades fossem arrasadas. A expansão huna, no entanto, perdeu força depois da morte de Átila, em 453.

↑ Raymond Delamarre. Litografia representando Átila montado em seu cavalo e armado com uma lança e publicada em 1942, na obra *A pequena história da França*, de J. Brunhes e P. Desfontaines.

CELTAS

Os celtas dividiam-se em diferentes povos, como os bretões e os gauleses, e ocupavam boa parte do norte da Europa Ocidental. Eram guerreiros e praticavam a agricultura.

Além disso, eram adeptos do politeísmo e muitas de suas divindades estavam relacionadas a elementos da natureza, como rios, montanhas e bosques. Seus sacerdotes, os druidas e as druidesas, tinham muita influência na comunidade e, por serem considerados sábios, eram consultados sobre questões jurídicas, filosóficas e medicinais.

Tanto bretões como gauleses foram derrotados pelos romanos; suas terras acabaram sendo invadidas e, com o tempo, sua cultura romanizou-se. Porém, com o esfacelamento das instituições romanas, houve espaço para que as tradições celtas sobrevivessem. A comemoração do Halloween, por exemplo, tem origem na cultura dos povos celtas.

← Thomas Thornycroft. *Boadiceia e suas filhas*, escultura em bronze, feita entre 1856 e 1883, exposta na ponte de Westminster, em Londres, Inglaterra. Boadiceia foi uma rainha guerreira celta que liderou os icenos contra as legiões romanas no século I d.C. As mulheres celtas tinham muitos direitos que não eram compartilhados por suas contemporâneas romanas e, não raramente, integravam e lideravam batalhas.

GERMÂNICOS

Os povos germânicos foram os que exerceram maior pressão e influência sobre o Império Romano. Apresentavam culturas distintas, mas falavam línguas aparentadas e mantinham alguns costumes em comum. Entre os povos germânicos estão os **godos**, os **anglo-saxões**, os **francos** e os **vândalos**.

Esses povos habitavam a região norte da Europa, onde praticavam a agricultura e a pecuária. Conheciam também a metalurgia e confeccionavam utensílios de aço, o principal material, assim como armas resistentes e flexíveis.

Organizavam-se em comunidades familiares autônomas, cuja liderança estava centrada em uma figura masculina. A sociedade era formada basicamente por guerreiros, camponeses, artesãos e escravizados. Apesar da descentralização política, as elites guerreiras costumavam se organizar em *comitatus*, nome atribuído pelos romanos aos grupos de guerreiros germânicos liderados por um **chefe**, com quem os guerreiros mantinham forte relação de lealdade e compromisso. Periodicamente, os germânicos realizavam encontros para celebrar conquistas e datas comemorativas, geralmente de cunho religioso.

Suas leis eram baseadas nos costumes e transmitidas de forma oral, assim como suas tradições religiosas. Eram politeístas e acreditavam que, caso morressem de forma honrosa em batalha, poderiam ser levados ao salão dos deuses conhecido como **valhala**. Essa característica indica que as atividades bélicas eram muito importantes para esses povos. As mulheres também podiam participar das guerras, embora isso não fosse comum. Em relação à sociedade romana, elas tinham mais liberdade. Podiam, por exemplo, exigir o divórcio e se casar com outra pessoa sem pedir permissão ao chefe.

Há marcas da influência dos povos germânicos em nossa cultura, como personagens famosas de desenhos animados e filmes, que foram inspiradas em deuses desses povos. Thor, Loki e Odin, por exemplo, eram nomes de divindades germânicas. O primeiro era associado aos trovões e às batalhas; o segundo, à astúcia e às mentiras; e o terceiro, à sabedoria, à magia e à guerra.

↑ Os povos germânicos eram habilidosos no trabalho com metais preciosos, fabricando peças delicadas como essas joias, feitas pelos visigodos no século VI: broche (**A**), colar (**B**), brinco (**C**) e fivela de cinto (**D**).

Reprodução de cena do filme *Thor: Ragnarok*. Direção: Taika Waiti. Estados Unidos, 2017 (130 min). Ao centro, a representação de Loki, uma das personagens dessa obra contemporânea inspirada na mitologia germânica.

203

A RURALIZAÇÃO DO IMPÉRIO

Entre os séculos III e IV, devido à instabilidade política do Império Romano, houve um aumento de invasões de povos estrangeiros nas cidades romanas. Com o aumento das invasões e do preço dos alimentos, bem como a escassez de mão de obra escrava, os proprietários de terra começaram a arrendar parte de seus terrenos. Essa estratégia permitia que as terras fossem cultivadas e proporcionava trabalho aos plebeus pobres e alimentos aos donos de terras e suas famílias.

Assim, muitas pessoas que viviam nas cidades romanas migraram para as áreas rurais para trabalhar em porções de terras arrendadas. Esses novos camponeses, chamados de **colonos**, davam aos donos das terras parte dos gêneros que produziam em troca de moradia e de alimento para subsistência.

Esse modo de vida atraiu plebeus pobres, ex-escravizados e ex-soldados. A comunidade formada pelas famílias de colonos e dos donos da terra foram chamadas de **vilas**. Ao redor delas, ergueram-se muralhas para a proteção dos moradores contra os invasores, evitando os saques que muitos presenciaram nas cidades.

O cotidiano dessas pequenas comunidades rurais ocorria no interior das vilas e a segurança, nesses locais, era muito valorizada. Com o passar do tempo, houve um aumento significativo de população nas áreas rurais do Império Romano e as comunidades das vilas se fortaleceram. Nessas vilas, eram produzidos praticamente todos os alimentos necessários para manter a população. Aos poucos, a população das cidades romanas foi diminuindo e a maior parte da população passou a habitar essas propriedades rurais. Esse processo é chamado de **ruralização**.

MIGRAÇÃO E REFÚGIO

Assim como os moradores das cidades romanas, nos séculos III e IV, buscaram refúgio contra a crise econômica e as invasões estrangeiras nas áreas rurais, muitas pessoas na atualidade migram para locais diferentes da região onde nasceram.

Quando as pessoas fogem de seus lugares de origem para garantir a sobrevivência e a integridade física e emocional, elas são consideradas refugiadas.

1. Em sua opinião, o que leva as pessoas a se refugiar em outros países atualmente?
2. No município em que você mora, há comunidades de refugiados? Você pertence a uma comunidade desse tipo?
3. **CRIAR** Conheça quais são os principais grupos de refugiados recebidos pelo Brasil atualmente. Escolha um desses grupos e crie um cartaz de boas-vindas.

↓ Detalhe de mosaico do Mausoléu de Constanza, em Roma, Itália, feito no século V. Ele retrata colonos trabalhando na colheita de uvas de uma grande propriedade rural.

204

A FRAGMENTAÇÃO DO IMPÉRIO

As dificuldades para proteger e gerir o Império em decadência levaram os imperadores a buscar novas soluções administrativas e políticas. Em 330, Constantino transferiu a capital do Império para a cidade de Bizâncio, no Oriente, que passou a se chamar Constantinopla. Nessa época, essa porção do Império era mais bem protegida e tinha mais chances de suportar os ataques dos povos germânicos do que a cidade de Roma. Com o processo de ruralização, Roma, a antiga capital, se esvaziou, assim como diminuíram o exército e as riquezas do Império.

Em 395, com a morte do imperador Teodósio, o Império foi dividido em dois: **Império Romano do Ocidente**, com capital em Roma, e **Império Romano do Oriente**, com capital em Constantinopla.

Os esforços para assegurar o controle sobre o Império, no entanto, não foram suficientes para evitar a crise. As disputas pelo poder entre generais e governadores de província, bem como a corrupção que se alastrava pela administração pública, contribuíam para agravar ainda mais os problemas.

↑ Detalhe de mosaico da Basílica de Santa Sofia, em Istambul, Turquia, feito no século X. Ele representa o imperador Constantino guardando a cidade de Constantinopla.

O FIM DO IMPÉRIO ROMANO DO OCIDENTE

A partir do século IV, as pressões aumentaram sobre os romanos. Diversos povos, ameaçados pelos hunos e atraídos pelas terras férteis e pelas riquezas romanas, invadiram o território romano na Europa Ocidental. Com o Império enfraquecido, não houve como deter militarmente os povos invasores. Em 476, Roma foi tomada por Odoacro, um chefe germânico, fato que marcou o fim do Império Romano do Ocidente.

Fonte de pesquisa: Cláudio Vicentino. *Atlas histórico*: geral e Brasil. São Paulo: Scipione, 2011. p. 51.

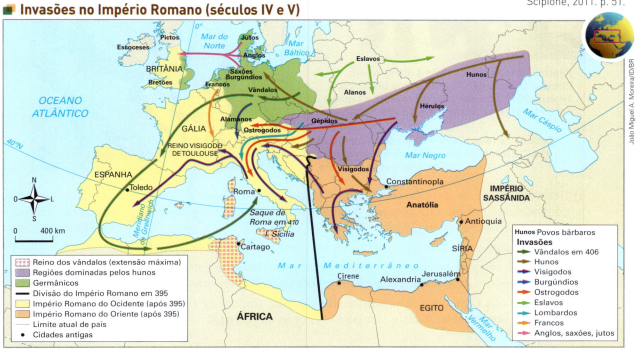

Invasões no Império Romano (séculos IV e V)

ATIVIDADES

RETOMAR E COMPREENDER

1. Qual era a situação do Império Romano no século III?
2. Por que o Império Romano foi dividido?
3. Quem eram os bárbaros? Quem os chamava dessa forma e por quê?
4. Escreva um parágrafo explicando o que era o *comitatus* na Antiguidade.
5. Observe o mapa da página 205 e responda: Quais povos invadiram as seguintes regiões: Britânia, África e Espanha?

APLICAR

6. Os relatos das invasões no Império Romano marcaram profundamente a imaginação dos ocidentais. É com base nesses relatos que artistas e diversos meios de comunicação atuais representam os guerreiros germânicos do modo como você vê na cena abaixo, à esquerda. Contudo, se observarmos as representações feitas pelos próprios romanos antes do período das invasões, como o relevo abaixo, na foto à direita, teremos outra ideia a respeito de como eram os povos que viviam além das fronteiras do Império. Observe as duas imagens e faça o que se pede.

↑ Reprodução de cena do filme *A última legião*. Direção: Doug Lefler. França, Reino Unido, Itália, Tunísia, 2007 (105 min). Ela representa a captura de um guerreiro romano por soldados germânicos.

Detalhe de relevo feito em sarcófago do século II d.C. Ele mostra a rendição de um germânico diante de tropas romanas. →

a) Descreva como os germânicos foram retratados na imagem **A**. Você conhece outras produções audiovisuais em que os povos germânicos foram representados? Há semelhanças entre as representações? Explique.
b) Agora, descreva como os germânicos foram representados na imagem **B**.
c) Por que as imagens dos germânicos baseadas nos relatos da época das invasões são tão diferentes das imagens produzidas pelos romanos em épocas anteriores? Troque ideias com os colegas.
d) Com base nos conteúdos estudados neste capítulo, como você representaria os povos germânicos? Faça um desenho deles e compare-o com os dos colegas.

Capítulo 2
O MUNDO FEUDAL

IDADE MÉDIA, UMA INVENÇÃO

A desagregação do Império Romano do Ocidente propiciou a expansão dos francos, povos germânicos que viviam na Europa Ocidental, em uma região no oeste da atual Alemanha. Esse movimento iniciou uma série de transformações que marcariam o período que conhecemos como Idade Média, entre elas, a ruralização da Europa Ocidental, o estabelecimento de relações de suserania e vassalagem e o fortalecimento do poder da Igreja católica.

Acredita-se que o termo Idade Média tenha sido criado pelos humanistas, por volta do século XV. Os humanistas admiravam a tradição cultural e intelectual clássica, ou seja, o legado greco-romano da Antiguidade. A esse período, chamaram de Idade Antiga e, ao período em que eles viviam, de Idade Moderna. Por considerarem o período entre os séculos V e XV um período de "estagnação cultural", chamaram-no de Idade Média ou Idade das Trevas.

Segundo essa periodização, o marco de início da Idade Média foi a deposição do imperador romano do Ocidente, Rômulo Augusto, em 476, pelos hérulos. A tomada da capital do Império Bizantino, Constantinopla (atual Istambul), pelos turcos otomanos, em 1453, sinalizou o fim da Idade Média.

> Com a desagregação do Império Romano do Ocidente, importantes transformações econômicas, políticas e culturais ocorreram na Europa. Quais foram essas transformações? Como elas afetaram o modo de vida das sociedades da Europa Ocidental?

humanista: adepto do movimento filosófico e cultural surgido na Europa entre os séculos XIV e XV que valoriza o conhecimento e o uso da razão e vê a humanidade como o centro de todas as coisas.

↓ Castelo de Alnwick, construído no século XI, no condado de Northumberland, Inglaterra. Construções de estilo medieval como esta podem ser encontradas em diversas partes da Europa Ocidental. Foto de 2018.

UM MILÊNIO DE TRANSFORMAÇÕES NA EUROPA

A imagem da Idade Média como um período de estagnação cultural ainda hoje está presente no imaginário popular. Basta ver que muitos filmes e livros representam essa época enfatizando apenas os conflitos sangrentos, a opressão ou as superstições. A própria expressão Idade das Trevas demonstra um juízo de valor, como se nenhuma cultura tivesse se desenvolvido nesse período.

É importante notar, ainda, que os limites da Idade Média, ou seja, seu início (século V) e seu fim (século XV), foram definidos pelos humanistas europeus. Para isso, eles se basearam em acontecimentos e transformações que afetaram a Europa Ocidental. Dessa forma, não podemos falar de Idade Média na África ou na América, por exemplo, pois os povos dessas regiões vivenciavam processos históricos próprios.

Tanto a herança greco-romana quanto a germânica foram importantes para formar a cultura europeia desse período, mas os humanistas valorizavam apenas a primeira.

A história medieval, no entanto, foi muito mais dinâmica do que eles afirmavam. Nesse longo período, criaram-se instituições, como os bancos e as universidades. Invenções como a prensa de tipos móveis, o relógio mecânico, os jogos de carta e a pintura a óleo também datam dessa época. E, apesar do controle da Igreja católica sobre o pensamento e a cultura, foram seus monges que, por meio de transcrições, garantiram a preservação de muitas obras escritas na Antiguidade.

Uma das mais importantes mudanças ocorridas nesse período foi a formação do modelo feudal, que se tornou predominante em praticamente toda a Europa Ocidental cristã.

Quando as cidades se esvaziaram e os imperadores e reis se tornaram menos poderosos, o centro da organização política, econômica e social dos povos europeus deslocou-se para as áreas rurais, mais especificamente, para as grandes propriedades de terras pertencentes aos senhores feudais.

OS PERÍODOS DA IDADE MÉDIA

Tradicionalmente, os historiadores classificam a Idade Média de diversas maneiras, porém a classificação mais conhecida é a que divide esse período em Alta Idade Média e Baixa Idade Média.

A Alta Idade Média (do século V ao XI) compreende o período entre a queda do Império Romano do Ocidente e o Império Carolíngio. Foi nessa época que se consolidou, na Europa Ocidental, o modelo feudal.

A Baixa Idade Média (do século XI ao XV) corresponde à época em que a vida urbana e o comércio retomaram gradualmente sua importância.

ANALISAR

Conheça aspectos da produção de livros na Idade Média. Em seguida, pesquise como é a produção de livros atualmente e faça uma tabela apontando semelhanças e diferenças entre esses processos.

Monges copistas em iluminura do século XII. Muitos dos textos, bem como tradições orais da Antiguidade, foram preservados pelo trabalho de monges católicos, que os compilavam ou copiavam, daí a expressão "monge copista".

A INTEGRAÇÃO DE CULTURAS E POVOS

A conquista dos territórios romanos pelos povos germânicos e os posteriores conflitos entre esses povos não significaram a eliminação de todos os hábitos e instituições já existentes no mundo romano.

Ao contrário, houve a integração entre as tradições romanas e germânicas e a constituição de novos costumes. As populações germânicas uniram-se aos descendentes dos povos que já viviam no território romano por meio de casamentos e laços de fidelidade.

O Império Carolíngio, que se formou com o rei franco Carlos Magno, é um exemplo da integração de instituições e hábitos germânicos e romanos. Elementos como a relação de lealdade e compromisso característica do *comitatus* germânico, bem como o regime econômico romano conhecido como colonato, foram preservados, originando uma nova forma de organização social.

Como vimos, no *comitatus*, os guerreiros germânicos reconheciam a autoridade de um chefe militar sobre os demais, mantendo com ele uma relação de lealdade e honra. No regime de colonato, por sua vez, os grandes proprietários romanos arrendavam partes de suas terras para que os camponeses pobres pudessem cultivá-las. Em troca, esses camponeses deveriam pagar tributos em forma de gêneros agrícolas. Tanto a relação do *comitatus* quanto a do colonato estabeleciam vínculos duradouros, às vezes até o fim da vida, e fundaram as bases do chamado modelo feudal.

O AUMENTO DO PODER DA IGREJA

Em estreita aliança com os reis e os imperadores medievais, a Igreja católica se fortaleceu, inclusive financeiramente. A coroação de Carlos Magno como imperador, realizada pelo papa Leão III, confirmou o poder do governante, mas principalmente consolidou a influência do chefe da Igreja nos rumos políticos da Europa.

Dessa forma, foi durante o Império Carolíngio também que a Igreja católica, já consolidada na sociedade romana, passou a ter cada vez mais poder de decisão sobre os governantes e sobre a população em geral.

Coroação de Carlos Magno pelo papa Leão III, em iluminura produzida no século XV. O fortalecimento do poder da Igreja é uma das principais características do período medieval.

AS RELAÇÕES FEUDAIS

Carlos Magno distribuiu terras e cargos a nobres aliados a fim de garantir a administração de seu império. Em troca, esses nobres lhe juraram fidelidade e se comprometeram a apoiá-lo nas guerras, na política e na economia. Essa relação, conhecida como **vassalagem**, foi mantida por seus sucessores e se estendeu aos membros da nobreza. Na vassalagem, firmavam-se compromissos mútuos, mas desiguais: o **suserano**, que era a parte mais poderosa, concedia terras e benefícios a seu **vassalo**; este, em troca, lhe jurava fidelidade e apoio.

Os bens recebidos pelos vassalos foram chamados de **feudos**. Embora o feudo estivesse geralmente associado a uma grande extensão de terra, também poderia ser um benefício, como um cargo importante, ou o direito de cobrar impostos de uma população. Além disso, o vassalo que administrava as terras do suserano tinha ampla autoridade sobre os camponeses que nelas viviam e trabalhavam.

Com o passar das gerações, o juramento de fidelidade de um vassalo ao suserano adquiriu regras e transformou-se em uma cerimônia, denominada **homenagem**. A divisão sucessiva dos bens e da autoridade levou cada vez mais à descentralização do poder político na Europa Ocidental. Como muitos aspectos da vida medieval giravam em torno das relações feudais, esse modelo de organização política, econômica e social ficou conhecido como **feudalismo**.

Representação de cerimônia de homenagem em iluminura catalã do século XIII. O vassalo, de joelhos, declara sua submissão ao suserano, que está sentado. Ao centro, o notário registra a cerimônia.

A SOCIEDADE ESTAMENTAL

Como a divisão de terras e de funções era feita por nobres e clérigos, fundamentada na crença de que Deus predeterminava o lugar que todos os seres deveriam ocupar no mundo, a mobilidade social no período medieval era rara. A possibilidade de ter terras ou benefícios era estabelecida hereditariamente. Mesmo na Igreja católica, os altos cargos eram restritos a filhos de nobres. Essas divisões rígidas e predeterminadas são chamadas de **estamentos** ou **ordens**.

A sociedade feudal era dividida em três estamentos, relacionados às funções de cada grupo. Os membros do clero formavam o grupo dos que rezavam (*oratores*). Os membros da nobreza estavam incluídos no grupo dos que guerreavam (*bellatores*), e os servos eram maioria no grupo dos que trabalhavam (*laboratores*), sendo, geralmente, camponeses.

O clero e a nobreza compunham a camada dominante da sociedade feudal, ou seja, a eles cabiam os direitos e os privilégios sociais e políticos em detrimento da camada menos favorecida, a dos trabalhadores.

No século X, o cristianismo era a principal doutrina religiosa na Europa. O papa, além de líder da Igreja, sagrava reis e legitimava os senhores feudais. Tanto ele quanto os bispos e os abades tinham origem nobre e formavam o chamado **alto clero**. O **baixo clero**, por sua vez, era constituído por párocos e monges, homens de origem mais humilde que viviam de forma bastante modesta em comparação aos membros do alto clero. A proibição de casamento dos clérigos e as doações da nobreza proporcionaram à Igreja católica um intenso acúmulo de terras e bens, fazendo dela a instituição mais rica da Europa.

Já a nobreza era formada por reis, senhores feudais, cavaleiros e seus familiares. Conforme a tradição germânica, competia à nobreza dedicar-se à guerra a fim de expandir seus domínios e proteger seus habitantes de ataques de inimigos. Juntos, clero e nobreza exerciam poder político, econômico e cultural sobre a sociedade feudal.

↑ Membros das três ordens da sociedade feudal: clero (à esquerda), nobreza (ao centro) e camponês (à direita). Iluminura do século XV.

clérigo: aquele que pertence a uma ordem da Igreja.

 RETOMAR

Teste seus conhecimentos sobre os estamentos que compunham a sociedade medieval.

↓ Bordado de lã em linho, feito no século XI, representando a Batalha de Hastings, um dos principais eventos atribuídos à conquista do reino da Inglaterra pelos normandos. Na cena representada, é possível identificar os nobres e seus símbolos de distinção social, como o uso de armas e armadura, os brasões e a montaria.

OS TRABALHADORES

A camada mais populosa da sociedade feudal era formada pelos trabalhadores, que, em sua maioria, desempenhavam funções relacionadas às áreas rurais.

Os servos eram camponeses que estavam ligados à vida inteira à gleba, ou seja, a porção de terra sob o domínio de um senhor. Eles aravam, semeavam e faziam a colheita das culturas. Também realizavam construções e reformas. Os servos viviam em uma pequena aldeia, distante do castelo e geralmente cercada por florestas. Suas casas eram simples, sem janelas e, na maior parte das vezes, feitas de barro, palha e pedra. A maioria das casas tinha apenas um ou dois cômodos, onde as pessoas cozinhavam, comiam, se vestiam e dormiam. No local, também eram abrigados os animais de criação.

Entre os trabalhadores havia ainda os **vilões**. Eles eram camponeses livres que cultivavam pequenas porções de terras sem estar ligados a elas. Como os conflitos com árabes, húngaros, eslavos, normandos e outros povos continuaram causando instabilidade e medo na Europa até o final da Alta Idade Média, muitos vilões preferiram vincular-se à terra e abrigar-se nos domínios de um senhor feudal em busca de proteção, tornando-se servos. Tanto servos quanto vilões eram obrigados a pagar tributos aos senhores feudais e a cumprir certas obrigações.

Embora em número reduzido, também havia **escravizados** na Europa medieval. Em geral, eles eram encarregados das tarefas domésticas.

> **SERVOS E ESCRAVIZADOS**
>
> Tanto a servidão quanto a escravidão praticadas no contexto do feudalismo são remanescentes de costumes do mundo romano e germânico. A escravidão já era amplamente praticada na Antiguidade e a principal mão de obra no mundo romano era escravizada, enquanto a servidão se origina do sistema de colonato.
>
> Apesar da estreita semelhança entre essas duas práticas na sociedade feudal, pode-se dizer que os servos não podiam ser retirados da porção de terra ao qual estavam ligados, ao passo que os escravizados podiam desempenhar funções em outras localidades.

A ORGANIZAÇÃO DO SENHORIO

O **senhorio** era a propriedade agrícola senhorial. Geralmente, ele estava dividido em três áreas principais:

- **manso senhorial**: uma grande porção de terra em que tudo o que era produzido pelos servos e vilões se tornava propriedade do senhor feudal;
- **manso servil**: pequenos lotes de terra cultivados pelos servos para seu próprio sustento;
- **terras comunais**: florestas, pastagens e outras áreas não cultivadas do senhorio, que eram utilizadas tanto por servos como por senhores feudais.

← Camponês arando a terra em um manso senhorial, em miniatura presente no livro *As riquíssimas horas do duque de Berry* (1411-1416).

A PRODUÇÃO NAS PROPRIEDADES FEUDAIS

Com o esvaziamento das cidades e a ascensão do modelo feudal, o comércio e as atividades econômicas urbanas na Europa perderam parte de sua importância. A maioria das pessoas dedicava-se às atividades rurais no interior das propriedades feudais, produzindo somente o necessário para garantir seu sustento e o de outras pessoas que ali viviam.

Os servos e vilões plantavam, principalmente, cereais como trigo e centeio, utilizados na produção de farinha, pois o pão era a base da alimentação medieval, sobretudo entre os trabalhadores. Também cultivavam verduras e hortaliças e criavam animais, como galinhas, porcos e cabras. Os senhores tinham prioridade no fornecimento de carnes e derivados.

Além disso, quase todos os utensílios necessários para o dia a dia eram fabricados nos domínios do senhor feudal e a ele pertenciam. A circulação de moedas era escassa e, em geral, cada propriedade feudal cunhava as próprias moedas, mesmo quando integrava com outras propriedades um mesmo reino. Como havia diferentes moedas pelo continente, esse era mais um fator que dificultava o comércio.

AS OBRIGAÇÕES E OS TRIBUTOS DOS TRABALHADORES

Em troca da proteção do senhor feudal e do direito de utilizar suas terras e instrumentos para produzir alimentos, os servos e vilões deviam pagar ao senhor uma série de tributos na forma de trabalho, produção ou moedas. A **corveia**, por exemplo, era o tributo pago pelos servos na forma de trabalho, de duas a três vezes por semana, no manso senhorial. Os servos também deviam destinar ao senhor feudal cerca de um terço da produção do manso servil. Esse tributo era chamado de **talha**.

Mesmo cuidando da manutenção da estrutura do feudo, os servos tinham de pagar as chamadas **banalidades** para utilizar equipamentos como o moinho e o forno. As banalidades também eram pagas pelos vilões que usavam os equipamentos.

Além disso, todos os membros da sociedade, com exceção do clero, eram obrigados a contribuir com o dízimo, imposto cobrado pela Igreja. Ele correspondia a 10% da produção e do ganho mensal de cada homem e mulher.

Miniatura feita no século XI representando servos em atividades rurais, como semeadura e colheita (à direita), e oferecendo tributos aos estamentos superiores (à esquerda).

IMAGINÁRIO E RELIGIOSIDADE

Desde o reconhecimento do catolicismo como religião oficial do Império Romano, a Igreja católica ganhou cada vez mais influência até se tornar a instituição mais poderosa da Europa. Seu poder, enquanto autoridade espiritual, superava inclusive o de reis, que, segundo a mentalidade da época, eram investidos do poder de governar pela Igreja em acordo com a vontade divina.

Durante a Idade Média, a Igreja católica influenciava os hábitos, costumes e modos de pensar e de agir de todos os segmentos da sociedade. Em consequência disso, a maior parte da produção artística e intelectual desse período alicerçou-se na visão de mundo e na moral cristãs.

Segundo essa visão de mundo, todos os fenômenos naturais eram explicados pela vontade divina e cabia à Igreja e a seus clérigos agir como representantes dessa vontade. As doenças, por exemplo, eram vistas como relacionadas ao universo espiritual e, por consequência, a cura delas cabia aos representantes da Igreja.

Paralelamente, no entanto, as populações recorriam a tratamentos caseiros de acordo com os saberes populares, como os emplastros, chás e xaropes feitos com ervas. Muitos desses saberes foram originados de povos seguidores de crenças religiosas anteriores ao estabelecimento do cristianismo, a quem os clérigos chamavam de **pagãos**.

A vigilância da Igreja no que se refere a costumes e práticas que desafiassem seu poder era constante, e os atos que confrontassem suas ideias podiam ser punidos com a excomunhão e, em alguns casos, até com a morte. Os corpos eram, particularmente, vigiados e controlados, especialmente os das mulheres, pois eram vistos como instrumentos propensos ao pecado, que ligavam os seres humanos ao mundo natural e os afastavam de Deus.

↑ Reprodução de mapa do século XIII que mostra a perspectiva católica da organização do mundo. Jerusalém está no centro do mapa, e o mundo, representado em formato circular, é observado por Jesus Cristo e anjos, representados na parte superior.

emplastro: tipo de curativo com medicamento envolvido em tecido, aplicado sobre a pele levemente aquecido.

excomunhão: expulsão da Igreja. Acreditava-se que a alma de um excomungado não seria salva no Juízo Final.

Cenas do Juízo Final, de acordo com a tradição cristã, representadas em esculturas da fachada ocidental da catedral de Nossa Senhora de Estrasburgo, França, construída entre os séculos XIV e XV. A representação faz referência à crença cristã de que, no fim dos tempos, todos os seres que já viveram serão julgados por Deus. Foto de 2017.

HÁBITOS E COSTUMES

O medo da fome era justificável, pois, por muito tempo, foram usadas técnicas de cultivo que não rendiam uma produção grande e esgotavam o solo. Havia também o risco de pragas nas plantações. Os nobres tinham preferência na obtenção de alimentos: sua dieta incluía verduras, ovos, laticínios (principalmente queijo), carnes de animais de criação (carneiro, aves, entre outros) e também de caça (coelho, javali, etc.). Os servos e vilões comiam principalmente pães, bolos e outros derivados de farinha, acompanhados de legumes e temperos.

As ovelhas forneciam lã, principal matéria-prima para a confecção de roupas. O couro de animais diversos também era muito utilizado na produção de roupas e de calçados. Os trajes dos nobres eram mais variados e complexos: para confeccioná-los, usavam-se materiais como a seda e ornamentos diversos, inclusive fios de ouro.

Apesar das limitações de convívio social da época e das duras condições de trabalho dos mais pobres, havia divertimentos na Idade Média. Os nobres ofereciam banquetes para comemorar casamentos e alianças, com farta comida e bebida, além de apresentações de artistas ambulantes e jograis. Também havia torneios, com competições entre cavaleiros, e praticavam-se jogos como o xadrez. Os camponeses tinham os próprios jogos e promoviam disputas e lutas ao ar livre.

Porém, os acontecimentos mais importantes eram as festas católicas. Além das festividades anuais, como a Páscoa e o Natal, batizados e casamentos eram cerimônias de grande importância. Eram comuns ritos como procissões, que reuniam pessoas de todos os estamentos.

Peça de xadrez em marfim representando o rei, feita provavelmente na região da atual Noruega, no século XII.

LIVRO ABERTO

Na Idade Média era assim, de Bruna Renata Cantele. São Paulo: Ed. do Brasil, 2011.
Esse livro destaca diversas manifestações do cotidiano medieval, como a alimentação, o vestuário, entre muitas outras.

Iluminura feita no século XV por Loyset Liédet, representando um banquete de casamento entre nobres. Além dos servos circulando com os alimentos e dos nobres que estão sendo servidos, há também a presença de músicos, no canto superior direito, e de um animal domesticado (o cão, na parte inferior).

ATIVIDADES

RETOMAR E COMPREENDER

1. O sistema feudal herdou elementos culturais tanto dos romanos quanto dos povos germânicos. O colonato, por exemplo, tem suas raízes no mundo romano, e as relações do *comitatus* encontram sua origem nos germânicos. No caderno, escreva um parágrafo explicando como as características do colonato e do *comitatus* se transformaram durante o período feudal.

2. Leia as afirmações abaixo e, no caderno, classifique-as como verdadeiras ou falsas. Em seguida, reescreva as afirmações falsas no caderno, corrigindo-as.

    a) Ao longo da Idade Média, a instituição que mais ganhou poder foi a Igreja católica.

    b) Durante o período feudal, as relações conhecidas como suserania e vassalagem eram estabelecidas entre os senhores feudais e os camponeses.

    c) Muitas obras da Antiguidade só sobreviveram graças ao trabalho dos monges copistas, que viviam enclausurados em mosteiros.

    d) A mobilidade social era um fato comum na Idade Média; muitos cavaleiros e membros do alto clero eram provenientes de famílias camponesas.

3. Os itens abaixo listam obrigações e tributos medievais e explicações sobre estes. Com base no que você estudou sobre o assunto, relacione, no caderno, as obrigações e os tributos às definições correspondentes, associando letras e algarismos romanos.

    a) Corveia
    b) Talha
    c) Banalidades

    I. Tributo pago ao senhor feudal pelos servos, em troca do uso de equipamentos do feudo.

    II. Tributo pago pelos servos sob a forma de trabalho no manso senhorial durante alguns dias da semana.

    III. Porcentagem de produção realizada no manso servil e destinada ao senhor feudal.

APLICAR

4. Leia o texto e faça o que se pede a seguir.

    > A Europa feudal é um mundo rural em que a riqueza repousa na terra. A sociedade é dominada pelos proprietários de latifúndios, os senhores, cujo poder é ao mesmo tempo econômico e político. A feudalidade [...] se apoia em dois elementos essenciais: o compromisso de vassalagem e a concessão do feudo.
    >
    > O vassalo é um senhor mais ou menos fraco, que, por obrigação ou interesse, vincula-se a um senhor mais forte, a quem promete fidelidade.
    >
    > Michel Pastoureau. *No tempo dos cavaleiros da Távola Redonda*. São Paulo: Companhia das Letras, 1989. p. 35.

    a) Explique a frase: "A Europa feudal é um mundo rural em que a riqueza repousa na terra".

    b) Quem são os senhores mencionados no texto? Por que eles tinham poder político e econômico?

    c) A que relação de dependência o texto se refere? No que ela consiste?

5. Na miniatura abaixo, estão representados dois dos três estamentos (ou ordens) que compõem o mundo feudal. Identifique os estamentos representados justificando sua resposta com base em elementos da imagem e explicando as atribuições sociais de cada estamento.

↑ Detalhe de iluminura francesa do século XIII.

ARQUIVO VIVO

As crianças na Idade Média

Você já parou para pensar em como era a vida das crianças durante a Idade Média? O texto a seguir, de Philippe Ariès, um historiador contemporâneo, trata do conceito de infância durante esse período. Leia-o e, em seguida, observe a imagem reproduzida nesta página, feita no século XIV.

A criança na arte medieval

Até por volta do século XII, a arte medieval desconhecia a infância ou não tentava representá-la. É difícil crer que essa ausência se devesse à incompetência ou à falta de habilidade. É mais provável que não houvesse lugar para a infância nesse mundo. Uma miniatura [...] do século XI nos dá uma ideia impressionante da deformação que o artista impunha então aos corpos das crianças, num sentido que nos parece muito distante de nosso sentimento e de nossa visão. O tema é a cena do Evangelho em que Jesus pede que se deixe vir a ele as criancinhas [...]. Ora, o miniaturista agrupou em torno de Jesus oito verdadeiros homens, sem nenhuma das características da infância: eles foram simplesmente reproduzidos numa escala menor. Apenas seu tamanho os distingue dos adultos. [...]

↑ Representação do rei da França, Carlos V, com sua esposa e filhos. Iluminura anônima do século XIV.

Philippe Ariès. *História social da criança e da família*. 2. ed. Rio de Janeiro: Zahar, 1981. p. 39.

Organizar ideias

1. De acordo com Philippe Ariès, como os artistas medievais representavam as crianças?

2. Como ele explica essa maneira de representar a infância?

3. Compare a iluminura com o texto. A imagem reafirma ou contraria a ideia do autor do texto? Justifique sua resposta.

4. Pesquise em livros ou na internet algumas pinturas de artistas brasileiros que retratem crianças. Você pode pesquisar obras de artistas como Candido Portinari, Tarsila do Amaral e Caribé. Selecione uma das obras e escreva uma breve descrição observando como as crianças são representadas na obra escolhida. Depois, compare sua descrição com as observações feitas pelo historiador Philippe Ariès. Há semelhanças entre o modo de representar as crianças na obra que você pesquisou e na analisada por Ariès? E diferenças? Comente-as.

ATIVIDADES INTEGRADAS

RETOMAR E COMPREENDER

1. Organize os fatos a seguir conforme a sequência cronológica em que ocorreram.

   a) Carlos Magno conquistou inúmeros territórios e foi coroado imperador pelo papa Leão III.

   b) Com a desagregação do Império Romano, os francos expandiram-se pela Europa Ocidental.

   c) Os altos gastos públicos, a crise da produção agrícola e as migrações germânicas foram fatores que enfraqueceram progressivamente o Império Romano.

   d) A relação de vassalagem descentralizou o poder político na Europa Ocidental.

2. Com base no que você estudou nesta unidade, bem como em unidades anteriores, estabeleça uma comparação entre os servos do feudalismo e os escravos das diversas antiguidades. Depois, leia seu texto para os colegas e ouça os textos deles.

APLICAR

3. Leia o texto a seguir e, depois, responda às questões.

   > [...] Utilizadas pelos soberanos carolíngios para reforçar a aliança com as camadas superiores, [as relações entre vassalos e suseranos] revelam-se frequentemente como um instrumento contraditório que muitos grandes do reino manejam em proveito próprio. O fim do Império Carolíngio (887) e o aparecimento de novas conflitualidades nos reinos herdeiros do império dão um impulso posterior a esta situação. Impossibilitados de dominar o território do reino com um aparelho administrativo, os reis do século X procuram fortalecer as relações pessoais concedendo bens ou cargos em troca do juramento de fidelidade de vassalagem. [...]
   >
   > Giuseppe Albertoni. O feudalismo. Em: Umberto Eco (Org.). *Idade Média*: bárbaros, cristãos e muçulmanos. Alfragide: Dom Quixote, 2010. p. 185.

   a) Como as relações entre vassalos e suseranos foram utilizadas pelos soberanos carolíngios?

   b) De acordo com o que você estudou nesta unidade, de que maneira os vassalos substituíam o aparelho administrativo do reino?

4. Leia o texto a seguir, escrito no século XI.

   > A casa de Deus, que cremos ser uma, está, pois, dividida em três: uns oram, outros combatem e os outros, enfim, trabalham. [...] os serviços prestados por uma são a condição da obra das outras duas; e cada uma, por sua vez, se encarrega de aliviar o todo. [...] é assim que a lei tem podido triunfar e que o mundo tem podido gozar de paz.
   >
   > Bispo Adalbéron de Laon. Em: Jacques Le Goff. *A civilização do ocidente medieval*. Lisboa: Estampa, 1984. v. 2. p. 9-10.

   a) Identifique os três grupos sociais citados no texto e suas respectivas funções.

   b) Explique a afirmação do bispo Adalbéron de Laon: "os serviços prestados por uma [das partes] são a condição da obra das outras duas".

5. Leia o texto a seguir.

   > [...] A palavra "invasão" nos faz pensar em bandos de bárbaros passando como uma onda e devastando tudo. Na realidade, eram apenas pessoas que se deslocavam, pacificamente, para irem se instalar mais ao sul. Vejam os *vikings*: talvez vocês já tenham visto imagens onde eles são mostrados desembarcando nas costas da Normandia, no norte da França, para saquear e destruir o interior. Na verdade, é provável que fossem apenas mercadores vindos dos países do norte para comerciar – e alguns deles acabaram se instalando na França.
   >
   > Jacques Le Goff. *A Idade Média explicada aos meus filhos*. Rio de Janeiro: Agir, 2007. p. 14.

   a) Como o autor caracteriza a chegada dos povos germânicos?

   b) Atualmente, em que contextos sociais a palavra invasão costuma ser utilizada?

ANALISAR E VERIFICAR

6. Observe a imagem e responda às questões.

↑ Iluminura do século XV publicada no livro *As crônicas de Jacques de Lalain*.

a) Descreva a cena retratada nessa imagem.

b) Que tipo de evento provavelmente está acontecendo nessa cena? Quais elementos lhe permitem inferir isso?

c) A qual estamento pertencem as pessoas retratadas nessa cena? Por quê?

7. Leia o texto a seguir e responda às questões.

> [...] desde o século IV, diante da fraqueza [...] [do Império Romano], os latifundiários romanos contavam com grupos armados, os *bucellarii*, para preservar a ordem dentro de seus domínios e protegê-los do banditismo e de incursões bárbaras. Entre os germanos [...] havia o companheirismo ou *comitatus*. [...]
>
> [...] a resistência aos invasores só poderia ser feita pelos condes e outros efetivos detentores de poder em cada região. [...] Para sobreviver, a Europa católica cobriu-se de castelos e fortalezas. A fragmentação política completou-se, pois a regionalização da defesa era uma necessidade.
>
> Hilário Franco Jr. *O feudalismo*. 10. ed. São Paulo: Brasiliense, 1991. p. 20-21.

a) Que motivo o autor aponta para a proliferação de castelos e fortalezas no período medieval?

b) O processo que o texto relata significou a diminuição do poder dos reis. Por quê?

CRIAR

8. Forme dupla com um colega. Juntos, escrevam um texto, com até quatro parágrafos, comparando a expansão romana na Antiguidade com as incursões germânicas que marcaram a desagregação do Império Romano.

- Antes de escreverem o texto, listem os itens de comparação, evidenciando as semelhanças e as diferenças entre os dois processos históricos.

- Com base nos itens discutidos pela dupla, elaborem o rascunho do texto. Lembrem-se de que a produção textual deve ter começo, meio e fim. No primeiro parágrafo, escreva a introdução; nos próximos dois parágrafos, desenvolva o tema; e, por fim, no último parágrafo, redija a conclusão a que chegaram.

- Releiam o texto, fazendo os ajustes necessários e, depois, passem a limpo em uma folha avulsa, escrevendo à mão ou imprimindo uma versão digital.

- Reúnam todos os textos produzidos pela turma e montem uma revista informativa sobre o assunto.

9. Como vimos nesta unidade, na sociedade feudal os privilégios sociais eram restritos a alguns estamentos, ou seja, era uma sociedade desigual. E quanto à sociedade atual? Em sua opinião, existem privilégios que são restritos apenas a certas parcelas dessa sociedade?

219

IDEIAS EM CONSTRUÇÃO - UNIDADE 8

Capítulo 1 – A desagregação do Império Romano
- Compreendo a crise econômica que acometeu o Império Romano a partir do final do século II?
- Reconheço as formas de contato entre povos germânicos e romanos?
- Identifico os fatores que desencadearam a crise do século III no Império Romano?
- Relaciono o processo de ruralização do Império Romano ao aumento do custo de vida nas cidades e a busca por proteção?
- Identifico os fatores que levaram os povos germânicos a buscar refúgio em territórios do Império Romano?
- Reconheço as formas pelas quais os governantes de Roma tentaram lidar com a crise que acometia o Império?
- Sei descrever como se deu o processo de desintegração do Império Romano do Ocidente?

Capítulo 2 – O mundo feudal
- Identifico quem foram os francos e qual foi a participação deles na construção do que chamamos de Idade Média?
- Reconheço as medidas adotadas por Carlos Magno para manter e administrar seu Império?
- Relaciono as práticas do colonato e do *comitatus* à construção das relações feudais?
- Compreendo o significado de suserano e vassalo e a importância da relação entre eles para a sociedade feudal?
- Sei descrever as características dos estamentos que compunham a sociedade feudal?
- Identifico o papel da religião cristã nos modos de organização medievais e em minha cultura?

 VERIFICAR

Confira os conhecimentos adquiridos na unidade organizando suas ideias e resolvendo as atividades propostas.

UNIDADE 9

TRANSFORMAÇÕES NA EUROPA MEDIEVAL

A partir do século XI, a Europa Ocidental passou por transformações que mudaram o modo de vida medieval. Diversos fatores propiciaram o aumento da produção agrícola, o fortalecimento do poder da Igreja e o desenvolvimento do comércio e das cidades. A população urbana cresceu até o século XIV, quando guerras, epidemias e a fome afetaram a sociedade feudal.

CAPÍTULO 1
As mudanças no campo e a formação dos burgos

CAPÍTULO 2
A Baixa Idade Média

PRIMEIRAS IDEIAS

1. No período conhecido como Baixa Idade Média, houve aumento da população urbana na Europa. Quais fatores podem ter ocasionado esse crescimento? Levante hipóteses.

2. Em sua opinião, quais profissões e ofícios poderiam ser exercidos por mulheres durante a Idade Média?

3. A primeira universidade da Europa foi fundada no século X durante a Idade Média. O que você imagina que se ensinava nesse local?

LEITURA DA IMAGEM

1. Nessa imagem, são retratados cavaleiros cristãos, chamados de cruzados, e árabes muçulmanos. Você pode identificar cada um desses grupos na imagem? Quais elementos da obra caracterizam cada grupo?

2. Com base na observação da imagem, podemos dizer que a relação entre esses dois grupos era amistosa ou de conflito no período retratado? Por quê?

3. Uma das consequências do movimento histórico retratado nessa imagem foi o aumento da intolerância religiosa na Europa. Em sua opinião, qual é o significado da expressão intolerância religiosa?

4. **CRIAR** Observe os símbolos dos brasões representados nessa imagem. O estudo desses símbolos é chamado de heráldica. Conheça mais a respeito e crie um brasão para sua família.

Detalhe de iluminura francesa do século XIV representando uma batalha entre muçulmanos (à esquerda) e cristãos (à direita).

Capítulo 1
AS MUDANÇAS NO CAMPO E A FORMAÇÃO DOS BURGOS

A partir do século XI, uma série de inovações técnicas propiciou o aumento da produção agrícola na Europa, bem como o crescimento populacional e o desenvolvimento comercial e urbano. Que inovações técnicas foram essas?

NOVAS TÉCNICAS E INSTRUMENTOS AGRÍCOLAS

A partir do século XI, novas técnicas e instrumentos dos camponeses da Europa trouxeram melhorias no aproveitamento das terras e dos animais, aumentando assim a produção de alimentos e de gêneros agrícolas. O arado de madeira, utilizado para revolver a terra e facilitar a semeadura, costumava ser preso ao pescoço de animais. Quando foi substituído pela **charrua**, feita de ferro e mais resistente, passou a ser preso ao peito dos animais, o que diminuía o desconforto deles, aumentando a força de tração desse instrumento.

Já a técnica de plantio conhecida como **rotação trienal** consistia em dividir o campo em três partes: em duas delas, cultivavam-se diferentes produtos – aveia e centeio, por exemplo – e, na terceira parte, nada era cultivado. Essa parte de terra ficava ociosa e só seria utilizada no próximo ano, quando outra porção do campo repousaria. Além do repouso de um terço do solo, revezavam-se os gêneros cultivados nas outras duas partes. Essa técnica evitava o esgotamento de nutrientes e permitia a recuperação do solo para o plantio no ano seguinte.

↓ Camponeses usando uma charrua para preparar a terra para o plantio, em detalhe de iluminura do Livro de Salmos de Luttrel, do século XIV, Inglaterra. Além da charrua, note que, entre os dois camponeses, há o desenho de uma foice estilizada, adornada com folhas. A foice também é um importante instrumento de trabalho no campo.

CRESCIMENTO DEMOGRÁFICO

Como resultado das inovações técnicas na agricultura houve um aumento das colheitas e maior produtividade das lavouras. As pessoas passaram a ter alimentação mais variada, de melhor qualidade e em maior quantidade, tornando-se mais saudáveis.

Essa prosperidade agrícola coincidiu com um período de relativa paz política no continente europeu. Todos esses fatores proporcionaram um aumento na expectativa de vida e, consequentemente, um crescimento populacional, como mostra o gráfico ao lado.

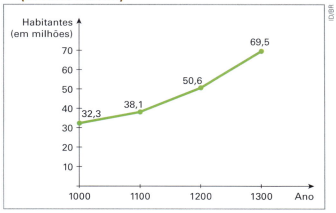

Europa – Crescimento da população (séculos X a XIII)

Fonte de pesquisa: PBL Netherlands Environmental Assessment Agency. Population. Disponível em: <http://themasites.pbl.nl/tridion/en/themasites/hyde/basicdrivingfactors/population/index-2.html>. Acesso em: 20 jun. 2018.

AUMENTO DAS ÁREAS CULTIVADAS

Com o crescimento da população, houve a necessidade de ampliar ainda mais a produção de alimentos, mas as terras que se destinavam ao cultivo já não eram suficientes.

Para compensar a escassez de terras cultiváveis, florestas foram derrubadas e, no lugar delas, foram criados campos para o plantio e a pecuária. Obedecendo às ordens dos senhores feudais, os camponeses passaram a trabalhar nessas áreas, antes desocupadas. No entanto, as condições de vida nessas novas áreas eram muito precárias.

O DESENVOLVIMENTO DO COMÉRCIO

Com o aumento das terras cultivadas na Europa, houve grande expansão da produção agrícola, superando o consumo local. Os produtos excedentes começaram a ser comercializados pelos agricultores. A partir daí, surgiram numerosas rotas terrestres e marítimas que ligavam os principais pontos de comércio. Observe o mapa a seguir.

A LIGA HANSEÁTICA

No século XII, os mercadores das cidades do norte da Europa se associaram, formando a Liga Hanseática, uma poderosa união de cidades comerciais que chegou a ter mais de cem delas associadas.

As atividades da Liga Hanseática envolviam a comercialização de cereais, tecidos, peles, peixes, condimentos, madeiras e metais.

Rotas de comércio (séculos XI a XIV)

Fonte de pesquisa: Cláudio Vicentino. *Atlas histórico*: geral e Brasil. São Paulo: Scipione, 2011. p. 65.

As primeiras zonas de comércio se estabeleceram nos locais destinados ao encontro de fiéis católicos, que se deslocavam algumas vezes por ano para determinada região a fim de celebrar as datas festivas. Os locais escolhidos eram, geralmente, os entroncamentos de estradas ou as entradas dos castelos. Assim, surgiram as **feiras medievais**. A palavra feira vem de *feria*, que, em latim, significa dia de festa ou feriado. Nas feiras, os mercadores trocavam produtos e compartilhavam notícias. Também circulavam nas feiras os artistas populares – os saltimbancos – e cambistas, que trocavam os diversos tipos de moeda e emprestavam dinheiro a juros.

Com o passar do tempo, comerciantes e artesãos fixaram-se em determinadas áreas por medida de segurança e em decorrência do aumento das vendas na região. Estabeleceram-se nos arredores das muralhas dos feudos, formando aglomerados denominados **burgos**; por isso, foram chamados de **burgueses**. A maior parte dos burgos permanecia sob a tutela do senhor feudal, que cobrava uma série de obrigações de seus habitantes.

O PODER DA IGREJA E O ADVENTO DAS CRUZADAS

Como vimos na unidade anterior, durante a Idade Média, a influência da Igreja católica na Europa Ocidental não era apenas religiosa, mas também política e econômica. Ou seja, as crenças da Igreja católica representavam o modo como essa sociedade compreendia o mundo.

Desde a conversão do rei franco Clóvis I ao catolicismo e, em especial, entre os séculos XI e XIII, as doações da nobreza europeia financiavam as obras da Igreja, e esta acumulava cada vez mais bens e terras. Dessa forma, afirmou-se como instituição dominante na sociedade europeia medieval.

Além disso, a partir do século XI, iniciaram-se as Cruzadas, que, assim como as mudanças no campo, o crescimento populacional e o desenvolvimento das atividades comerciais, desempenharam um papel fundamental nas transformações ocorridas na Europa medieval.

Jerusalém, considerada sagrada por cristãos, muçulmanos e judeus, foi conquistada pelos muçulmanos no século VII, mas isso não provocou a perseguição aos judeus e cristãos que viviam nessa cidade.

No entanto, por volta de 1070, os turcos de religião muçulmana (seljúcidas) tomaram Jerusalém e se mostraram intolerantes com as demais religiões: expulsaram os cristãos e proibiram as peregrinações à cidade. Isso levou o imperador bizantino a pedir ajuda militar ao Ocidente para expulsar os invasores, considerados inimigos da fé cristã.

Em 1095, no Concílio de Clermont, na França, o papa Urbano II convocou os cristãos a tomar a cidade de Jerusalém em troca do perdão de seus pecados. As Cruzadas tiveram início em 1096 e, entre os séculos XI e XIII, foram organizadas oito Cruzadas oficiais.

> **ALGUMAS LIBERDADES FEMININAS**
>
> A sociedade medieval era patriarcal, em consonância com a Igreja católica. No entanto, houve muitos âmbitos em que as mulheres exerceram o poder e ocuparam posições de destaque. Essas situações se tornaram mais comuns à medida que a Europa se transformava. Os **conventos** foram um dos espaços em que as mulheres puderam exercer o poder e aproveitar certa liberdade. Apesar de estarem ligados à Igreja, nos conventos femininos a administração e todas as outras atividades eram comumente realizadas pelas monjas e abadessas, em diferentes níveis hierárquicos. As Cruzadas também contribuíram para isso, na medida em que alguns cargos da Igreja se esvaziavam nos conventos e não havia homens preparados para ocupá-los.

Detalhe de mapa feito em 1170. Ele representa cavaleiros cruzados e muçulmanos na cidade de Jerusalém, também conhecida como Terra Santa.

GUERREAR EM NOME DE DEUS

Muitas guerras, como as Cruzadas, têm como motivo as diferenças de crenças religiosas entre os povos, pois um grupo tenta impor sua fé a outro.

1. Você já ouviu falar de outros conflitos que envolvam intolerância religiosa? Quais?
2. Em sua opinião, o que precisa ser feito para promover o convívio pacífico entre grupos que têm religiões diferentes?
3. **COMPREENDER** Observe o mapa da distribuição do islamismo no mundo e responda: Onde se encontra o maior número de seguidores dessa religião?

OS INTERESSES QUE ESTAVAM EM JOGO

Atendendo à convocação do papa Urbano II, nobres, clérigos, comerciantes, camponeses e outros membros da sociedade europeia marcharam rumo à Terra Santa, em 1096, com outras intenções, além do perdão dos próprios pecados, como a de se apossar, por exemplo, de terras e de riquezas no Oriente. Essa primeira campanha militar oficial ficou conhecida como Cruzada dos Nobres.

Também em 1096 foi organizada uma campanha não oficial que ficou conhecida como Cruzada Popular. Camponeses, idosos e crianças, sob a liderança de um monge, partiram rumo a Jerusalém com o objetivo de tomar a cidade, mas foram capturados ou mortos pelos turcos antes de chegar ao local.

Como um dos principais interesses das Cruzadas era reconquistar para os cristãos a cidade de Jerusalém e converter os povos de outras religiões ao cristianismo, aumentando assim a influência da Igreja católica, essas campanhas militares também foram chamadas de **Guerra Santa**. Aqueles que não professavam a fé cristã eram considerados infiéis e inimigos de Cristo.

Para além dos interesses religiosos, muitos nobres uniam-se às Cruzadas em busca de terras, de riqueza e de prestígio. Para os filhos não primogênitos de membros da nobreza, que não herdavam os bens dos pais, por exemplo, juntar-se às Cruzadas representava uma possibilidade de obter terras. Além disso, a figura do cavaleiro cruzado era bastante valorizada na sociedade medieval como símbolo de força e coragem.

Os comerciantes, por sua vez, viam nas Cruzadas a possibilidade de assumir o controle das rotas comerciais do mar Mediterrâneo, até então monopolizadas por muçulmanos e bizantinos.

Fontes de pesquisa: *Atlas histórico escolar*. Rio de Janeiro: FAE, 1991. p. 103; Jeremy Black (Ed.). *Atlas of world history*. London: Dorling Kindersley, 1999. p. 64-65; Cláudio Vicentino. *Atlas histórico*: geral e Brasil. São Paulo: Scipione, 2011. p. 69.

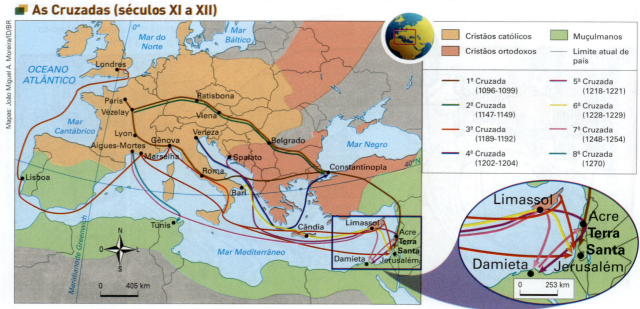

As Cruzadas (séculos XI a XII)

AS CONSEQUÊNCIAS DAS CRUZADAS

Embora nenhuma das oito Cruzadas oficiais tenha cumprido plenamente o objetivo principal de reconquistar definitivamente Jerusalém, essas campanhas militares mostraram aos europeus um mundo diferente daquele a que estavam habituados.

Na Ásia, os europeus tiveram contato com produtos que desconheciam, como açúcar, arroz, damasco, cetim, veludo, entre outros. Esses produtos foram comercializados na Europa e mostraram-se muito lucrativos, principalmente para os mercadores de Gênova e de Veneza, que passaram a controlar as rotas de comércio do mar Mediterrâneo a partir do século XIII.

Além do contato com produtos desconhecidos, esse controle das rotas comerciais por mercadores genoveses e venezianos possibilitou aos europeus retomar o comércio de especiarias com os mercadores do Oriente. As especiarias são produtos geralmente utilizados para o tempero e a conservação de alimentos, como é o caso do cravo, da canela, do gengibre, da pimenta e da noz-moscada. Também podem ter propriedades aromáticas e cosméticas, como o incenso e a mirra.

As especiarias eram adquiridas no Oriente pelos europeus desde a Antiguidade. No entanto, durante a Alta Idade Média, tornaram-se raras na Europa, em razão das dificuldades enfrentadas pelos comerciantes de obtê-las, o que as encarecia. Somente as pessoas muito ricas podiam comprá-las.

Com o desenvolvimento das atividades comerciais, as principais cidades portuárias enriqueceram e passaram a atrair parte da população rural.

Além de expandir as trocas comerciais, as Cruzadas proporcionaram a divulgação de muitos conhecimentos e técnicas vindos do Oriente, transformando a maneira europeia de pensar e de viver.

> **LIVRO ABERTO**
>
> *Robin Hood: a lenda de um foragido*, de Tont Lee. São Paulo: SM, 2011.
>
> Nessa história em quadrinhos, é possível conhecer um pouco a realidade da época e o sistema feudal por intermédio da personagem Robin Hood, um herói mítico que teria vivido no século XIII durante as Cruzadas.

↓ Vittore Carpaccio. *Encontro de Etério e Úrsula e a partida dos peregrinos*, 1498. Óleo sobre tela. A pintura representa o porto de Veneza, um dos principais entrepostos comerciais da região do Mediterrâneo. Note as características urbanas da representação, como a grande quantidade de construções, de pessoas e de embarcações.

ATIVIDADES

RETOMAR E COMPREENDER

1. Explique por que as Cruzadas favoreceram o desenvolvimento comercial na Europa Ocidental.

2. Forme dupla com um colega. Retomem o mapa da página 226 e respondam no caderno às questões a seguir. Depois, compartilhem as respostas com a turma.
   a) Quais eram os principais centros de comércio da Europa Ocidental no século XIII?
   b) Quais eram os produtos mais comercializados nessas rotas?

APLICAR

3. O texto a seguir foi escrito por Reginaldo de Durham, um homem que viveu na Europa no século XI e fez comentários sobre essa época.

> Quando o rapaz, depois de ter passado os anos da infância sossegadamente em casa, chegou à idade varonil, principiou a seguir meios de vida mais prudentes e a aprender com cuidado e persistência o que ensina a experiência do mundo. Para isso, decidiu não seguir a vida de lavrador, mas de estudar [...], aspirando à profissão de mercador [...].
>
> [Ele] Primeiro viveu como um mercador ambulante por quatro anos no Lincolnshire, andando a pé e carregando fardos muito pequenos; depois viajou para longe, primeiramente [...] até Saint Andrews na Escócia e depois pela primeira vez até Roma. [...] Assim navegando muitas vezes entre Escócia e a Bretanha, negociou em mercadorias variadas e no meio destas ocupações aprendeu muito da sabedoria do mundo.
>
> Reginaldo de Durham. *Libellus de vita et miraculis S. Godrici, heremitæ de Finchale*. Citado por: Maria Guadalupe Pedrero-Sánchez. *História da Idade Média*: textos e testemunhas. São Paulo: Ed. da Unesp, 2000. p. 152-153.

   a) A qual atividade econômica o texto faz referência?
   b) Onde essa atividade ocorria?

4. Observe a imagem a seguir e, depois, responda às questões.

↑ Iluminura do Livro de Salmos de Luttrel, do século XIV, com representação de camponeses trabalhando.

a) Que atividade os camponeses estão realizando?

b) Identifique uma importante inovação técnica que favoreceu o aumento da produção agrícola no período e que aparece representada nessa imagem.

c) Explique as vantagens dessa inovação técnica em relação aos instrumentos e às técnicas agrícolas utilizados até então.

5. O trecho a seguir é parte de um texto de Jacques Duquesne, jornalista e escritor contemporâneo que escreve sobre as Cruzadas.

> As Cruzadas foram um fracasso, do ponto de vista do conjunto, em virtude dessa atitude de conversão a ferro e fogo. O sentimento de unidade do Islã contra os invasores se acentuou. As Cruzadas contribuíram mais para o desenvolvimento do islamismo, que também pretendia ser universal e que partiria, um dia, à conquista do mundo.
>
> Jacques Duquesne. Fundamentalismo cristão. Revista *História Viva*, São Paulo, Duetto, ano II, n. 15, p. 43, jan. 2005.

a) Tendo em vista o principal objetivo das Cruzadas, explique por que o autor as considera um fracasso. Justifique sua resposta com trechos do texto.

b) O que o autor quis dizer com "conversão a ferro e fogo"?

c) Em sua opinião, quais são as consequências do uso da violência para obrigar as pessoas a se converter a uma religião?

6. Os textos a seguir são duas cartas trocadas durante a Terceira Cruzada (1189-1192) entre o rei inglês Ricardo Coração de Leão e Saladino, o sultão – imperador – do Egito e da Síria.

Carta de Ricardo a Saladino

Os nossos e os vossos estão mortos. [...] o país está em ruínas e o negócio nos escapou completamente, a nós todos. Não pensais que isto basta? [...]

No que diz respeito a Jerusalém, é nosso local de culto e jamais aceitaremos renunciar a ele, mesmo que tenhamos que combater até o fim. [...]

Carta de Saladino a Ricardo

A Cidade Santa é tão importante para nós quanto para vós; ela é até mais importante para nós, pois foi em sua direção que nosso profeta realizou sua viagem noturna, e é ali que nossa comunidade irá reunir-se no dia do julgamento final. Está portanto excluída a possibilidade de a abandonarmos. Jamais os muçulmanos o admitiriam. [...]

Bahaeddin. Em: Amin Maalouf. *As Cruzadas vistas pelos árabes*. São Paulo: Brasiliense, 1989. p. 94-95.
Citado em: Maria Guadalupe Pedrero-Sánchez. *História da Idade Média*: textos e testemunhas. São Paulo: Ed. da Unesp, 2000. p. 89.

a) O que há em comum nas duas cartas?

b) Em sua opinião, essas declarações poderiam levar a um acordo de paz? Justifique.

c) A cidade de Jerusalém continua sendo considerada sagrada por cristãos, muçulmanos e judeus e ainda é uma das causas dos conflitos no Oriente Médio. Pesquise sobre a atual situação de Jerusalém em noticiários, jornais ou na internet. Escreva um texto com suas conclusões e, em seguida, discuta o assunto com os colegas.

7. No Ocidente, geralmente a história das Cruzadas é contada do ponto de vista dos cristãos. Porém, como os muçulmanos teriam interpretado essa campanha militar e religiosa? Em trio, conversem sobre qual seria a visão dos muçulmanos sobre as Cruzadas. Em uma folha avulsa de papel, façam um desenho representando esse ponto de vista. Mostrem a produção de vocês para os colegas e vejam as representações que eles criaram sobre o tema.

Capítulo 2
A BAIXA IDADE MÉDIA

Entre os séculos XI e XIV, ocorreu na Europa Ocidental um rápido crescimento urbano e comercial que resultou em mudanças na sociedade medieval. Você sabe quais mudanças foram essas? De que forma elas afetaram as relações feudais vigentes?

CARACTERÍSTICAS DAS CIDADES MEDIEVAIS

O crescimento das cidades durante a Baixa Idade Média aconteceu de maneira desordenada. Muitas moradias eram construídas com madeira e ficavam bem próximas umas das outras, em ruas estreitas e tortuosas. Não havia água encanada, coleta de lixo nem sistema de esgoto. Os resíduos domésticos e os dejetos humanos eram despejados na rua. A água era escassa e de má qualidade. Trazida de fontes ou de rios por vezes distantes das cidades, a água era vendida nas ruas em barricas de madeira transportadas no lombo de animais.

Algumas cidades medievais eram cercadas por muralhas, que serviam para protegê-las de inimigos e delimitar a fronteira com o campo. Diversas atividades eram realizadas nessas cidades, desde o comércio de diferentes produtos, como tecidos, alimentos, especiarias e rebanhos, até atividades culturais, como feiras e festas.

Durante muitos anos, como vimos, a Idade Média foi conhecida como a Idade das Trevas, pois constituiu-se a ideia de que não houve nenhum progresso ou criação cultural nesse período. No entanto, na Idade Média, houve desenvolvimento técnico e cultural em várias áreas do conhecimento. Além disso, com o crescimento das cidades, surgia um rico e cada vez mais poderoso grupo social: a **burguesia**.

↓ Detalhe do afresco *Os efeitos do bom governo na vida da cidade*, feito por Ambrogio Lorenzetti, entre 1337 e 1343, no Palácio Público de Siena, Itália. Essa obra representa uma cidade medieval e o campo.

CORPORAÇÕES E ATIVIDADES FINANCEIRAS

No início da Baixa Idade Média, o comércio era uma atividade arriscada, pois as estradas eram malcuidadas e havia muitos assaltos. Além de correr riscos, os mercadores arcavam com as elevadas taxas cobradas pelos senhores feudais de todos aqueles que passavam por suas terras e enfrentavam dificuldades para calcular o valor dos produtos comercializados, pois as poucas moedas que circulavam não eram cunhadas de forma padronizada.

Diante desses obstáculos, os mercadores passaram a viajar em grupos, formando associações chamadas ligas, corporações ou **guildas**. Assim, eles aumentaram seus ganhos.

Como os mercadores, os artesãos também criaram associações, as **corporações de ofício**, compostas de artesãos que se dedicavam à mesma atividade. Cada corporação tinha regras próprias e controlava desde a formação de novos profissionais até a definição do preço final do produto.

Essas associações de artesãos também organizavam festas e procissões para o santo de devoção do grupo e ajudavam as famílias dos associados, em caso de doença ou de morte. Essas corporações eram formadas por mestres artesãos, jornaleiros e aprendizes da profissão.

Por sua vez, ourives e cambistas, que penhoravam joias e guardavam objetos de valor para seus clientes em troca de um pagamento, começaram a emprestar, para outras pessoas, as barras de ouro e as moedas que guardavam. Esse empréstimo era feito mediante a assinatura de um documento chamado nota promissória. Por essa nota, o devedor se comprometia a pagar o empréstimo com acréscimo de juros e dentro de um prazo predeterminado.

> **O PECADO DA USURA**
>
> Os usurários eram pessoas que emprestavam dinheiro a juros, cobrando pelo tempo que o devedor levava para devolver o valor emprestado. Eles eram condenados pela Igreja católica, que considerava que o tempo pertencia somente a Deus.
>
> Porém, isso não impediu que a prática de emprestar dinheiro a juros continuasse a existir, já que muitos dos ourives e cambistas eram judeus e, portanto, tinham valores religiosos diferentes dos cristãos.

 ANALISAR

Conheça mais sobre as cidades medievais e anote suas principais características no caderno. Em seguida, faça uma tabela comparando as cidades medievais com as da atualidade, apontando as diferenças e semelhanças entre elas.

jornaleiro: nesse contexto, trabalhador pago por jornada de trabalho.

ourives: artesão especializado em metais preciosos.

233

O TEMPO DAS CATEDRAIS

> **RETOMAR**
> Conheça detalhes da construção de algumas catedrais góticas da França. Em seguida, a partir de seus conhecimentos, escolha uma das catedrais apresentadas e registre no caderno quais características do estilo gótico você identificou nessa construção.

As catedrais eram construções gigantescas que abrigavam a sede do bispado. Eram os templos mais importantes das cidades medievais e demonstravam, além da prosperidade do lugar, o poder da Igreja católica.

A construção de uma catedral exigia o envolvimento de toda a comunidade, pois consumia grande volume de recursos e podia levar muito tempo para ser concluída. As corporações de ofício e as guildas participavam da arrecadação de fundos para as obras, e várias gerações de artesãos e operários trabalhavam nelas.

O estilo arquitetônico predominante nas catedrais da Baixa Idade Média foi o **gótico**, desenvolvido a partir do século XII.

A arquitetura gótica substituiu as paredes grossas das igrejas românicas por colunas altas e arcos capazes de sustentar o peso dos telhados. Os edifícios ganharam um aspecto mais leve, e as janelas, mais amplas e altas, foram decoradas com vitrais coloridos, fundamentais para iluminar o interior das catedrais.

A catedral de Notre-Dame, em Paris, França

↑ Representação dos principais elementos arquitetônicos que caracterizam o estilo gótico. A catedral de Notre-Dame, em Paris, França, começou a ser construída em meados do século XII. Representação em cores-fantasia e sem proporção de tamanho.

A QUEDA DA PRODUÇÃO AGRÍCOLA E A FOME

Como vimos no capítulo anterior, a partir do século XI, diversas inovações técnicas, bem como a dinamização do comércio, ocasionaram um período de relativa prosperidade na Europa. Nesse período, houve crescimento da produção agrícola e também da população. No entanto, a oferta de alimentos, embora maior, não era suficiente para toda a população.

Nas cidades em expansão, o crescimento populacional resultou em maior procura por alimentos. Para suprir essa necessidade, houve um aumento das áreas cultivadas. Porém, parte dessas áreas era pouco apropriada para o cultivo.

Aliadas a isso, mudanças climáticas ocasionaram fortes chuvas e geadas na Europa, prejudicando as plantações, de forma que a produção agrícola diminuiu consideravelmente no início do século XIV. Assim, os preços dos alimentos subiram, dificultando ainda mais sua distribuição, e iniciou-se um período prolongado de fome na Europa Ocidental.

Mal alimentada, a população europeia estava mais sujeita a doenças. Foi justamente nessa época que chegou ao Ocidente a **peste bubônica**, também conhecida como **peste negra**. Trazida do interior da Ásia, era uma doença altamente contagiosa, transmitida por pulgas dos ratos que infestavam os porões das embarcações.

A FOME HOJE

Segundo o relatório *Estado da Segurança Alimentar e da Nutrição no Mundo 2017*, publicado pela Organização das Nações Unidas (ONU), 815 milhões de pessoas ao redor do mundo sofreram com a fome em 2016. São 38 milhões de pessoas a mais do que em 2015. Alguns dos fatores que explicam esse número são a proliferação de conflitos e as mudanças climáticas.

1. Em sua opinião, quais outros fatores poderiam explicar o aumento do número de pessoas que passam fome no mundo atual?
2. No Brasil atual, existem pessoas que sofrem com a fome? Como isso pode ser evitado?

↑ Miniatura encontrada em um manuscrito da região da Itália atual, feito no século XIV, representando a distribuição de alimentos para a população em um período de fome na Europa Ocidental.

A MORTE EM MASSA

Os primeiros focos da peste bubônica surgiram nas cidades portuárias do mar Mediterrâneo, que recebiam os navios mercantes vindos do Oriente. Dali, a doença se espalhou rapidamente pelo continente europeu. As péssimas condições de higiene e de habitação das cidades e vilas medievais contribuíram para o rápido alastramento da doença.

Como a origem da doença era desconhecida e não havia tratamentos eficazes para ela, o medo do contágio despertava pânico na população. Para muita gente, a peste era considerada um castigo enviado por Deus por causa dos pecados cometidos pela humanidade.

As providências tomadas contra a doença eram pouco efetivas e concentravam-se na limpeza das ruas e no isolamento dos doentes. Calcula-se que, em dois anos, aproximadamente 25 milhões de pessoas, o equivalente a um terço da população europeia da época, morreram em decorrência da peste.

O impacto causado pela peste bubônica sobre o número de habitantes das cidades e do campo refletiu-se também na produção agrícola e no comércio. A oferta de alimentos diminuiu ainda mais e os preços aumentaram.

A REPRESENTAÇÃO DA MORTE

A morte tornou-se tema recorrente na literatura, na música, nas encenações e nas artes visuais durante os séculos XIV e XV. Nas artes visuais, a morte era representada por um esqueleto humano que dançava e acompanhava jovens e velhos, ricos e pobres, sem distinção de gênero, idade ou classe social.

> **A PESTE NA ATUALIDADE**
>
> A peste bubônica ainda causa mortes na atualidade. Surtos na África, ocorridos entre 2014 e 2015, deixaram alerta a Organização Mundial da Saúde (OMS). Em Madagascar, mais de 70 pessoas morreram por causa da doença nesse período. Os Estados Unidos também registraram um aumento no número de mortes ocasionadas pela peste entre os anos 2000 e 2015.
>
> A doença, causada pela bactéria *Yersinia pestis*, atualmente é tratada com antibióticos. Quando diagnosticada no início, as chances de cura aumentam.

Michael Wolgemut. Detalhe de *A dança da morte*, gravura feita para um livro de crônicas de Hartmann Schedel, de 1493.

AS GUERRAS E AS REVOLTAS DOS CAMPONESES

Além da fome e das epidemias, o século XIV foi marcado por guerras em várias regiões da Europa, quase sempre motivadas por disputas entre a nobreza e os reis. Entre elas destaca-se a **Guerra dos Cem Anos**, que envolveu os reis e os nobres da França e da Inglaterra e se estendeu de 1337 a 1453, culminando com a vitória dos franceses.

A situação dos camponeses franceses e ingleses foi agravada com o aumento dos impostos cobrados pelos senhores feudais, para compensar a queda na arrecadação causada pela diminuição da produção agrícola. Em reação, os camponeses promoveram violentas rebeliões, como as *jacqueries*, na França, e a **revolta de Watt Tyler**, na Inglaterra. Os levantes foram violentamente reprimidos e não trouxeram grandes benefícios aos revoltosos.

OS REIS E A BURGUESIA

A queda da produção agrícola, a fome, a epidemia da peste bubônica e as revoltas camponesas são alguns dos fatores que intensificaram a crise do sistema feudal, que já despontava desde o século XI.

A burguesia foi um dos grupos mais favorecidos nesse processo. Enriquecidos com as atividades comerciais, os burgueses compraram terras da nobreza e aproximaram-se dos reis. Isso contribuiu para o enfraquecimento do poder dos senhores feudais e para a formação das primeiras monarquias nacionais, ainda no século XI.

↑ Iluminura feita no século XV representando Joana d'Arc. Acredita-se que, durante a Guerra dos Cem Anos, a camponesa tenha sido uma das principais lideranças das tropas francesas.

↓ Ilustração de manuscrito francês, do século XV, representando a Batalha de Poitiers (1356), durante a Guerra dos Cem Anos. O conflito entre os reis da França e da Inglaterra é um marco para a derrocada do feudalismo e assinala o surgimento dos Estados nacionais modernos.

237

ATIVIDADES

RETOMAR E COMPREENDER

1. Forme dupla com um colega. Elaborem uma lista, no caderno, dos principais fatores que contribuíram para os grandes períodos de fome na Europa no século XIV.

2. Escreva, no caderno, um parágrafo sobre a origem da peste bubônica e a forma como essa doença se disseminou pela Europa. Troque de caderno com um colega e leia o parágrafo que ele escreveu.

3. Quais das alternativas abaixo indicam fatores que contribuíram para o declínio da população urbana na Europa Ocidental?
   a) Fortalecimento do rei e da nobreza.
   b) Diminuição da produção agrícola.
   c) Impacto causado pelo aumento de casos da peste bubônica.
   d) Aumento de guerras e revoltas no campo.

APLICAR

4. Observe a imagem a seguir.

↑ Gravura de Hans Lützelburger, de cerca de 1538.

   a) Descreva a cena retratada.
   b) Qual tema é personificado pelo esqueleto?
   c) Relacione a imagem ao contexto em que os europeus viviam nos séculos XIV e XV.

5. Leia o texto a seguir e observe a imagem. Em seguida, faça o que se pede.

> [...] é impossível pensar numa expansão urbana sem uma expansão comercial e vice-versa. Comércio e cidade integraram um mesmo processo, diretamente ligado ao feudalismo.
>
> As cidades medievais eram protegidas. Eram cercadas por muralhas, por *burgos*, daí o termo *burguês*, surgido para designar os habitantes das cidades, [...] voltados para o comércio, daí a associação entre comerciantes, mercadores e *burgueses*, ou *burguesia*, expressão que designou uma nova categoria social. [...]
>
> O mundo urbano medieval se integrou completamente ao mundo rural. A cidade medieval teve um caráter semirrural, a começar pelo fato de que foi povoada em grande parte por camponeses. A cidade medieval se integrou completamente ao feudalismo, do mesmo modo que o comércio fez parte dele. [...]
>
> Daniela Buono Calainho. *História medieval do Ocidente*. Petrópolis: Vozes, 2014. p. 86-87.

↑ Miniatura de 1455 representando a cidade de Feurs, na França. A imagem foi extraída do manuscrito *L'armorial d'Auvergne*, de Guillaume Revel.

   a) O texto menciona duas características das cidades medievais que estão representadas nessa imagem do século XV. Identifique-as.
   b) Com base na observação da imagem e na leitura do texto, comente as principais características de uma cidade medieval.
   c) Como você explicaria a última frase do texto: "A cidade medieval se integrou completamente ao feudalismo, do mesmo modo que o comércio fez parte dele"?

ARQUIVO VIVO

A grande fome

A partir do século XIV, diversos fatores desencadearam uma onda de fome na Europa Ocidental. Um desses fatores foi a escassez de alimentos devido a safras ruins, o que ocasionou a diminuição de oferta de alimento a todas as parcelas da população. Algumas camadas sociais, no entanto, foram mais afetadas do que outras.

O texto a seguir, originalmente escrito pelo cronista Enguerran de Montrelet, que viveu no século XV, descreve suas observações acerca da fome no período.

[...] neste ano de 1437, tornaram-se os trigos e cereais tão caros por todas as partes do reino de França e outros diversos lugares e países da Cristandade que aquilo que alguma vez se tinha dado por quatro soldos, moeda de França, vendia-se por 40, ou mais. Por ocasião da qual carestia houve uma tão grande fome universal que grande multidão de pobres morreu por indigência. E era coisa muito dolorosa e triste vê-los morrer de fome nas boas cidades e jazer sobre estrumeiras em grandes bandos. Havia algumas cidades que os expulsavam da sua senhoria; e houve também outras que os receberam e administraram por bastante tempo, de acordo com as suas possibilidades, cumprindo as obras de misericórdia. Entre aquelas que os receberam e administraram por bastante tempo estava a cidade de Cambrai. E durou esta pestilência até o ano de [14]39. E foram feitos por esta causa vários editos pelos senhores, tanto príncipes como outros, e também pelos das boas cidades, proibindo sob pesadas penas que nenhum trigo ou outro cereal fosse levado para fora. Da mesma maneira foi determinado na cidade de Gand que se abstivessem de fabricar cervejas e outras bebidas semelhantes, que todas as gentes pobres matassem os seus cães e que ninguém mantivesse nem alimentasse cadela, se ela não estivesse castrada. Tais semelhantes ordenanças foram feitas em muitos países, a fim de prover à comum pobreza do povo miúdo e dos mendigos.

> **carestia**: escassez de alimentos.
>
> **estrumeira**: no texto, monte de lixo.
>
> **indigência**: situação de extrema miséria.
>
> **jazer**: estar ou parecer morto.
>
> **povo miúdo**: modo como eram chamados os grupos sociais que não detinham poder político e econômico.

Louis Douët D'Arc (Ed.). *La chronique d'Enguerran de Montrelet*. Paris: Société de l'Histoire de France, 1961. liv. II. t. V. p. 319-320. Citado por: Maria Guadalupe Pedrero-Sánchez. *História da Idade Média*: textos e testemunhas. São Paulo: Ed. da Unesp, 2000. p. 195-196.

Organizar ideias

1. Quantos anos durou a grande fome mencionada no texto?
2. Qual camada social é apresentada no texto como a mais afetada pela fome? Em sua opinião, por que essa camada foi a mais atingida?
3. Quais medidas foram adotadas pelos senhores das cidades francesas para administrar os efeitos da fome?
4. O relato de Enguerran de Montrelet menciona as "obras de misericórdia" como ações tomadas em algumas cidades no período da fome. Você sabe o que essa expressão significa? A qual parcela da sociedade medieval essas ações eram dedicadas? Quem as praticava e por quê?

ATIVIDADES INTEGRADAS

RETOMAR E COMPREENDER

1. O que eram os burgos e como eles se relacionam com o desenvolvimento do comércio na Europa medieval?

2. Copie o quadro a seguir no caderno e complete-o com as informações sobre as Cruzadas.

AS CRUZADAS (SÉCULOS XI A XIII)		
Grupos sociais participantes	Principais motivações	Resultados

APLICAR

3. Observe o conjunto de gráficos abaixo e faça o que se pede.

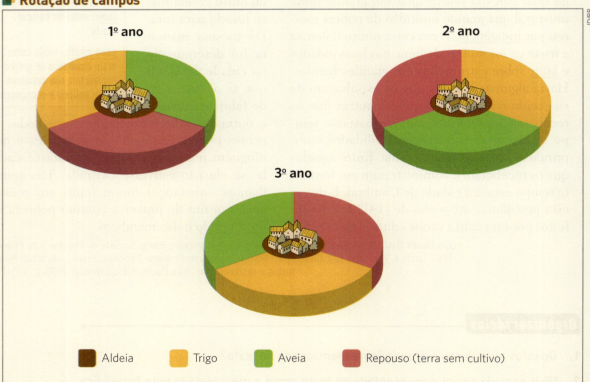

Fonte de pesquisa: Marcel Mazoyer. *História das agriculturas no mundo*: do Neolítico à crise contemporânea. São Paulo: Ed. da Unesp; Brasília: Nead, 2010. p. 356.

a) A qual inovação técnica característica da Baixa Idade Média o conjunto de gráficos se refere?

b) Como essa técnica funcionava? Qual seria a finalidade dela?

c) Essa técnica é utilizada atualmente? Em caso afirmativo, onde? Para descobrir, faça uma pesquisa em publicações impressas ou digitais ou converse com agricultores, caso sejam parte de sua comunidade. Depois, compartilhe suas descobertas com a turma.

ANALISAR E VERIFICAR

4. Leia o texto abaixo, escrito por Raoul Glaber, um homem que viveu no século XI e fez comentários sobre essa época.

> No ano milésimo depois da Paixão do Senhor, [...] as chuvas das nuvens acalmarem-se [...]. Toda a superfície da terra cobriu-se de uma amável verdura e de uma abundância de frutos [...]. [...] neste mesmo ano, o trigo, o vinho e outros frutos da terra foram em tal abundância que se não poderia esperar uma quantidade semelhante para o conjunto dos cinco anos seguintes. [...]
>
> Raoul Glaber. Les cinq livres de ses histoires (900-1044). Citado por: Maria Guadalupe Pedrero-Sánchez. *História da Idade Média*: textos e testemunhas. São Paulo: Ed. da Unesp, 2000. p. 77-78.

a) Atualmente, como nomeamos o ano apresentado no texto como "ano milésimo da Paixão do Senhor"? O que seria a Paixão do Senhor?

b) De acordo com o que você estudou nesta unidade, é possível identificar o tema comentado nesse texto? Explique relacionando trechos do texto com os conteúdos analisados.

c) O autor comenta os fatos de modo positivo ou negativo? Quais expressões do texto podem comprovar isso?

5. Forme dupla com um colega. Leiam o texto e, depois, respondam às questões.

> A doença era praticamente fatal em 80 a 100% dos casos, pouco tempo depois de contraída. Ironicamente, chegou à Europa por conta da grande expansão mercantil que marcou o feudalismo, vinda com os comerciantes oriundos da colônia genovesa de Caffa, na região do mar Negro, e difundindo-se pelo restante da Europa. A doença devastou a população do sul para o norte, caminhando em velocidade espantosa e atingindo indistintamente ricos e pobres, bem e mal alimentados. A salvação era estar longe dos focos [...].
>
> Daniela Buono Calainho. *História medieval do Ocidente*. Petrópolis: Vozes, 2014. p. 122-123.

a) A qual doença o texto faz referência?

b) Com base no que vocês estudaram nesta unidade, expliquem por que o texto considera irônico o fato de essa doença ter chegado à Europa por causa da expansão mercantil que marcou o feudalismo.

CRIAR

6. Nesta unidade, você estudou as feiras medievais. Atualmente, diferentes tipos de feira são comuns em todo o Brasil. Você e sua família costumam frequentar alguma feira? Como é essa experiência? Faça um registro sobre uma feira atual (como foto, desenho, pintura, etc.). Mostre-o aos colegas e conte para eles suas experiências sobre o tema.

7. Na abertura desta unidade, refletimos sobre a intolerância religiosa que se intensificou na Europa após as Cruzadas. Apesar da distância geográfica e temporal, a intolerância religiosa também existe na sociedade brasileira da atualidade. Reúna-se com os colegas de sala para pesquisar, em *sites*, revistas ou jornais, matérias que noticiem casos de intolerância religiosa no Brasil. Com base nessa pesquisa, respondam à questão: O que provoca a intolerância religiosa na atualidade e como ela pode ser combatida?

IDEIAS EM CONSTRUÇÃO - UNIDADE 9

Capítulo 1 – As mudanças no campo e a formação dos burgos
- Identifico quais foram as novas técnicas e os instrumentos que foram desenvolvidos na Europa Ocidental a partir do século XI?
- Relaciono o crescimento demográfico na Europa ao aumento das terras cultiváveis e da produção agrícola?
- Reconheço os fatores que proporcionaram o desenvolvimento das feiras e dos burgos nas cidades medievais?
- Sei que a cidade de Jerusalém foi tomada pelos muçulmanos no século VII?
- Compreendo a importância da Igreja católica para a sociedade europeia medieval?
- Identifico os fatores que propiciaram as Cruzadas?
- Reconheço quais grupos sociais uniram-se às Cruzadas?
- Sei descrever quais foram as principais consequências das Cruzadas?

Capítulo 2 – A Baixa Idade Média
- Identifico os fatores que propiciaram o surgimento da burguesia?
- Compreendo o que foram as guildas e as corporações de ofício?
- Sei reconhecer as principais características das catedrais góticas?
- Relaciono o decrescimento demográfico nas cidades europeias à queda da produção agrícola, à peste bubônica e às guerras?
- Reconheço os fatores que ocasionaram a disseminação da peste bubônica?
- Reconheço o que foi a Guerra dos Cem Anos?

VERIFICAR
Confira os conhecimentos adquiridos na unidade organizando suas ideias e resolvendo as atividades propostas.

INTERAÇÃO

A HISTÓRIA CONTADA PELOS OBJETOS

Os objetos e suas inovações não só influenciam o dia a dia das pessoas, como também carregam histórias e experiências. Por isso, são importantes fontes de pesquisa e de conhecimento para os profissionais da área de História.

← Gramofone, ou toca-discos, aparelho de reprodução de som inventado em 1887 pelo alemão Emil Berliner.

Parte das mudanças observadas no cotidiano das pessoas é provocada pelas inovações tecnológicas. E, no decorrer desse processo, muitos objetos se transformam ou deixam de ser utilizados.

Objetivos

- Realizar entrevistas com familiares.
- Pesquisar, em meios impressos e digitais, imagens de equipamentos ou tecnologias, relacionados a áreas específicas, que fizeram parte do cotidiano dos familiares entrevistados e que vêm sendo gradativamente substituídos ou modificados.
- Montar um álbum com anúncios de compra e venda dos objetos mencionados.
- Conscientizar-se da importância do trabalho colaborativo, respeitando a diversidade de ideias e opiniões.

Material

- fotografias, livros e revistas de História
- uma pasta-fichário que permita a consulta do álbum de anúncios pelos leitores
- canetas ou lápis
- folhas de papel avulsas
- cola e tesoura de pontas arredondadas

Planejamento

Com a orientação do professor, a turma deve se organizar em grupos de até cinco alunos. Cada grupo vai entrevistar duas pessoas com idade acima de 50 anos. As informações, os relatos e as opiniões delas vão ajudá-los a pesquisar objetos para o álbum.

Para isso, estabeleçam previamente qual será o tema das entrevistas, selecionando uma destas áreas: **comunicação**; **transportes**; **alimentação**; **lazer**; **medicina**; e **esportes**. Atentem para que cada grupo se responsabilize por uma área, evitando repetição.

Escolham os dois familiares que serão entrevistados pelo grupo e combinem a data, o horário e o local com as pessoas selecionadas.

Com base nos resultados das entrevistas, vocês vão escolher dois objetos para confeccionar o álbum com informações e anúncios de compra e venda.

⬇ Conjunto de televisores que se popularizaram nas décadas de 1970 e 1980. Na página ao lado, veja um desses aparelhos em destaque.

Procedimentos

Parte I – Entrevistas

1. O objetivo da entrevista é coletar informações e opiniões que permitam compreender quais foram as principais transformações ocorridas na área selecionada. Por exemplo, caso o tema seja a alimentação, o grupo deve procurar conhecer as experiências das pessoas entrevistas em relação a esse assunto, perguntando quem preparava as refeições delas no passado, quais equipamentos, objetos e ingredientes eram utilizados, quanto tempo se levava para isso, entre outras informações.

2. Por isso, antes de realizar a entrevista, com o auxílio do professor, preparem um roteiro de perguntas, para que nenhum detalhe fundamental para a elaboração do álbum seja esquecido.

3. Durante a entrevista, anotem as principais informações e relatos dos entrevistados sobre o tema selecionado. Essas anotações serão utilizadas posteriormente pelo grupo, na etapa de elaboração do álbum de anúncios. Se for possível, gravem as entrevistas, em áudio ou em vídeo, para ouvi-las ou vê-las novamente, se necessário. Nesse caso, solicitem a autorização do entrevistado para esse tipo de registro.

4. Concluídas as entrevistas, reúnam-se para ler as anotações. Com base nelas, escolham os objetos que farão parte do álbum de anúncios.

↑ Caixa de som produzida na década de 1970.

Parte II – Pesquisa

1. Após a escolha dos objetos, vocês vão levantar informações sobre eles. Para isso, procurem pesquisar:
   - a utilidade desses objetos;
   - os modos de utilizá-los;
   - o período em que foram utilizados;
   - curiosidades sobre seu funcionamento;
   - mudanças pelas quais passou no decorrer do tempo;
   - novos objetos que substituíram os objetos escolhidos.

2. Busquem, em meios impressos e digitais, as imagens dos objetos. Vocês podem, ainda, produzir desenhos e esboços. A seguir, listamos algumas sugestões de materiais para a pesquisa.

Livros

- *A história do mundo em 100 objetos*, de Neil MacGregor. São Paulo: Intrínseca, 2010.
- *A história das coisas:* da natureza ao lixo, de Annie Leonard. Rio de Janeiro: Zahar, 2011.

245

Sites
- Museu Aeroespacial da Força Aérea Brasileira. Disponível em: <http://linkte.me/jhd9d>.
- Museu da Energia – Núcleo de Itu. Disponível em: <http://linkte.me/ks513>.
- Museu Virtual da Faculdade de Medicina da Universidade Federal do Rio de Janeiro (UFRJ). Disponível em: <linkte.me/lh9m1>.

Acessos em: 4 jul. 2018.

Parte III – Elaboração do álbum

O álbum de anúncios deverá ser composto de três partes:

- **Apresentação:** texto expositivo sobre como e por que o trabalho foi feito; a área que o grupo escolheu para pesquisar e o motivo da escolha; o que será apresentado no álbum.
- **Depoimentos:** trechos das entrevistas selecionados pelo grupo. Isto é, o grupo pode selecionar os principais trechos das entrevistas para reproduzir no álbum.
- **Anúncios:** elaboração dos anúncios de compra e venda de objetos usados. Para isso, indiquem na página o nome dos objetos, insiram uma imagem deles e descrevam suas características e modos de utilizá-los. Vocês podem pesquisar em jornais e revistas, impressos ou digitais, como são os anúncios de compra e venda de objetos usados. Esses anúncios podem servir de inspiração para a elaboração dos anúncios criados por vocês.

Compartilhamento

1. Com o auxílio do professor, cada grupo fará uma apresentação oral sobre o álbum produzido. O grupo deverá decidir, previamente, quais anúncios vai apresentar e comentar, bem como os colegas que vão realizar a apresentação. Caso a escola tenha equipamentos audiovisuais, essa apresentação poderá ser projetada.
2. Os álbuns ficarão expostos, por tempo determinado, para consulta na sala de aula ou, se possível, definitivamente na biblioteca da escola.

Avaliação

1. De qual etapa do projeto você mais gostou? Por quê?
2. Dos objetos anunciados pelos demais grupos, qual considerou interessante? Por quê?
3. Em relação ao trabalho em grupo, todos os colegas seguiram as etapas do projeto? Algum procedimento teve de ser feito de outra forma? Você faria alguma coisa diferente do que o grupo fez?
4. Escolha um dos álbuns feitos pelos outros grupos e comente o que você mais gostou do trabalho.

O aparelho telefônico foi inventado na década de 1860, mas o uso desse meio de comunicação só se popularizou ao longo do século XX.

DE OLHO
NO ENEM

DE OLHO NO ENEM — PARTE 1

Questão 1

O navio negreiro

Era um sonho dantesco... o tombadilho
Que das luzernas avermelha o brilho.
Em sangue a se banhar.
Tinir de ferros... estalar de açoite...
Legiões de homens negros como a noite,
Horrendos a dançar...
[...]
Presa nos elos de uma só cadeia,
A multidão faminta cambaleia,
E chora e dança ali!
Um de raiva delira, outro enlouquece,
Outro, que martírios embrutece,
Cantando, geme e ri!
[...]

Castro Alves. O navio negreiro. Disponível em: <http://www.dominiopublico.gov.br/download/texto/bv000068.pdf>. Acesso em: 27 maio 2017.

O poema acima foi escrito pelo poeta brasileiro Castro Alves, em 1869, e trata da migração forçada da população africana para o Brasil no contexto do sistema escravista imposto pela Coroa portuguesa. Esse poema pode ser considerado uma fonte escrita sobre o período da escravidão brasileira. Além dessa, o historiador, em seus estudos, pode vir a usar outros tipos de fonte, como

a) cartas, livros, diários e documentos.
b) fontes materiais e iconográficas.
c) livros, documentos, entrevistas e depoimentos.
d) fontes materiais, iconográficas, sonoras e orais.
e) fontes materiais.

Questão 2

Consoante [a historiadora francesa] Michelle Perrot [...], as mulheres são um dos silêncios da história porque geralmente estão restritas ao espaço doméstico, de modo que "são menos vistas no espaço público, o único que, por muito tempo, merecia interesse e relato". De igual modo, [a historiadora estadunidense] Sarah Pomeroy [...]alerta que as fontes a que hoje temos acesso trazem uma visão masculina, pois foram escritas por homens, e que o silêncio sobre as mulheres nessas fontes decorre do olhar que eles tinham sobre as atividades femininas, ao considerá-las assuntos de pouca importância, os quais não mereciam ser relatados. Assim sendo, os relatos que temos devem-se a intromissão de mulheres em questões masculinas, atuando na esfera pública.

Thirzá Amaral Berquó. Entre as heroínas e o silêncio: a condição feminina na Atenas Clássica. Oficina do Historiador, Porto Alegre, PUCRS, jun. 2014. Suplemento Especial – I Encontro de Pesquisas Históricas (Ephis), p. 3. Disponível em: <http://revistaseletronicas.pucrs.br/ojs/index.php/oficinadohistoriador/article/view/19053/12112>. Acesso em: 10 dez. 2018.

O texto acima aborda o silêncio da História a respeito do papel das mulheres na sociedade ateniense. Com base em sua leitura, é possível afirmar que esse silêncio ocorre

a) porque as mulheres atenienses geralmente estavam restritas ao espaço doméstico, de forma que não participavam diretamente dos acontecimentos históricos.
b) porque uma fonte histórica, para ser considerada como tal, precisa estar relacionada aos espaços públicos, que eram vedados às mulheres.
c) porque muitas das fontes a que temos acesso foram escritas por homens e trazem uma visão masculina sobre a sociedade ateniense, desconsiderando as experiências femininas para essa sociedade.
d) porque em Atenas as mulheres não eram consideradas cidadãs, logo não produziam História.
e) porque as fontes históricas que abordam o papel das mulheres na sociedade ateniense são de pouca importância e não contribuem para uma melhor compreensão sobre essa sociedade.

Questão 3

A primeira energia natural utilizada pelo homem de forma intencional foi o fogo. Quando um raio, que anunciava uma tempestade, incendiava uma árvore, o homem pré-histórico não conseguia ainda ter controle sobre ele. Se o fogo adquirido a partir desse episódio se apagasse, era necessário aguardar por outros incêndios para que se pudesse obter fogo novamente. Mas este fogo já o ajudou bastante a cozinhar seu alimento, a iluminar algum lugar na hora desejada, em seu aquecimento e também para se proteger de animais que não se aproximavam do fogo.

Manuela Musitano. O homem e o fogo. Disponível em: <http://www.invivo.fiocruz.br/cgi/cgilua.exe/sys/start.htm?infoid=1014&sid=9>.
Acesso em: 29 maio 2017.

No texto acima, a autora descreve o período em que alguns grupos humanos já viviam em cavernas, utilizavam peles de animais para se proteger do frio e haviam desenvolvido um sistema de comunicação por meio de símbolos gráficos impressos nas paredes das cavernas ou em rochas ao ar livre. Esse período é conhecido como

a) Neolítico.
b) Mesozoico.
c) Pedra Polida.
d) Cenozoico.
e) Paleolítico.

Questão 4

Há aproximadamente 12 000 anos antes de nossa Era começa a se desenvolver um novo processo de fabricação de instrumentos, o polimento da pedra. Essa novidade inaugura o último período da Pré-história, o neolítico. Este se prolongará até o aparecimento da escrita e da metalurgia. Além dos machados e enxadas que podem fabricar-se pelo polimento de todos os tipos de pedras duras e passíveis de serem afiadas várias vezes, essa época é marcada por outras inovações revolucionárias [...].

Marcel Mazoyer e Laurence Roudart. *História das agriculturas no mundo*: do neolítico à crise contemporânea. São Paulo: Ed. da Unesp, 2010. p. 69-70.

Podemos dizer que o texto acima considera que as inovações revolucionárias são

a) o sedentarismo e o cultivo de algumas espécies vegetais.
b) o sedentarismo, a construção de habitações duráveis e a criação de algumas espécies de animais.
c) a habitação durável, os utensílios em argila, a criação de algumas espécies de animais e a agricultura rudimentar.
d) o consumo de raízes, a pesca e a caça.
e) a construção de habitações duráveis e o armazenamento de alimentos.

Questão 5

1914 [ano]

Madeleine tinha oito anos quando a primeira guerra começou. Muitos a chamavam de a Grande Guerra, outros de "O fim do fim", por acreditarem que aquela seria a última (guerra). Vovó se lembra do barulho dos aviões alemães fazendo voos rasantes sobre a casa dela.

Quando falamos sobre esse assunto, ela diz que não sentia medo. Diz apenas: "É a vida. E ponto final".

Florence Noiville. *Minha avó, sua avó*. São Paulo: Cosac Naify, 2013. p. 14.

O texto acima trata do ano em que eclodiu a Primeira Guerra Mundial, ocorrida no início do século

a) XIX.
b) XX.
c) XIV.
d) XX a.C.
e) XIX a.C.

DE OLHO NO ENEM

Questão 6

> **O surgimento do Império**
>
> A Mesopotâmia [...] pode ser chamada de seu epicentro. O urbanismo começou ali e, por sua vez, impérios mais antigos surgiram a partir dessa região em particular mais do que em qualquer outra. [...]
>
> A população mais densa ficava localizada nas planícies costeiras e ribeirinhas, o cenário predominante da história da Antiguidade.
>
> Mark W.Graham; Eric H. Cline. *Impérios antigos*: da Mesopotâmia à origem do Islã. São Paulo: Madras, 2012. p. 31.

Em grego, a palavra mesopotâmia significa entre rios. Na Antiguidade, a região abrigou diferentes povos e foi palco da consolidação de antigos impérios, como o Babilônico, o Assírio, o Persa, o Grego e o Romano. Os rios que banham essa região são

a) o Azul e o Amarelo.
b) o Tigre e o Eufrates.
c) o Amazonas e o Solimões.
d) o Cáspio e o Negro.
e) o Tirreno e o Adriático.

Questão 7

De acordo com seu conhecimento sobre as sociedades da Mesopotâmia, analise as afirmações sobre o código de Hamurábi.

   I. Era um sistema oral de leis.
   II. Era um conjunto escrito de leis.
   III. Legislava sobre religião, família, negócios, etc.
   IV. Tratava das retaliações aos escravos.
   V. Foi escrito em acádio.

Assinale a alternativa que indica as afirmações corretas.

a) Todas estão corretas.
b) I, II, III e V.
c) II, IV e V.
d) II e IV.
e) I e IV.

Questão 8

Esta sociedade exerceu forte influência no mar Mediterrâneo, durante a Antiguidade. Era formada por uma confederação de cidades-Estado e estava localizada onde hoje se situa o Líbano. Tornou-se conhecida principalmente por ter sido uma potência comercial em seu tempo. Seu legado mais importante, entretanto, foi um alfabeto de 22 caracteres, que se tornou a base do alfabeto de outros povos daquele tempo. Trata-se da sociedade dos

a) romanos.
b) gregos.
c) assírios.
d) persas.
e) fenícios.

Questão 9

> Os persas são bastante reconhecidos como um governo unificado e coerente que teve seu advento no século VII a.C. [...] Seu primeiro grande unificador foi Ciro [...] [que] deu início à unificação de um poderoso reino junto de suas principais terras de fora da Mesopotâmia – a primeira na Era do Antigos Impérios.
>
> Mark W. Graham; Eric H. Cline. *Impérios antigos*: da Mesopotâmia à origem do Islã. São Paulo: Madras, 2012. p. 124-125.

A unidade do governo persa descrita no texto deveu-se principalmente

a) à funcionalidade de um exército altamente organizado que garantiu a segurança das fronteiras.
b) à fundação de cidades-Estado que mantinham um alinhamento cultural e pagavam impostos, garantindo a manutenção da administração e da economia central, mas também apresentavam certa independência política local.
c) ao estabelecimento de unidades administrativas denominadas satrapias, que garantiam o controle do território, a coleta de impostos e a organização burocrática.
d) ao estabelecimento de unidades administradas por elites estrangeiras, garantindo a fidelidade dos povos aliados ao poder central.
e) a um exército formado por mercenários, que eram pagos com terras, nas quais eram estabelecidas colônias militares.

Questão 10

Os 300 de Esparta é uma história em quadrinhos criada pelo escritor e desenhista estadunidense Frank Miller, que faz uma interpretação da tentativa persa de avanço sobre o território grego durante a Batalha de Termópilas. Os quadrinhos deram origem ao filme *300*, que estreou em 2007. A seguir, leia um trecho da nota emitida pela Embaixada iraniana no Brasil, na estreia do filme no país, e amplamente divulgada pela imprensa nacional.

> O filme é cheio de distorções da história e da posição relevante na história da civilização da antiga Pérsia. Os produtores do filme, comprometendo e abusando da história, têm a finalidade de promover a ideia do conflito entre civilizações e vai ao encontro das políticas bélicas dos governantes neoliberais dos Estados Unidos da América, sem qualquer fundamento político, histórico ou artístico.

Embaixada do Irã no Brasil repudia '300 de Esparta'.
Disponível em: <https://oglobo.globo.com/cultura/embaixada-do-ira-no-brasil-repudia-300-de-esparta-4203963>.
Acesso em: 2 jun. 2017.

Na nota acima, a Embaixada do Irã no Brasil busca
I. repudiar uma visão preconceituosa sobre o Império Persa.
II. reclamar a parcialidade da interpretação contida no filme.
III. ratificar a visão ocidental sobre a Batalha de Termópilas.
IV. agradecer aos produtores do filme.

Assinale a alternativa que indica as afirmativas corretas.
a) Todas estão corretas.
b) I e II.
c) I, II e III.
d) II e III.
e) III e IV.

Questão 11

↑ **Hieróglifos escritos no túmulo de Ramsés VI, em Luxor, no Egito, datados do século XII a.C.**

A imagem acima foi feita no Egito durante o período
a) em que se acreditava que o Livro dos Mortos era um presente do deus Amon.
b) no qual os egípcios eram monoteístas, anterior ao processo de unificação e fundação da primeira dinastia.
c) em que a escrita representava sons e separação de palavras.
d) em que predominava a escrita de ideogramas, assim como na Fenícia e na China.
e) politeísta, quando foram adorados diversos deuses, representados na forma humana, de animais ou mesclando as duas formas.

Questão 12

> A iconografia [do período] confirma o elevado *status* das rainhas-mães. Nas cenas religiosas representadas nas paredes dos templos elas ocupam posições proeminentes, subordinadas apenas ao próprio rei, enquanto nas cenas que ornam as capelas das pirâmides a rainha aparece, por trás do rei falecido, como a principal portadora de oferendas. Posteriormente, as rainhas – mães ou esposas – passaram a assumir o poder político e proclamaram-se soberanas, chegando a adotar o título real de "Filho de Rá, Senhor das Duas Terras" [...] ou "Filho de Rá e Rei" [...]
>
> Gamal Mokhtar (Ed.). *História geral da África*, v. II: África Antiga. 2. ed. rev. Brasília: Unesco, 2010. p. 304.

O texto acima aborda o papel da dinastia das candaces, rainhas-mães que formaram uma sociedade matrilinear e que governaram o reino de(o)

a) Sudão.
b) Axum.
c) Nok.
d) Cuxe.
e) Egito.

Questão 13

> As grandes pirâmides datam, efetivamente, do Antigo Império egípcio; a de Quéops deve ter sido construída por volta de 2800. Ramsés II, do Novo Império, um dos momentos de glória do Egito, reinou no século XIII, ou seja, 1 500 anos após a construção da grande pirâmide e mais de um milênio antes de Cristo!
>
> Jaime Pinsky. *As primeiras civilizações*. São Paulo: Contexto, 2001. p. 92.

O texto acima permite inferir que

a) o período de apogeu do Egito se deu no século XV a.C.
b) as pirâmides e outros monumentos foram os responsáveis por garantir a unidade política da sociedade egípcia.
c) as pirâmides foram erguidas no século XIII.
d) no que se refere à unidade política houve permanência, o que garantiu a longa duração da sociedade egípcia.
e) a unidade política do Império só foi possível no governo de Ramsés II, período glorioso da sociedade egípcia.

Questão 14

> A maior parte do país é uma dádiva do Nilo, como dizem os sacerdotes, e foi essa a minha impressão. Poucos esforços despendem os egípcios para obter frutos da terra. Aguardam simplesmente que o rio suba, transborde, inunde, fertilize os campos e torne ao seu leito normal.
>
> Heródoto. Em: Vítor de Azevedo. *História*: o relato clássico da guerra entre gregos e persas. Rio de Janeiro: Ediouro, 1994. p. 91.

Hoje, à luz do conhecimento construído a partir das escavações nos sítios arqueológicos egípcios, o pensamento do filósofo grego Heródoto demonstra subestimar a capacidade organizativa da sociedade egípcia, porque

a) rechaça as condições geográficas favoráveis desse reino.
b) despreza a herança hidráulica correspondente ao período dos nomos.
c) desconsidera a força criativa e de trabalho empregada por essa sociedade na exploração das condições favoráveis do Nilo.
d) desconsidera o apoio fundamental concedido por Napata no alargamento das margens do Nilo.
e) afirma a soberania dos egípcios sobre a Núbia.

Questão 15

O Egito foi o primeiro país da África a fazer uso da escrita, a julgar pelo emprego, no sistema hieroglífico, de pictogramas representando objetos que estavam fora de uso havia muito tempo no início da época histórica. É possível situar essa invenção no período [...] em torno de −4000, de acordo com as datas sugeridas pelo carbono 14. Assim, é um dos mais antigos sistemas de escrita de que se tem conhecimento. Desenvolveu-se muito rapidamente, pois já aparece constituído na paleta de Narmer, o primeiro monumento histórico egípcio, que pode ser datado de −3000. Além disso, a fauna e a flora utilizadas nos signos são essencialmente africanas.

Gamal Mokhtar (Ed.). *História geral da África*, v. II: África Antiga. 2. ed. rev. Brasília: Unesco, 2010. p. 50.

O sistema de escrita egípcio, chamado de hieróglifo (escrita sagrada), ao ser comparado ao mesopotâmico e ao chinês, por exemplo, difere-se deles porque

a) no hieróglifo houve a predominância dos sinais pictográficos até o desaparecimento da sociedade egípcia, diferentemente dos outros dois sistemas, que evoluíram para sinais abstratos.

b) o hieróglifo continuou sendo utilizado por outros povos, mesmo após o desaparecimento dos egípcios antigos.

c) os egípcios utilizaram o hieróglifo apenas para fins religiosos.

d) o hieróglifo não era apenas um, mas diferentes sistemas, e cada estamento social tinha seu próprio sistema de escrita.

e) o hieróglifo foi gravado apenas em linhas verticais.

Questão 16

É necessário [...] fazer uma observação sobre a figura do escriba, da maneira como aparece em vários manuais e mesmo em obras mais ambiciosas. Sua importância na sociedade egípcia derivaria, segundo esses livros, do fato de se tratar de alguém que dominava a arte da escrita e da leitura em um local em que o analfabetismo era quase geral. Ora, esse argumento é pouco inteligente, uma vez que saber ler e escrever, em si, não remunera ninguém: depende do papel que desempenham esses "detentores do saber" numa sociedade concreta. Se dominar a escrita fosse sinônimo de bons salários e prestígio social, os professores em nosso país viveriam uma realidade muito diferente, quando, como é sabido, ganham abaixo dos limites da dignidade e, às vezes, até da simples sobrevivência.

Jaime Pinsky. *As primeiras civilizações*. São Paulo: Contexto, 2001. p. 100.

Sobre o papel dos escribas no Antigo Egito, analise as afirmativas abaixo.

I. Eram funcionários públicos.
II. Não tinham prestígio social.
III. Podiam acumular cargos.
IV. Pertenciam à plebe.
V. Podiam exercer diferentes funções.

Assinale a alternativa que indica as afirmativas corretas.

a) I, II, III e V.
b) I, II e V.
c) I, II, III e IV.
d) I, III e V.
e) Todas estão corretas.

Questão 17

> Desde o Rio de Janeiro até o litoral norte do Rio Grande do Sul, essas populações guardavam as valvas dos mariscos mais abundantes (ostras, mexilhão, berbigão), acumulando-as em plataformas sobre as quais instalavam suas residências e sepultavam seus mortos. Enquanto muitas apresentam tamanho modesto (algumas dezenas de metros de diâmetro e poucos metros de altura), outras alcançam centenas de metros de comprimento e até mais de 30 m de altura.
>
> André Prous. *O Brasil antes dos brasileiros*: a Pré-história do nosso país. Rio de Janeiro: Zahar, 2007. p. 34-35.

O texto acima aborda características de povos antigos que, há cerca de 8 mil anos, habitaram regiões do território que hoje corresponde ao Brasil. Esses povos são conhecidos como

a) povos ceramistas.
b) povos sambaquieiros.
c) povos ribeirinhos.
d) povos Tupi-guarani.
e) povos Umbu.

Questão 18

> É importante perceber que, com a conquista inca, a propriedade da terra deixa de ser comunal e passa a adquirir um caráter de simples posse e uso da população local. Neste contexto, novas formas de apropriação do excedente agrícola são instituídas fundamentando a exploração e subordinação estatal. A *mita*, que antes era própria da comunidade, passa a ser desviada para as terras apropriadas pelo Estado. Com a conquista, a *mita* não é mais exercida somente nas terras do *kuraka* e do *Huaca* e passa a ser também realizada nas terras do Inca e do Sol. Com isso, o camponês passava não só a ter obrigações com o líder local, mas também a manter toda a burocracia do Estado.
>
> Adriano Vieira Rolim; Larissa Lima Malafaia Carvalho. A relação entre a religião e o trabalho na sociedade inca. *Ameríndia*: História, cultura e outros combates, v. 3, n. 1, p. 3, 2007. Disponível em: <http://www.periodicos.ufc.br/amerindia/article/view/1558/1411>. Acesso em: 6 dez. 2018.

No contexto da conquista inca, *mita* refere-se a

a) obrigações que os camponeses mantinham com o governo do Império Inca.
b) obrigações que os camponeses mantinham com as lideranças locais.
c) obrigações que os governantes incas mantinham com os camponeses.
d) forma de trabalho voluntária estabelecida entre os camponeses para garantir seu sustento.
e) forma de trabalho voluntária estabelecida entre os camponeses e o governo inca.

Questão 19

A cidade de Axum e o reino do mesmo nome gozavam de sólida reputação no século III da Era Cristã, a crer num texto da época [...], que descreve o reino como o "terceiro no mundo". Na própria cidade, com efeito, grandes monumentos e numerosos testemunhos materiais preservam a memória de um período histórico de grande importância. Diversos elementos nos fazem entrever um passado glorioso: estelas gigantes – dentre elas, o mais alto monólito entalhado, uma enorme mesa de pedra, bases de trono maciças, fragmentos de colunas, sepulturas reais, vestígios de construções aparentemente imensas debaixo de uma basílica do século XVIII e, enfim, as lendas e tradições.

Gamal Mokthar (Ed.). *História geral da África*, v. II: África Antiga. 2. ed. rev. Brasília: Unesco, 2010. p. 379.

Sobre a economia de Axum, é correto afirmar:

a) A agricultura e a criação de animais foram as atividades mais importantes do Império.

b) Assim como em outras sociedades estabelecidas ao longo do Nilo, a agricultura foi a atividade mais importante de Axum, principalmente o cultivo de trigo, cujo excedente era comercializado com Roma.

c) A agricultura e a criação de animais foram atividades praticadas durante toda a existência dessa sociedade, mas o comércio longínquo (com a península Arábica, a Índia e o Mediterrâneo), principalmente o de marfim, tornou-se a atividade mais importante do Império.

d) Se no início a agricultura e a criação de animais tiveram grande importância para Axum, aos poucos o comércio de peles e de cascos de tartaruga tornou-se a atividade mais importante do Império.

e) Devido à sua localização – ponto importante de passagem para comerciantes –, a cobrança de impostos se tornou a base das finanças do Império.

Questão 20

Em 1111 d.C., os astecas deixaram sua terra de origem, Aztlan, impulsionados pelas promessas do sacerdote Huitzilopochtli, por um excesso populacional que parece ter esgotado as limitadas possibilidades alimentares da região e pela condição de servidores (*macehualtin*) em que viviam sob o comando de outra etnia que era tratada como *tlatoque* (governantes) e *pipiltin* (nobres). Os astecas – assim se autodenominavam até então – iniciaram uma longa migração que terminaria com a fundação de Tenochtitlan em uma ilhota do Lago Texcoco, em 1325, local que lhes foi assinalado por Huitzilopochtli e onde se tornariam *pipiltin* e *tlatoque* dos habitantes da região.

Eduardo Natalino dos Santos. *Deuses do México indígena*. São Paulo: Palas Athena, 2002. p. 69-70.

Ao afirmar que os astecas se tornaram *pipiltin* e *tlatoque* dos povos que habitavam a região do lago Texcoco entende-se que

a) os astecas estabeleceram-se como servos das elites locais.

b) os astecas coexistiram pacificamente com os povos da região.

c) os astecas ampliaram o poder de seus antigos governantes à região.

d) os astecas dominaram os povos que habitavam a região.

e) os astecas expulsaram os demais povos que habitavam a região.

DE OLHO NO ENEM — PARTE 2

Questão 1

> Assim, Zeus é antes um modo do céu luminoso mostrar-se e esconder-se por uma certa forma de potência, do que o próprio céu luminoso. Qual é a natureza dessa potência? No caso de Zeus, a definição menos ruim consistiria talvez em dizer que se trata do poder de soberania. Um dos traços essenciais de Zeus é que ele se situa, entre os deuses e em todo o universo, no cume da hierarquia, detém o comando supremo e dispõe de uma força superior permitindo-lhe um total domínio sobre os outros.
>
> Jean-Pierre Vernant. *Mito e sociedade na Grécia Antiga*. Rio de Janeiro: José Olympio, 2006. p. 92.

Com base na leitura do texto acima, é possível afirmar que a religião grega caracterizava-se

a) por um sistema monoteísta que considera Zeus o deus supremo, mas reconhece divindades menores subordinadas a ele.
b) por um sistema monoteísta que considera Zeus o deus supremo e nega a existência de outras divindades.
c) por um sistema politeísta que considera Zeus divindade única e regente de todo o universo.
d) por um sistema politeísta que atribui a regência do universo a diversos deuses, dos quais Zeus é apenas mais um deles.
e) por um sistema politeísta que atribui a regência do universo a diversos deuses, cabendo a Zeus a liderança sobre os demais.

Questão 2

> A Grécia é um país delimitado territorialmente, é banhado pelos mares Egeu e Mediterrâneo, possui muitas ilhas, sua população vive e se reconhece sob determinado regime político e compartilha determinados hábitos. Porém, aquilo que hoje identificamos como a Grécia não coincide territorialmente com o mundo grego [na Antiguidade].
>
> Flávia Maria Schlee Eyler. *História Antiga, Grécia e Roma*: a formação do Ocidente. Petrópolis: Vozes; Rio de Janeiro: Ed. da PUC-Rio, 2014. p. 25.

O texto acima trata do conceito de Estado grego na atualidade: um espaço delimitado geograficamente, que possui fronteiras territoriais e é formado por um conjunto de instituições políticas e por uma população para a qual é garantido o direito à cidadania. Porém, na Antiguidade, a Grécia não estava delimitada por fronteiras nem por uma instituição política atuante de forma homogênea em todo o território. Os gregos, contudo, sabiam que eram gregos porque

a) eram todos súditos de um único rei.
b) adoravam o mesmo deus.
c) possuíam o mesmo sistema de escrita.
d) compartilhavam o mesmo idioma e aspectos religiosos e culturais.
e) compartilhavam o mesmo sistema político, que consistia no modelo de realeza centralizada em palácios.

Questão 3

> Democracia – algo tão valioso para nós – é um conceito surgido na Grécia antiga. Por cerca de um século, a partir de meados do século V a.C., Atenas viveu esta experiência única em sua época. Democracia, em grego, quer dizer "poder do povo", à diferença de "poder de um", a monarquia, ou o "poder de poucos", a oligarquia ou aristocracia.
>
> Pedro Paulo Funari. *Grécia e Roma*. São Paulo: Contexto, 2001. p. 35-36.

Grande parte dos termos políticos que usamos hoje teve origem na Grécia Antiga. Como mencionado no texto acima, democracia é um desses termos. Porém, o regime democrático naquele contexto se diferenciava do atual, porque

a) era mais abrangente, incluindo os estrangeiros.
b) incluía os estrangeiros e os menores de 16 anos.
c) eram considerados cidadãos apenas os homens acima de 18 anos, nascidos de pai e mãe atenienses.
d) eram considerados cidadãos todos os residentes das cidades gregas, e não apenas os atenienses.
e) eram considerados cidadãos todos os homens atenienses de acordo com o poder econômico.

Questão 4

Alexandre é incontestavelmente uma das figuras mais importantes da história da civilização grega. Apresentando-se como herdeiro do helenismo clássico, suas conquistas inseriram o Oriente mediterrâneo na zona cultural grega. Ao mesmo tempo, porém, seu reino simbolizava a ruptura entre a civilização grega clássica e a do mundo que nasceria de suas conquistas, o mundo helenístico.

Claude Mossé. *Dicionário da civilização grega.* Rio de Janeiro: Zahar, 2004. p. 35.

Por período helenístico entende-se

a) o período de domínio da cultura grega sobre as culturas do Oriente, a partir das conquistas de Alexandre Magno.

b) o período de expansão do Império Macedônico, sob a liderança de Alexandre Magno, no qual houve um intenso intercâmbio entre a cultura grega e as culturas do Oriente.

c) o período de domínio da cultura oriental sobre a cultura grega, a partir da ascensão de Alexandre Magno.

d) o período de dominação política e cultural persa sobre o território pertencente ao Império Macedônico.

e) o período de dominação política e cultural grega sobre a região da Macedônia, a partir da ascensão de Alexandre Magno.

Questão 5

No início do século II a.C., os romanos tinham conquistado praticamente toda a península Itálica e começado a construir embarcações próprias e a intensificar a prática do comércio marítimo. Mas, naquele período, o mar Mediterrâneo era controlado por Cartago. Com o objetivo de dominar o Mediterrâneo e as rotas comerciais que passavam por esse mar, os romanos passaram a investir contra os cartaginenses em uma sucessão de batalhas que se tornaram conhecidas como

a) Guerra do Peloponeso.

b) Guerras Púnicas.

c) campanhas de Alexandre, o Grande.

d) Guerras Médicas.

e) Guerras Macedônicas.

Questão 6

O último rei de Roma foi Tarquínio, o Soberbo, que, em 509 a.C., foi deposto. Há controvérsias sobre o fim da supremacia etrusca em Roma por uma revolta violenta. A tradição admite que Tarquínio tenha sido o último rei etrusco em Roma, mas há hipóteses de que ele foi retirado do trono por alguns nobres etruscos e latinos. Mas o que nos importa aqui é a evidência de que, a partir de fins do século VI a.C., Roma viveu sob uma Constituição de origem etrusca. A aristocracia vitoriosa, fortemente ligada às cidades latinas, não era nem puramente etrusca, nem romana. O aspecto mais importante é que do século VIII a.C. até o século VI. a.C., com o fim do domínio etrusco, Roma viveu um período centrado no poder real que foi destituído para dar lugar à República.

Flávia Maria Schlee Flyer. *História Antiga, Grécia e Roma*: a formação do Ocidente. Petrópolis: Vozes; Rio de Janeiro: Ed. da PUC-Rio, 2014. p. 146.

Sobre o processo de transição do regime monárquico para o republicano em Roma, analise as afirmações:

I. Foi efetivado pela Assembleia aristocrática.

II. Prevaleceram os interesses da aristocracia etrusca.

III. O poder passou a ser exercido por dois cônsules, que centralizavam os poderes políticos, militares e religiosos.

IV. O Senado era composto exclusivamente de patrícios.

V. Os plebeus formavam as patres e os genos.

Assinale a alternativa que indica as afirmativas corretas.

a) Todas estão corretas.

b) II, III, IV e V.

c) I, III e IV.

d) II e IV.

e) I, II, IV e V.

Questão 7

Tibério Graco dizia que os animais selvagens tinham cada um a sua toca, o seu covil, mas aqueles que combatiam e morriam pela Itália erravam com suas mulheres e filhos. Dizia também que os generais mentiam nas batalhas ao animarem os soldados a combaterem um inimigo para a defesa dos túmulos e lugares santos de cultos, pois, entre tantos romanos, não havia um que possuísse um altar familiar, uma tumba de antepassados. Guerreavam e morriam unicamente para o incremento do luxo e da opulência dos ricos; senhores do mundo para eles, os que lutavam, não sobrava uma nesga de terra.

Flávia Maria Schlee Eyler. *História Antiga, Grécia e Roma*: a formação do Ocidente. Petrópolis: Vozes; Rio de Janeiro: Ed. da PUC-Rio, 2014. p. 176-177.

Sobre a Lei Agrária defendida pelos irmãos Graco, pode-se dizer que ela

a) determinava o limite de posse da terra, sendo o excedente recuperado pelo Estado e redistribuído aos cidadãos empobrecidos, que não poderiam vendê-la.
b) propunha a estatização das terras pertencentes aos senadores e a posterior redistribuição para a plebe rústica.
c) consistia no fim da propriedade privada.
d) defendia a distribuição das terras situadas nas colônias africanas aos cidadãos empobrecidos.
e) decretava que a reforma agrária deveria ser um direito social assegurado pela Constituição.

Questão 8

[...] De fato, não há dúvida de que, em dois aspectos fundamentais, as províncias do Oriente agora se sobressaíam dentro do Império. Economicamente, a crise do modo de produção escravista desenvolvido atingira com muito mais força o Ocidente, onde tinha raízes mais profundas, e o deixara pior em termos comparativos: a região já não possuía nenhum dinamismo nativo para contrabalançar a riqueza tradicional do Oriente e começou a ficar para trás, tornando-se a metade mais pobre do Mediterrâneo. Culturalmente, seu ímpeto também estava cada vez mais gasto. A história e a filosofia gregas vinham reascendendo desde o final da época antonina [...] Ainda mais importante, de fato, foi o crescimento vagaroso da nova religião que viria a tomar o Império. O cristianismo nascera no Oriente [...].

Perry Anderson. *Passagens da Antiguidade ao feudalismo*. São Paulo: Ed. da Unesp, 2013. p. 98.

O texto acima é um retrato do Império Romano na passagem do século III a.C. para o século IV a.C. Os acontecimentos desse período que complementam o contexto apresentado no texto são

I. transferência da capital do Império para Milão.
II. incorporação de estrangeiros ao Exército.
III. cristianização do Império a partir do Édito de Milão.
IV. divisão do Império em Ocidente e Oriente.

Assinale a alternativa que indica as afirmativas corretas.

a) Todas estão corretas.
b) I, II e III.
c) II, III e IV.
d) I, III e IV.
e) I e III.

Questão 9

Devemos perceber no mais, que o termo "invasões bárbaras", comumente utilizado para designar esse fenômeno histórico, e consagrado por uma historiografia política e tradicional, foi definitivamente preterido por sua carga de aviltamento àquele povo que, frente aos romanos, foram considerados "bárbaros", ou seja, violentos, destruidores, cúpidos. Foi substituído pelo termo migrações, proposto por historiadores germânicos, os quais desejam, por sua vez, dar termo a sua própria visão desse acontecimento, ou ainda, traz à luz a visão dos "recém-chegados". O presente termo, aliás, parece de fato ser mais coerente com esse movimento histórico, pois desfaz uma terminologia (Invasões) que tem encerrado um sério valor pejorativo, assim como o próprio termo bárbaro para designar aqueles envolvidos nesse processo migratório. [...]

Ronaldo Amaral. O bárbaro como construto. Uma rediscussão historiográfica das migrações germânicas à luz dos conceitos de cultura, civilização e barbárie. *Revista de História Comparada*, Rio de Janeiro, v. 8, n. 2, p. 6-28, 2014. Disponível em: <https://revistas.ufrj.br/index.php/RevistaHistoriaComparada/article/view/1832>. Acesso em: 10 dez. 2018.

Com relação à presença de germânicos no território do Império Romano, pode-se afirmar que

I. a partir do século IV ocorreram diversos fluxos migratórios desses povos para o interior do Império Romano.

II. as invasões romanas aos territórios germânicos enfraqueceram as organizações políticas desses povos.

III. novos estudos historiográficos sugerem que esses povos devem ser chamados de "bárbaros".

IV. novos estudos historiográficos adotam a expressão "migrações germânicas", em vez de "invasões bárbaras".

a) I e IV estão corretas.
b) Todas as alternativas estão corretas.
c) I, II e IV estão corretas.
d) I, II e III estão corretas.
e) II e III estão corretas.

Questão 10

Após a guerra Greco-Gótica e os ataques lombardo e sarraceno, a Itália meridional [...] tornou-se "uma verdadeira cidade cemitério". Na Itália setentrional e central, a rede urbana foi destruída: no Vêneto e na Ístria, das 25 *civitas* remanescentes, desapareceram sete. [...] a persistência da estrutura urbana foi mais longa que em outras regiões.

Jacques Le Goff. *La città medievale*. Milano: Giunti, 2011. p. 14-15. (Tradução nossa.)

O texto apresenta uma reflexão sobre o processo de transformação do espaço urbano na passagem da Antiguidade para a Idade Média. Quais elementos estão relacionados ao processo descrito pelo autor?

a) O êxodo urbano, a desorganização das redes de comunicação e as migrações dos povos germânicos.
b) O êxodo rural.
c) A decadência das instituições romanas.
d) O baixo crescimento demográfico urbano.
e) A expulsão dos povos germânicos.

Questão 11

Cientes das disparidades entre o que haviam destruído e o que podiam construir, os governantes germânicos se empenharam em restaurar o máximo possível dos edifícios romanos que haviam derrubado: o maior deles, o ostrogodo Teodorico, criou um meticuloso condomínio administrativo na Itália, embelezou a capital, patrocinou a arte e a filosofia pós-clássicas e conduziu as relações exteriores no estilo tradicional do Império [...].

Perry Anderson. *Passagens da Antiguidade ao feudalismo*. São Paulo: Ed. da Unesp, 2013. p. 132-133.

O texto trata dos seguintes conceitos:

a) tempo e espaço.
b) antigo e moderno.
c) passado e presente.
d) ruptura e permanência.
e) rural e urbano.

DE OLHO NO ENEM

Questão 12

> O "cume" da cadeia também era, em certos aspectos importantes, o elo mais fraco. Em princípio, o nível mais alto da hierarquia feudal em qualquer território da Europa ocidental era diferente dos senhorios subordinados apenas em grau, e não em gênero.
>
> Perry Anderson. *Passagens da Antiguidade ao feudalismo*. São Paulo: Ed. da Unesp, 2013. p. 169.

Como o texto interpreta a figura do monarca na estrutura hierárquica medieval?

a) O senhor feudal era o suserano supremo.

b) O monarca era um suserano, mas isso não significava que seus poderes eram absolutos sobre o reino.

c) O monarca representava os interesses do povo.

d) Mesmo tendo o poder espiritual, o monarca não representava a totalidade do poder político.

e) O contrato de suserania e vassalagem garantia ao monarca o controle total sobre todas as terras.

Questão 13

Sabemos que o mundo rural era a base da economia senhorial. Porém, a cidade paulatinamente constituiu uma identidade própria dentro da estrutura feudal. Assim, podemos dizer que

a) o mercado urbano representava uma parcela importante dos lucros senhoriais, especialmente pela taxação sobre a prática da usura.

b) o mercado urbano era indispensável à economia feudal, por ser ponto de escoamento do excedente senhorial e fonte de tributos.

c) o comércio era um ofício hereditário no mundo urbano medieval.

d) a cidade não possuía uma dinâmica independente do feudo e funcionava exclusivamente a partir do excedente senhorial.

e) a economia urbana já obtinha uma porcentagem de lucro superior à agrária entre os séculos XIII e XIV.

Questão 14

> A defesa das portas, pontos nevrálgicos da muralha, é um dever prioritário. [...] A cidade medieval é aqui a herdeira da ideologia urbana mais antiga, que sempre sacralizara o espaço ao redor da porta. O aspecto monumental e simbólico dessas portas teve como resultado, por outro lado, sua conservação, às vezes até os nossos dias, em lugares onde a muralha foi destruída há muito tempo.
>
> Jacques Le Goff. *O apogeu da cidade medieval*. São Paulo: Martins Fontes, 1992. p. 18.

A leitura do texto permite-nos compreender a porta que guardava a cidade medieval como um elemento

a) religioso de extrema importância para o funcionamento das igrejas medievais.

b) exclusivo de preocupação com a segurança da cidade medieval.

c) da organização social, política e econômica das muralhas na Baixa Idade Média.

d) central da vida urbana medieval.

e) imaginário, por isso não foi conservado em várias cidades europeias.

Questão 15

> Foi um acontecimento externo à história da Europa que se abateu sobre ela de maneira um tanto parecida com o que a colonização europeia viria a fazer com as sociedades americanas e africanas alguns séculos depois (o impacto das epidemias no Caribe talvez proporcione uma comparação).
>
> Perry Anderson. *Passagens da Antiguidade ao feudalismo*. São Paulo: Ed. da Unesp, 2013. p. 227.

A qual acontecimento, ocorrido durante a Idade Média, o texto se refere?

a) À Guerra dos Cem Anos.

b) À Guerra das Duas Rosas.

c) Às Cruzadas.

d) À peste negra.

e) À revolta camponesa na Inglaterra.

Questão 16

Texto I

[...]

Em 2002, o ex-presidente francês Valéry Giscard d'Estaing [...] explicitou ao jornal *Le Monde* o que muitos outros líderes europeus pensavam em privado: "A Turquia jamais poderá pertencer à União Europeia por ter outra cultura, enfoque e modo de vida". [...]

_{Antonio Luiz M. C. Costa. A Europa toma medidas desesperadas contra a imigração. *CartaCapital*, 18 mar. 2016. Disponível em: <https://www.cartacapital.com.br/revista/892/medidas-desesperadas>. Acesso em: 5 abr. 2017.}

Texto II

Nos tempos de São Luís, as hordas que surgiram do leste provocaram terror e angústia no mundo cristão. O medo do estrangeiro oprime novamente as populações.

No entanto, a Europa soubera digerir e integrar os saqueadores normandos. Essas invasões tinham tornado menos claras as fronteiras entre o mundo pagão e a cristandade e estimulado o crescimento econômico. [...]

_{Georges Duby. *Ano 1000, ano 2000*: na pista de nossos medos. São Paulo: Ed. da Unesp/Imprensa Oficial, 1998. p. 50-51.}

Comparando os textos, podemos concluir que

a) o texto jornalístico nos mostra que o terrorismo é o maior temor da Europa nos dias atuais, enquanto na Idade Média eram os povos pagãos ou seguidores de doutrinas diversas do cristianismo.

b) ambos os textos são contundentes em relação ao perigo que o islamismo representa para a estabilidade econômica da Europa na atualidade.

c) tanto o artigo jornalístico quanto o texto historiográfico enfatizam aspectos da intolerância religiosa e cultural presentes no pensamento europeu ao longo dos séculos.

d) o artigo jornalístico trata da aproximação dos países europeus com a Turquia, um país muçulmano, mostrando que a Europa aposta na tolerância religiosa, um pensamento recente e que difere do ideário medieval.

e) o texto jornalístico nos mostra que, hoje, a Europa teme apenas os países muçulmanos, enquanto o texto historiográfico nos mostra que na Idade Média o inimigo poderia ser também um país vizinho.

Questão 17

↑ A noiva, a filha da alegria e seus eus mortos, xilogravura publicada pelo editor francês Antoine Vérard, em 1486.

Durante a Idade Média, terríveis epidemias se alastraram pela Europa matando milhares de pessoas. A pior delas foi a epidemia da peste bubônica, no século XIV, que matou dois terços da população europeia, tanto adultos quanto crianças. As Cruzadas também resultaram na morte de uma grande parcela da população masculina, assim como a Guerra dos Cem Anos (1337-1453), entre França e Inglaterra. Esses episódios influenciaram o homem medieval a desenvolver a percepção sobre a curta duração da vida e as angústias e o medo em relação à morte. Sabendo disso, responda: Qual é a ideia central contida nessa imagem?

a) A imagem representa elementos incomuns sobre a Idade Média, como o medo de morrer.

b) A imagem transmite valores medievais, como coragem, lealdade, heroísmo e, especialmente, a defesa da fé cristã.

c) A imagem representa a destruição dos valores medievais.

d) A imagem representa o pensamento religioso da época medieval, especialmente aquele relacionado ao pecado, que deveria ser fortemente punido inclusive com a morte do pecador.

e) A imagem transmite a ideia de advertência e de terror diante da fragilidade da vida, que é a mesma para todos os estratos sociais.

DE OLHO NO ENEM

Questão 18

> Deus quis que entre os homens uns fossem senhores e outros servos, de tal maneira que os senhores estejam obrigados a venerar e amar a Deus, e que os servos estejam obrigados a amar e venerar o seu senhor.
>
> St. Laud de Angers. Citado por: Gustavo de Freitas. *900 textos e documentos de História*. Lisboa: Plátano, 1977. p.145. v. 1.

O texto é um pronunciamento de um clérigo francês da Idade Média. Com base nele, podemos considerar que

a) a Igreja não era uma instituição importante para a sociedade feudal.
b) apesar de a Igreja ser uma instituição autônoma, sua autoridade sobre as massas era enorme, forçando a submissão dos camponeses, base da economia feudal.
c) a Igreja exercia a "justiça" em conjunto com os senhores leigos.
d) a monarquia era suserana da Igreja, o que garantia o funcionamento da sociedade feudal.
e) a imobilidade social se dava principalmente porque a Igreja era o verdadeiro poder régio.

Questão 19

> [...] Reuniam-se os militares em assembleias, em torno dos relicários. Os bispos e os príncipes diziam-lhes: "Se não quiserdes ser condenados, prestai juramento, engajai-vos, perante Deus e por vossa alma, a respeitar algumas proibições. Podeis matar-vos entre vós, mas não mais devereis, doravante, brigar nos arredores das igrejas, locais de asilo onde qualquer um pode refugiar-se. [...]. Cada cavaleiro era um pequeno rei e era obrigado a ajudar Deus a manter a paz na terra com sua espada, em vez de servir-se dela para espoliar os pobres.
>
> Georges Duby. *Ano 1000, ano 2000*: na pista de nossos medos. São Paulo: Ed. da Unesp/Imprensa Oficial, 1998. p. 100 e 102.

Considerando a ideia central do texto, conclui-se que a Igreja

a) exerceu, além de um papel pacificador, uma força de controle e repressão sobre aqueles que perturbavam a estabilidade social.
b) criticou duramente as organizações militares.
c) exerceu uma influência que não chegava a afetar os nobres.
d) considerou as atividades da cavalaria pecaminosas, condenando todos os seus atos.
e) exerceu um papel pacificador durante toda a Idade Média, pregando a tolerância religiosa.

Questão 20

> [...] o crescimento do sistema escolar se dá principalmente com o ensino privado, com professores que ensinam a pagamento. Com base nas artes liberais, se desenvolve o ensino de duas disciplinas fundamentais, em duas cidades especificamente: o direito em Bologna e a teologia em Paris [...].
>
> Jacques Le Goff. *La città medievale*. Milano: Giunti, 2011. p. 63. (Tradução nossa.)

O texto descreve o desenvolvimento do sistema escolar durante a Alta Idade Média, que se caracterizou por ser

a) religioso e predominantemente urbano.
b) religioso e predominantemente rural.
c) laico e predominantemente urbano.
d) religioso e ocorrer dentro dos monastérios.
e) obrigatório e universal.

Bibliografia

ANDERSON, P. *Passagens da Antiguidade ao feudalismo*. 5. ed. São Paulo: Brasiliense, 2001.

ANDRONICUS, M.; YALOURIS, N. *Os jogos olímpicos na Grécia Antiga*. São Paulo: Odysseus, 2004.

ARBEX JR., J. *Islã*: um enigma de nossa época. São Paulo: Moderna, 1996.

ARIÈS, P. *História social da criança e da família*. 2. ed. Rio de Janeiro: LTC, 1981.

ARMSTRONG, K. *Uma história de Deus*: quatro milênios de busca do judaísmo, cristianismo e islamismo. São Paulo: Companhia de Bolso, 2008.

ARRABAL, J. *O livro das origens*. São Paulo: Paulinas, 2001.

ARRUDA, J. J. de. *Atlas histórico básico*. 17. ed. São Paulo: Ática, 2011.

BAHBOUT, S. *Judaísmo*. São Paulo: Globo, 2002.

BARRACLOUGH, G. *Atlas da história do mundo*. São Paulo: Folha de S.Paulo, 1995.

BATTLES, M. *A conturbada história das bibliotecas*. São Paulo: Planeta do Brasil, 2003.

BENTO, C. C. *Jogos de origem ou descendência indígena e africana na educação física escolar*: educação para e nas relações étnico-raciais. 2012. Dissertação (Mestrado em Educação) – Universidade Federal de São Carlos (UFSCar), São Carlos.

BETHELL, L. *História da América Latina*: América Latina Colonial. São Paulo: Edusp; Brasília: Fundação Alexandre Gusmão, 1998. v. 1.

BITTENCOURT, C. *Ensino de história: fundamentos e métodos*. 4. ed. São Paulo: Cortez Editora, 2011 (Coleção Docência em Formação – Ensino Fundamental).

_____ (Org.). *O saber histórico em sala de aula*. São Paulo: Contexto, 1997.

BLACK, J. (Org.). *Atlas da história do mundo*. Londres: Dorling Kindersley, 2005.

BLOCH, M. *A sociedade feudal*. Lisboa: Edições 70, 2009.

_____. *Apologia da história ou o ofício de historiador*. Rio de Janeiro: Zahar, 2002.

BOSI, E. *Memória e sociedade*: lembrança de velhos. São Paulo: Companhia das Letras, 1994.

BRANDÃO, H. N. *Gêneros do discurso na escola*: mito, conto, cordel, discurso político, divulgação científica. São Paulo: Cortez, 2000.

BRASIL. Secretaria de Educação Básica. *Base nacional comum curricular*: educação é a base. Brasília: MEC/SEB, 2017.

BRÉHIER, L. *El mundo bizantino*: vida y muerte de Bizancio. Ciudad de México: Uteha, 1956.

BURKE, P. (Org.). *A escrita da história*: novas perspectivas. 2. ed. São Paulo: Ed. da Unesp, 2011.

CAGLIARI, L. C. *A origem do alfabeto*. Disponível em: <http://dalete.com.br/saber/origem.pdf>. Acesso em: 4 jul. 2018.

CALAINHO, D. B. *História medieval do Ocidente*. Petrópolis: Vozes, 2014.

CAMPBELL, J. *O poder do mito*. São Paulo: Palas Athena, 1990.

CARDOSO, C. F.; VAINFAS, R. (Org.). *Domínios da história*: ensaio de teoria e metodologia. Rio de Janeiro: Campus, 1997.

CARTER, H.; MACE, A. C. *A descoberta da tumba de Tutankhamon*. São Paulo: Planeta do Brasil, 2004.

CERQUEIRA, F. V. Interpretando evidências iconográficas da mulher ateniense. *Cadernos do Lepaarq*: textos de antropologia, arqueologia e patrimônio, Pelotas, UFPel, v. 5, n. 9-10, 2008. Disponível em: <https://periodicos.ufpel.edu.br/ojs2/index.php/lepaarq/article/view/1203>. Acesso em: 4 jul. 2018.

CERTEAU, M. de. *A escrita da história*. 3. ed. Rio de Janeiro: Forense Universitária, 2011.

CHARTIER, R. *A história cultural*: entre práticas e representações. Lisboa: Difel, 2002.

CHILVERS, I. *Dicionário Oxford de arte*. 3. ed. São Paulo: Martins Fontes, 2007.

COMISSÃO ECONÔMICA PARA AMÉRICA LATINA E O CARIBE (Cepal). *Os povos indígenas na América Latina*: avanços na última década e desafios pendentes para a garantia de seus direitos. Santiago: Nações Unidas, 2015.

CORNELL, T.; MATTEWS, J. *Roma*: legado de um império. Madrid: Ediciones del Prado, 1996. v. 1 e 2.

CUNHA, M. C. da. *História dos índios no Brasil*: história, direitos e cidadania. São Paulo: Claro Enigma, 2013 (Coleção Agenda Brasileira).

DUBY, G. *Guilherme Marechal ou o melhor cavaleiro do mundo*. 2. ed. Rio de Janeiro: Graal, 1988.

DUQUESNE, J. Fundamentalismo cristão. Revista *História Viva*, São Paulo, Duetto, ano II, n. 15, p. 43, jan. 2005.

ECO, U. (Org.). *Idade Média*: bárbaros, cristãos e muçulmanos. Alfragide: Dom Quixote, 2010.

ELIADE, M. *Mito e realidade*. São Paulo: Perspectiva, 2002.

FARAH, P. D. *O Islã*. São Paulo: Publifolha, 2008.

FERRO, M. *A história vigiada*. São Paulo: Martins Fontes, 1989.

FINLEY, M. *O mundo de Ulisses*. 3. ed. Lisboa: Presença, 1988.

FLORENZANO, M. B. B. *O mundo antigo*: economia e sociedade. 13. ed. São Paulo: Brasiliense, 1998.

FRANCO JR., H. *O feudalismo*. 10. ed. São Paulo: Brasiliense, 1991.

FUNARI, P. P. A. *Arqueologia*. São Paulo: Contexto, 2003.

_____. *Grécia e Roma*. São Paulo: Contexto, 2002 (Coleção Repensando a História).

_____. *Os antigos habitantes do Brasil*. São Paulo: Ed. da Unesp, 2001.

_____; PELEGRINI, S. *Patrimônio histórico e cultural*. Rio de Janeiro: Zahar, 2006.

_____; NOELLI, F. *Pré-história do Brasil*. São Paulo: Contexto, 2004.

_____; SILVA, G. J. da. *Teoria da história*. São Paulo: Brasiliense, 2008.

_____ (Org.). *As religiões que o mundo esqueceu*. São Paulo: Contexto, 2009.

GARELLI, P.; NIKIPROWETZKY, V. *O Oriente Próximo asiático*: impérios mesopotâmicos – Israel. São Paulo: Pioneira/Edusp, 1982.

_____. *O Oriente Próximo asiático*: das origens às invasões dos povos do mar. São Paulo: Pioneira/Edusp, 1982.

GASPAR, M. *Sambaquis*: arqueologia do litoral brasileiro. Rio de Janeiro: Zahar, 2000.

GLOTZ, G. *A cidade grega*. São Paulo-Rio de Janeiro: Difel, 1980.

GOODT, J. *Cultura escrita en sociedades tradicionales*. Barcelona: Gedisa, 1996.

GRANDAZZI, A. *As origens de Roma*. São Paulo: Ed. da Unesp, 2009.

GRAY, J. *Próximo Oriente*. São Paulo: Vozes, 1982.

GUARINELLO, N. L. *Os primeiros habitantes do Brasil*. 15. ed. São Paulo: Atual, 2009.

HECK, E.; PREZIA, B. *Povos indígenas*: terra é vida. 4. ed. São Paulo: Atual, 2002.

HERNANDEZ, L. L. *A África em sala de aula*: visita à história contemporânea. São Paulo: Selo Negro, 2008.

HOOKER, J. T. (Org.). *Lendo o passado*: do cuneiforme ao alfabeto – a história da escrita antiga. São Paulo: Edusp/Melhoramentos, 1996.

HUIZINGA, J. *O declínio da Idade Média*. Lisboa: Verbo, 2006.

INSTITUTO BRASILEIRO DE GEOGRAFIA E ESTATÍSTICA (IBGE). *Atlas geográfico escolar*. 7. ed. Rio de Janeiro: IBGE, 2016.

JENKINS, K. *A história repensada*. São Paulo: Contexto, 2003.

KARNAL, L. (Org.). *História na sala de aula*. São Paulo: Contexto, 2003.

KINDER, H.; HILGERMANN, W. *Atlas histórico mundial*: de los orígenes a la Revolución Francesa. Madrid: Akal, 2006.

KRIWACZEK, P. L. *Babilônia*: a Mesopotâmia e o nascimento da civilização. Rio de Janeiro: Zahar, 2018.

LE GOFF, J. *A Idade Média explicada aos meus filhos*. Rio de Janeiro: Agir, 2007.

_____. *História e memória*. Campinas: Ed. da Unicamp, 2003.

_____. *Reflexões sobre a história*. Lisboa: Edições 70, 1999.

LEITE, B.; WINTER, O. *Fim do milênio*: uma história dos calendários, profecias e catástrofes cósmicas. Rio de Janeiro: Zahar, 1999.

LEITE, L. R.; SILVA, G. V. da; CARVALHO, R. N. B.; FRANCALANCI, C. (Org.). *Figurações do masculino e do feminino na Antiguidade*. Vitória: Ed. PPGL, 2011.

LEVI, P. *Grécia*: berço do Ocidente. Madrid: Ediciones del Prado, 1996. v. 1 e 2.

MATTHEW, D. *Europa medieval*: rumo ao mundo moderno. Madrid: Ediciones del Prado, 1996. v. 1 e 2.

MCEVEDY, C. *Atlas de história medieval*. São Paulo: Companhia das Letras, 2007.

MESTRE, J. S.; RUVIRA, G. Z. *Atlas histórico*. Madrid: SM, 2002.

MINDLIN, B. O fogo e as chamas dos mitos. *Estudos Avançados*, v. 16, n. 44, p. 149-169, 2002. Disponível em: <http://dx.doi.org/10.1590/S0103-40142002000100009>. Acesso em: 4 jul. 2018.

MOKHTAR, G. (Ed.). *História geral da África*, v. II: África Antiga. 2. ed. rev. Brasília: Unesco, 2010.

MOSSÉ, C. *Atenas*: a história de uma democracia. 3. ed. Brasília: Ed. da UnB, 1997.

_____. *Dicionário da civilização grega*. Rio de Janeiro: Zahar, 2004.

MUSSET, L. *Las invasiones 12 e 12 bis*. Calabria-Barcelona: Labor, 1982.

NOVAES, A. *A descoberta do homem e do mundo*. São Paulo: Companhia das Letras, 1998.

O'BRIEN, P. K. (Ed.). *Philip's atlas of world history*. London: Institute of Historical Research, University of London, 2007.

OLIVEIRA, S. R. de. "Construindo uma "história do possível": relatos de uma experiência historiográfica feminista. In: *Seminário Internacional Fazendo Gênero*, 10, 2013, Florianópolis. Anais eletrônicos. Florianópolis: UFSC, 2013.

PEDRERO-SÁNCHEZ, M. G. *História da Idade Média*: textos e documentos. São Paulo: Ed. da Unesp, 2000.

PERRENOUD, P. *As competências para ensinar no século XXI*. Porto Alegre: Artmed, 2002.

_____ et al. *Construir as competências desde a escola*. Porto Alegre: Artmed, 1999.

PETIT, P. *História antiga*. 7. ed. Rio de Janeiro: Bertrand Brasil, 1995.

PINSKY, C. (Org.). *Fontes históricas*. São Paulo: Contexto, 2005.

PINSKY, J. *100 textos de história antiga*. São Paulo: Contexto, 1988.

_____. *As primeiras civilizações*. São Paulo: Contexto, 2001.

RIOS, R. *A história de Gilgamesh*: o rei de Uruk. São Paulo: SM, 2007.

ROAF, M. *Mesopotâmia e o antigo Médio Oriente*. Madrid: Ediciones del Prado, 1996. v. 1 e 2.

ROLIM, A. V.; CARVALHO, L. M. A relação entre religião e o trabalho na sociedade inca. *Ameríndia-história, cultura e outros combates*, v. 3, n. 1, 2007. Disponível em: <http://www.periodicos.ufc.br/amerindia/article/view/1558>. Acesso em: 21 maio 2018.

ROSSI, P. *O nascimento da ciência moderna na Europa*. Bauru: Edusc, 2001.

SANTOS, E. N. dos. *Deuses do México indígena*. São Paulo: Palas Athena, 2002.

SANTOS, F. R. A grande árvore genealógica humana. *Revista UFMG*, Belo Horizonte, v. 21, n. 1-2, jan./dez. 2014. Disponível em: <https://www.ufmg.br/revistaufmg/downloads/21/05_pag88a113_fabriciosantos_agrandearvore.pdf>. Acesso em: 23 jul. 2018.

SCOVILLE, P. Senhoras da casa: uma visão sobre a importância do feminino na sociedade egípcia da XVIII Dinastia. *Revista Cadernos de Clio*, v. 5, n. 1, p. 288, 2014. Disponível em: <https://revistas.ufpr.br/clio/article/viewFile/40226/24581>. Acesso em: 8 maio 2018.

SILVA, A. da C. e. *A enxada e a lança*: a África antes dos portugueses. Rio de Janeiro: Nova Fronteira, 2011.

_____. *A manilha e o libambo*: a África e a escravidão. 2. ed. Rio de Janeiro: Nova Fronteira, 2011.

SILVA, F. A. A etnoarqueologia na Amazônia: contribuições e perspectivas. *Boletim do Museu Paraense Emílio Goeldi Ciências Humanas*, Belém, v. 4, n. 1, 2009.

STEINMANN, H.; DEL OLMO, M. J. A. *No tempo do feudalismo*. 10. ed. São Paulo: Ática, 2004.

VERCOUTTER, J. *O Egito Antigo*. Rio de Janeiro: Difel, 1980.

VERNANT, J. P. *A origem do pensamento grego*. Rio de Janeiro: Difel, 1977.

_____; VIDAL-NAQUET, P. *Mito e tragédia na Grécia Antiga*. São Paulo: Perspectiva, 1999.

VEYNE, P. (Org.). *História da vida privada*. São Paulo: Companhia de Bolso, 2009. v. 1.

_____ (Org.). *Como trabalhar os conteúdos procedimentais em aula*. 2. ed. Porto Alegre: Artmed, 1999.

VICENTINO, C. *Atlas histórico*: geral e Brasil. São Paulo: Scipione, 2011.

WESSELING, H. *Dividir para dominar*: a partilha da África – 1880-1914. Rio de Janeiro: Revan/UFRJ, 1998.